FACTO
school

KB085488

단원별 계산력 수학

6-2
초등 수학
팩토

단원

분수의 나눗셈

매스티안

1 분수의 나눗셈

Teaching Guide

분수의 나눗셈을 할 때, 계산 결과가 약분 가능한 분수이거나 가분수인 경우가 있습니다. 첫째, 약분 가능한 경우에는 약분하여 기약분수로 나타내는 것이 좋습니다. 약분을 하지 않았다 하여 꼭 틀린 것은 아니지만, 수학에서는 같은 문제를 풀었을 때 가능하면 모든 사람들이 공통된 답이 나오도록 요구합니다. 둘째, 계산 결과가 가분수인 경우 위에서 설명한 것과 같은 이유로 가분수를 대분수로 고쳐 모든 사람들이 공통된 답이 나오도록 하는 것이 좋습니다. 중학생이 되면 가분수를 대분수로 고쳐 나타내는 일은 거의 없습니다. 계산 결과가 대분수냐 가분수냐가 중요한 것이 아니라 문제를 어떻게 이해하고 해결하는지가 더 중요하기 때문입니다.

2. 약수와 배수
· 약수와 배수
· 공약수와 최대공약수
· 공배수와 최소공배수

5-1

소인수분해

중학 1-1

최대공약수와 최소공배수

중학 1-1

1. 분수의 나눗셈
· (자연수)÷(분수)
· (분수)÷(분수)

6-2

1. 분수의 나눗셈
· (자연수)÷(자연수)
· (분수)÷(자연수)

5. 분수의 덧셈과 뺄셈
· 분모가 다른 진분수, 대분수의 덧셈과 뺄셈

5-1

2. 분수의 곱셈
· (분수)×(자연수)
· (분수)×(분수)

5-2

6-1

3. 소수의 나눗셈
· (소수)÷(자연수)
· (자연수)÷(자연수)

6-1

2. 소수의 나눗셈
· (소수)÷(소수)
· (자연수)÷(소수)

6-2

유리수의 계산

중학 1-1

제곱근과 실수

중학 3-1

유리수와 순환소수

중학 2-1

공부한 날짜

① 일차 분모가 같은 (분수)÷(분수)
월 일

② 일차 분모가 다른 (분수)÷(분수)
월 일

③ 일차 (자연수)÷(분수)
월 일

④ 일차 (분수)÷(분수)를 (분수)×(분수)로 나타내기
월 일

⑤ 일차 분수의 나눗셈 연습
월 일

⑥ 일차 응용 문제
월 일

⑦ 일차 형성 평가
월 일

⑧ 일차 단원 평가
월 일

01 분모가 같은 (분수)÷(분수)

정답 02쪽

● 분자끼리 나누어떨어지는 분모가 같은 (분수)÷(분수)

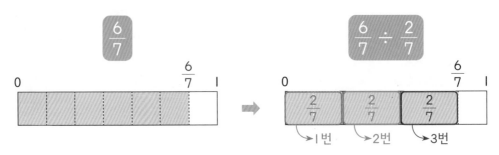

$$\frac{6}{7} \div \frac{2}{7} = 3 \left(\frac{6}{7} \text{에서 } \frac{2}{7} \text{를 } 3 \text{번 덜어 낼 수 있습니다.} \right)$$

1 ◻ 안에 알맞은 수를 써넣으시오.

> 보기
>
> $$\frac{8}{9} \div \frac{4}{9} = \frac{8}{9} \div \frac{4}{9} = 8 \div 4 = 2$$
>
> 분모가 $(\frac{1}{9}$이 8개$)$ $(\frac{1}{9}$이 4개$)$
> 같습니다.

$$\frac{2}{3} \div \frac{1}{3} = \boxed{2} \div \boxed{1} = \boxed{}$$

$$\frac{4}{5} \div \frac{2}{5} = \boxed{} \div \boxed{} = \boxed{}$$

$$\frac{5}{7} \div \frac{1}{7} = \boxed{} \div \boxed{} = \boxed{}$$

$$\frac{6}{7} \div \frac{3}{7} = \boxed{} \div \boxed{} = \boxed{}$$

$$\frac{8}{9} \div \frac{2}{9} = \boxed{} \div \boxed{} = \boxed{}$$

$$\frac{8}{9} \div \frac{4}{9} = \boxed{} \div \boxed{} = \boxed{}$$

$$\frac{9}{10} \div \frac{3}{10} = \boxed{} \div \boxed{} = \boxed{}$$

$$\frac{10}{11} \div \frac{5}{11} = \boxed{} \div \boxed{} = \boxed{}$$

$$\frac{12}{13} \div \frac{2}{13} = \boxed{} \div \boxed{} = \boxed{}$$

② 분수의 나눗셈을 하시오.

보기

$$\frac{4}{5} \div \frac{2}{5} = \mathbf{2} \quad \leftarrow 4 \div 2$$

분모가 같습니다.

$$\frac{6}{7} \div \frac{2}{7} = \quad \leftarrow 6 \div 2$$

$$\frac{8}{9} \div \frac{4}{9} = \quad \leftarrow 8 \div 4$$

$$\frac{6}{7} \div \frac{3}{7} = \quad \leftarrow 6 \div 3$$

$$\frac{4}{5} \div \frac{1}{5} = \quad \leftarrow 4 \div 1$$

$$\frac{10}{11} \div \frac{2}{11} = \quad \leftarrow 10 \div 2$$

$$\frac{5}{6} \div \frac{1}{6} =$$

$$\frac{7}{8} \div \frac{1}{8} =$$

$$\frac{9}{10} \div \frac{3}{10} =$$

$$\frac{8}{11} \div \frac{2}{11} =$$

$$\frac{12}{13} \div \frac{6}{13} =$$

$$\frac{3}{5} \div \frac{1}{5} =$$

$$\frac{4}{7} \div \frac{2}{7} =$$

$$\frac{5}{8} \div \frac{1}{8} =$$

$$\frac{9}{11} \div \frac{3}{11} =$$

$$\frac{7}{12} \div \frac{1}{12} =$$

$$\frac{8}{15} \div \frac{4}{15} =$$

$$\frac{20}{21} \div \frac{5}{21} =$$

$$\frac{18}{25} \div \frac{6}{25} =$$

$$\frac{16}{17} \div \frac{2}{17} =$$

$$\frac{15}{31} \div \frac{3}{31} =$$

● 분자끼리 나누어떨어지지 않는 분모가 같은 (분수)÷(분수)

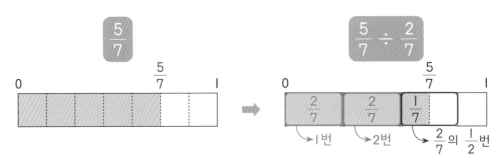

$$\frac{5}{7} \div \frac{2}{7} = 2\frac{1}{2} \ \left(\frac{5}{7}\text{에서 } \frac{2}{7}\text{를 2번 덜어 내고, } \frac{2}{7}\text{의 } \frac{1}{2}\text{번을 덜어 낼 수 있습니다.} \right)$$

3 ■ 안에 알맞은 수를 써넣으시오.

보기

$$\frac{4}{5} \div \frac{3}{5} = \frac{4}{5} \div \frac{3}{5} = 4 \div 3 = \frac{4}{3} = 1\frac{1}{3}$$

분모가 같습니다.

$$\frac{2}{7} \div \frac{3}{7} = \frac{\boxed{}}{3}$$

$$\frac{5}{8} \div \frac{7}{8} = \frac{\boxed{}}{\boxed{}}$$

$$\frac{7}{9} \div \frac{8}{9} = \frac{}{}$$

$$\frac{3}{11} \div \frac{10}{11} = \frac{}{}$$

$$\frac{5}{9} \div \frac{4}{9} = \frac{}{} = $$

$$\frac{9}{10} \div \frac{7}{10} = \frac{}{} = $$

$$\frac{5}{7} \div \frac{2}{7} = \frac{}{} = $$

$$\frac{7}{8} \div \frac{3}{8} = \frac{}{} = $$

$$\frac{8}{11} \div \frac{5}{11} = \frac{}{} = $$

$$\frac{7}{12} \div \frac{5}{12} = \frac{}{} = $$

4 분수의 나눗셈을 하시오.

÷ →		
$\frac{5}{6}$	$\frac{1}{6}$	5

$$\frac{5}{6} \div \frac{1}{6} = 5 \div 1$$

÷ →		
$\frac{4}{5}$	$\frac{2}{5}$	

÷ →		
$\frac{6}{7}$	$\frac{2}{7}$	

÷ →		
$\frac{8}{9}$	$\frac{4}{9}$	

÷ →		
$\frac{9}{10}$	$\frac{3}{10}$	

÷ →		
$\frac{8}{11}$	$\frac{2}{11}$	

÷ →		
$\frac{2}{5}$	$\frac{3}{5}$	

÷ →		
$\frac{5}{7}$	$\frac{4}{7}$	

÷ →		
$\frac{3}{8}$	$\frac{5}{8}$	

÷ →		
$\frac{8}{9}$	$\frac{7}{9}$	

÷ →		
$\frac{3}{10}$	$\frac{7}{10}$	

÷ →		
$\frac{10}{11}$	$\frac{9}{11}$	

÷ →		
$\frac{5}{12}$	$\frac{7}{12}$	

÷ →		
$\frac{12}{13}$	$\frac{11}{13}$	

÷ →		
$\frac{2}{15}$	$\frac{13}{15}$	

02 🐦 분모가 다른 (분수)÷(분수)

정답 03쪽

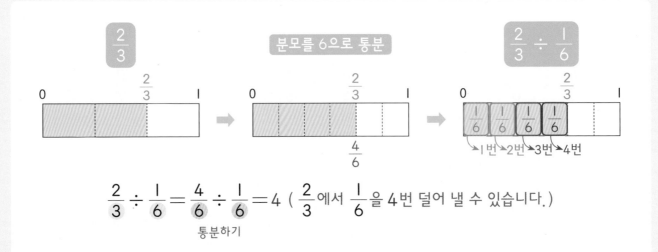

$$\frac{2}{3} \div \frac{1}{6} = \frac{4}{6} \div \frac{1}{6} = 4 \; (\frac{2}{3} \text{에서} \frac{1}{6} \text{을 4번 덜어 낼 수 있습니다.})$$

통분하기

🧑 **1** 두 분수를 통분하시오.

방법 ① 분모의 곱을 공통분모로 하기	방법 ② 분모의 최소공배수를 공통분모로 하기
$(\frac{1}{3}, \frac{2}{5}) \Rightarrow (\frac{5}{15}, \frac{6}{15})$ $3 \times 5 = 15$	$(\frac{5}{9}, \frac{1}{6}) \Rightarrow (\frac{10}{18}, \frac{3}{18})$ $3) \underline{\;9 \quad 6\;}$ $\quad\; 3 \times 2$ 최소공배수: 18

$(\frac{4}{5}, \frac{1}{4}) \Rightarrow (\dfrac{}{}, \dfrac{}{})$ $(\frac{3}{8}, \frac{5}{6}) \Rightarrow (\dfrac{}{}, \dfrac{}{})$

$(\frac{2}{7}, \frac{3}{4}) \Rightarrow (\dfrac{}{}, \dfrac{}{})$ $(\frac{5}{9}, \frac{2}{3}) \Rightarrow (\dfrac{}{}, \dfrac{}{})$

$(\frac{1}{2}, \frac{7}{13}) \Rightarrow (\dfrac{}{}, \dfrac{}{})$ $(\frac{7}{10}, \frac{3}{4}) \Rightarrow (\dfrac{}{}, \dfrac{}{})$

2 안에 알맞은 수를 써넣으시오.

보기

$$\frac{1}{2} \div \frac{2}{3} = \frac{3}{6} \div \frac{4}{6} = \frac{3}{4}$$

통분하기

$$\frac{1}{4} \div \frac{1}{8} = \frac{}{8} \div \frac{}{8} = $$

통분하기

$$\frac{1}{3} \div \frac{1}{12} = \frac{}{} \div \frac{}{} = $$

통분하기

$$\frac{4}{7} \div \frac{2}{21} = \frac{}{} \div \frac{}{} = $$

$$\frac{1}{6} \div \frac{3}{4} = \frac{}{} \div \frac{}{} = \frac{}{}$$

$$\frac{3}{5} \div \frac{2}{3} = \frac{}{} \div \frac{}{} = \frac{}{}$$

$$\frac{2}{9} \div \frac{5}{6} = \frac{}{} \div \frac{}{} = \frac{}{}$$

$$\frac{1}{4} \div \frac{2}{5} = \frac{}{} \div \frac{}{} = \frac{}{}$$

$$\frac{10}{3} \div \frac{5}{6} = \frac{}{} \div \frac{}{} = \frac{}{} = $$

$$\frac{15}{4} \div \frac{3}{8} = \frac{}{} \div \frac{}{} = \frac{}{} = $$

$$\frac{7}{2} \div \frac{1}{5} = \frac{}{} \div \frac{}{} = \frac{}{} = $$

$$\frac{7}{5} \div \frac{4}{9} = \frac{}{} \div \frac{}{} = \frac{}{} = $$

$$\frac{9}{7} \div \frac{5}{8} = \frac{}{} \div \frac{}{} = \frac{}{} = $$

$$\frac{17}{10} \div \frac{3}{4} = \frac{}{} \div \frac{}{} = \frac{}{} = $$

09

안에 알맞게 써넣으시오.

보기

| 대분수 → 가분수 | 통분하기 | 계산하기 |

$$2\frac{1}{4} \div \frac{2}{3} = \frac{9}{4} \div \frac{2}{3} = \frac{27}{12} \div \frac{8}{12} = \frac{27}{8} = 3\frac{3}{8}$$

대분수 → 가분수

통분하기

| 대분수 → 가분수 | 통분하기 | 계산하기 |

$$1\frac{2}{3} \div \frac{3}{5} = \frac{\square}{\square} \div \frac{\square}{\square} = \frac{\square}{\square} \div \frac{\square}{\square} =$$

$$4\frac{1}{2} \div \frac{4}{5} = \frac{\square}{\square} \div \frac{\square}{\square} = \frac{\square}{\square} \div \frac{\square}{\square} =$$

$$2\frac{1}{3} \div \frac{4}{7} = \frac{\square}{\square} \div \frac{\square}{\square} = \frac{\square}{\square} \div \frac{\square}{\square} =$$

$$3\frac{1}{5} \div \frac{1}{6} = \frac{\square}{\square} \div \frac{\square}{\square} = \frac{\square}{\square} \div \frac{\square}{\square} =$$

$$1\frac{5}{8} \div \frac{2}{3} = \frac{\square}{\square} \div \frac{\square}{\square} = \frac{\square}{\square} \div \frac{\square}{\square} =$$

$$2\frac{2}{3} \div \frac{3}{11} = \frac{\square}{\square} \div \frac{\square}{\square} = \frac{\square}{\square} \div \frac{\square}{\square} =$$

$$4\frac{1}{5} \div \frac{1}{3} = \frac{\square}{\square} \div \frac{\square}{\square} = \frac{\square}{\square} \div \frac{\square}{\square} =$$

실력평가

1. $\dfrac{5}{6} \div \dfrac{1}{6}$

2. $\dfrac{8}{9} \div \dfrac{1}{9}$

3. $\dfrac{10}{11} \div \dfrac{1}{11}$

4. $\dfrac{6}{7} \div \dfrac{2}{7}$

5. $\dfrac{9}{10} \div \dfrac{3}{10}$

6. $\dfrac{12}{13} \div \dfrac{3}{13}$

7. $\dfrac{2}{5} \div \dfrac{3}{5}$

8. $\dfrac{3}{8} \div \dfrac{7}{8}$

9. $\dfrac{11}{17} \div \dfrac{8}{17}$

10. $\dfrac{3}{4} \div \dfrac{3}{8}$

11. $\dfrac{3}{7} \div \dfrac{1}{21}$

12. $\dfrac{5}{6} \div \dfrac{3}{4}$

13. $\dfrac{18}{5} \div \dfrac{9}{10}$

14. $\dfrac{7}{3} \div \dfrac{5}{6}$

15. $\dfrac{11}{10} \div \dfrac{7}{8}$

16. $1\dfrac{3}{5} \div \dfrac{5}{7}$

17. $3\dfrac{1}{2} \div \dfrac{6}{11}$

수고하셨습니다!

03 🐸 (자연수)÷(분수)

정답 04쪽

● 자연수를 분수로 나타내어 계산하기

$$6 \div \frac{2}{3}$$

$$6 \div \frac{2}{3} = \frac{18}{3} \div \frac{2}{3} = 18 \div 2 = 9$$

분모가 3인 분수로

1 자연수를 크기가 같은 분수로 나타내어 보시오.

보기

$$2 = \frac{2}{1} = \frac{6}{3}$$

×3
×3

$$4 = \frac{}{2}$$

×2
×2

$$5 = \frac{}{4}$$

×4
×4

$$3 = \frac{}{6}$$

$$6 = \frac{}{5}$$

$$9 = \frac{}{2}$$

$$8 = \frac{}{3}$$

$$7 = \frac{}{4}$$

$$10 = \frac{}{3}$$

$$12 = \frac{}{4}$$

$$11 = \frac{}{3}$$

$$15 = \frac{}{2}$$

$$13 = \frac{}{5}$$

$$14 = \frac{}{2}$$

$$20 = \frac{}{4}$$

보기

$$3 \div \frac{3}{5} = \frac{15}{5} \div \frac{3}{5} = 15 \div 3 = 5$$

분모가 5인 분수로

$$4 \div \frac{2}{5} = \frac{20}{5} \div \frac{2}{5} = $$

20÷2

분모가 5인 분수로

$$6 \div \frac{3}{4} = \frac{}{4} \div \frac{3}{4} = $$

분모가 4인 분수로

$$8 \div \frac{4}{5} = \frac{}{5} \div \frac{4}{5} = $$

$$5 \div \frac{1}{7} = \frac{}{7} \div \frac{1}{7} = $$

$$6 \div \frac{2}{5} = \frac{}{5} \div \frac{2}{5} = $$

$$9 \div \frac{3}{4} = \frac{}{4} \div \frac{3}{4} = $$

$$5 \div \frac{5}{8} = \frac{}{8} \div \frac{5}{8} = $$

$$7 \div \frac{7}{8} = \frac{}{} \div \frac{7}{8} = $$

$$6 \div \frac{3}{8} = \frac{}{} \div \frac{3}{8} = $$

$$10 \div \frac{2}{5} = \frac{}{} \div \frac{2}{5} = $$

$$20 \div \frac{2}{3} = \frac{}{} \div \frac{2}{3} = $$

$$15 \div \frac{3}{4} = \frac{}{} \div \frac{3}{4} = $$

$$12 \div \frac{3}{7} = \frac{}{} \div \frac{3}{7} = $$

● 분수를 자연수로 나타내어 계산하기

$6 \div 2$

구슬 6개를 2접시에 나누기	접시 1개의 구슬 수

$$6 \div 2 = 3$$

$6 \div \dfrac{2}{3}$

구슬 6개를 $\dfrac{2}{3}$접시에 나누기	접시 1개의 구슬 수

$$6 \div \dfrac{2}{3} = 9$$

($\dfrac{1}{3}$접시의 구슬 수)   ($\dfrac{1}{3}$접시의 구슬 수)의 3배
$6 \div 2$ $(6 \div 2) \times 3 = 9$

---

3 그림을 완성하고, ⬜ 안에 알맞은 수를 써넣으시오.

구슬 4개를 $\dfrac{2}{3}$접시에 나누기	접시 1개의 구슬 수

$$4 \div \dfrac{2}{3} = \boxed{}$$

→ $4 \div 2$ $4 \div 2 \times 3$

구슬 9개를 $\dfrac{3}{4}$접시에 나누기	접시 1개의 구슬 수

$$9 \div \dfrac{3}{4} = \boxed{}$$

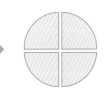

→ $9 \div 3$

구슬 6개를 $\dfrac{3}{5}$접시에 나누기	접시 1개의 구슬 수

$$6 \div \dfrac{3}{5} = \boxed{}$$

구슬 10개를 $\dfrac{5}{6}$접시에 나누기	접시 1개의 구슬 수

$$10 \div \dfrac{5}{6} = \boxed{}$$

④ 분수를 자연수로 나타내어 계산해 보시오.

보기

$$4 \div \frac{2}{5} = (4 \div 2) \times 5 = 10$$

$$6 \div \frac{3}{5} = (6 \div \quad) \times \quad = \quad$$

$$5 \div \frac{5}{7} = (5 \div \quad) \times \quad = \quad$$

$$8 \div \frac{4}{5} = (8 \div \quad) \times \quad = \quad$$

$$7 \div \frac{7}{9} = (7 \div \quad) \times \quad = \quad$$

$$4 \div \frac{2}{9} = (4 \div \quad) \times \quad = \quad$$

$$9 \div \frac{3}{5} = (9 \div \quad) \times \quad = \quad$$

$$10 \div \frac{2}{3} = (10 \div \quad) \times \quad = \quad$$

$$8 \div \frac{2}{7} = (8 \div \quad) \times \quad = \quad$$

$$12 \div \frac{3}{4} = (12 \div \quad) \times \quad = \quad$$

$$6 \div \frac{3}{8} = (6 \div \quad) \times \quad = \quad$$

$$15 \div \frac{5}{9} = (15 \div \quad) \times \quad = \quad$$

$$21 \div \frac{7}{8} = (21 \div \quad) \times \quad = \quad$$

$$20 \div \frac{4}{7} = (20 \div \quad) \times \quad = \quad$$

정답 05쪽

$$9 \div \frac{3}{4} = (9 \div 3) \times 4 = \left(9 \times \frac{1}{3}\right) \times 4 = 9 \times \frac{4}{3}$$

곱셈으로 나타내기

$$\Rightarrow \quad 9 \div \frac{3}{4} = 9 \times \frac{4}{3}$$

분모와 분자 바꾸기

1 보기 와 같이 계산해 보시오.

보기

| (자연수)÷(분수) | (자연수)×(분수) | 계산하기 |

곱셈으로 나타내기

$$5 \div \frac{2}{3} = 5 \times \frac{3}{2} = \frac{15}{2} = 7\frac{1}{2}$$

분모와 분자 바꾸기

| (자연수)÷(분수) | (자연수)×(분수) | 계산하기 |

$$3 \div \frac{5}{7} = 3 \times \frac{7}{5} =$$

$$4 \div \frac{3}{5} = 4 \times \frac{\quad}{\quad} =$$

$$6 \div \frac{5}{6} = 6 \times \frac{\quad}{\quad} =$$

$$7 \div \frac{4}{5} = 7 \times \frac{\quad}{\quad} =$$

$$8 \div \frac{7}{9} = 8 \times \frac{\quad}{\quad} =$$

$$9 \div \frac{2}{3} = 9 \times \frac{\quad}{\quad} =$$

$$10 \div \frac{7}{9} = 10 \times \frac{\quad}{\quad} =$$

$$12 \div \frac{5}{6} = 12 \times \frac{\quad}{\quad} =$$

$$15 \div \frac{2}{3} = 15 \times \frac{\quad}{\quad} =$$

2 보기 와 같이 계산해 보시오.

보기

(분수)×(분수)로 계산하기

곱셈으로 나타내기

$$\frac{6}{7} \div \frac{3}{8} = \frac{\overset{2}{\cancel{6}}}{7} \times \frac{8}{\underset{1}{\cancel{3}}}$$

분모와 분자 바꾸기

$$= \frac{16}{7}$$

$$= 2\frac{2}{7}$$

(분수)×(분수)로 계산하기

$$\frac{5}{7} \div \frac{2}{3} = \frac{5}{7} \times \frac{3}{2}$$

$$= \frac{\boxed{}}{\boxed{}}$$

$$= \boxed{}$$

(분수)×(분수)로 계산하기

$$\frac{5}{6} \div \frac{3}{4} = \frac{5}{6} \times \frac{\boxed{}}{\boxed{}}$$

$$= \frac{\boxed{}}{\boxed{}}$$

$$= \boxed{}$$

(분수)×(분수)로 계산하기

$$\frac{3}{4} \div \frac{5}{8} = \frac{3}{4} \times \frac{\boxed{}}{\boxed{}}$$

$$= \frac{\boxed{}}{\boxed{}}$$

$$= \boxed{}$$

(분수)×(분수)로 계산하기

$$\frac{7}{10} \div \frac{3}{5} = \frac{7}{10} \times \frac{\boxed{}}{\boxed{}}$$

$$= \frac{\boxed{}}{\boxed{}}$$

$$= \boxed{}$$

(분수)×(분수)로 계산하기

$$\frac{2}{5} \div \frac{3}{8} = \frac{2}{5} \times \frac{\boxed{}}{\boxed{}}$$

$$= \frac{\boxed{}}{\boxed{}}$$

$$= \boxed{}$$

(분수)×(분수)로 계산하기

$$\frac{9}{5} \div \frac{3}{4} = \frac{9}{5} \times \frac{\boxed{}}{\boxed{}}$$

$$= \frac{\boxed{}}{\boxed{}}$$

$$= \boxed{}$$

(분수)×(분수)로 계산하기

$$\frac{8}{3} \div \frac{5}{7} = \frac{8}{3} \times \frac{\boxed{}}{\boxed{}}$$

$$= \frac{\boxed{}}{\boxed{}}$$

$$= \boxed{}$$

(분수)×(분수)로 계산하기

$$\frac{5}{4} \div \frac{2}{9} = \frac{5}{4} \times \frac{\boxed{}}{\boxed{}}$$

$$= \frac{\boxed{}}{\boxed{}}$$

$$= \boxed{}$$

3 보기 와 같이 계산해 보시오.

보기

| 대분수→가분수 | (분수)×(분수) | 계산하기 |

곱셈으로 나타내기

$$1\frac{3}{4} \div \frac{2}{3} = \frac{7}{4} \div \frac{2}{3} = \frac{7}{4} \times \frac{3}{2} = \frac{21}{8} = 2\frac{5}{8}$$

대분수 → 가분수   분모와 분자 바꾸기

| 대분수→가분수 | (분수)×(분수) | 계산하기 |

$$1\frac{2}{5} \div \frac{3}{7} = \frac{7}{5} \div \frac{3}{7} = \frac{7}{5} \times \frac{7}{3} = $$

$$3\frac{3}{4} \div \frac{2}{3} = \frac{}{} \div \frac{2}{3} = \frac{}{} \times \frac{}{} = $$

$$1\frac{4}{9} \div \frac{5}{6} = \frac{}{} \div \frac{5}{6} = \frac{}{} \times \frac{}{} = $$

$$5\frac{1}{3} \div \frac{8}{9} = \frac{}{} \div \frac{8}{9} = \frac{}{} \times \frac{}{} = $$

$$4\frac{1}{2} \div \frac{9}{10} = \frac{}{} \div \frac{9}{10} = \frac{}{} \times \frac{}{} = $$

$$1\frac{3}{7} \div 1\frac{2}{5} = \frac{}{} \div \frac{}{} = \frac{}{} \times \frac{}{} = $$

$$2\frac{2}{3} \div 1\frac{3}{5} = \frac{}{} \div \frac{}{} = \frac{}{} \times \frac{}{} = $$

실력평가

1. $3 \div \dfrac{2}{5}$

2. $5 \div \dfrac{4}{7}$

3. $4 \div \dfrac{3}{4}$

4. $6 \div \dfrac{5}{8}$

5. $9 \div \dfrac{2}{5}$

6. $\dfrac{3}{5} \div \dfrac{2}{3}$

7. $\dfrac{3}{7} \div \dfrac{4}{5}$

8. $\dfrac{5}{6} \div \dfrac{7}{8}$

9. $\dfrac{8}{9} \div \dfrac{4}{7}$

10. $\dfrac{9}{10} \div \dfrac{6}{11}$

11. $\dfrac{7}{3} \div \dfrac{2}{5}$

12. $\dfrac{11}{4} \div \dfrac{3}{8}$

13. $\dfrac{9}{5} \div \dfrac{3}{7}$

14. $1\dfrac{1}{4} \div \dfrac{2}{9}$

15. $2\dfrac{1}{10} \div \dfrac{3}{5}$

16. $1\dfrac{3}{7} \div \dfrac{2}{5}$

17. $6\dfrac{2}{7} \div 2\dfrac{1}{5}$

수고하셨습니다!

05 분수의 나눗셈 연습

정답 06쪽

1 분수의 나눗셈을 하시오.

보기

$$\frac{4}{5} \div \frac{2}{5} = 2 \qquad \frac{3}{4} \div \frac{1}{4} = 3$$

(with $\frac{3}{4}$ on top, $\frac{1}{4}$ on bottom)

$$\frac{6}{7} \qquad \frac{2}{3} \div \frac{1}{3} \qquad \frac{2}{7}$$

$$\frac{5}{6} \qquad \frac{8}{9} \div \frac{4}{9} \qquad \frac{1}{6}$$

$$\frac{4}{7} \qquad \frac{10}{11} \div \frac{2}{11} \qquad \frac{2}{7}$$

$$\frac{9}{10} \qquad \frac{6}{7} \div \frac{3}{7} \qquad \frac{3}{10}$$

$$\frac{8}{9} \qquad \frac{10}{13} \div \frac{5}{13} \qquad \frac{2}{9}$$

$$\frac{2}{5} \qquad \frac{4}{7} \div \frac{5}{7} \qquad \frac{3}{5}$$

$$\frac{3}{8} \qquad \frac{2}{9} \div \frac{7}{9} \qquad \frac{5}{8}$$

$$\frac{7}{10} \qquad \frac{6}{11} \div \frac{7}{11} \qquad \frac{9}{10}$$

계산 결과와 같은 칸을 모두 색칠하여 나타나는 숫자 암호를 구하시오.

$6 \div \dfrac{3}{5} = $ **10**

$8 \div \dfrac{2}{3} = $

$4 \div \dfrac{1}{2} = $

$5 \div \dfrac{5}{6} = $

$9 \div \dfrac{3}{5} = $

$3 \div \dfrac{3}{7} = $

$7 \div \dfrac{7}{9} = $

$10 \div \dfrac{5}{7} = $

$12 \div \dfrac{2}{3} = $

$8 \div \dfrac{4}{11} = $

$6 \div \dfrac{2}{7} = $

$15 \div \dfrac{3}{4} = $

10	15	8
7	11	16
12	9	6
21	17	20
14	22	18

나타나는 숫자 암호 ➡

3 계산 결과가 같은 칸에 글자를 넣어 속담을 완성하시오.

두 $\dfrac{3}{4} \div \dfrac{3}{8} = 2$

$\dfrac{3}{5} \div \dfrac{1}{10} =$ 겨

리 $\dfrac{3}{5} \div \dfrac{3}{20} =$

$\dfrac{1}{3} \div \dfrac{1}{7} =$ 돌

보 $\dfrac{5}{6} \div \dfrac{2}{3} =$

$\dfrac{9}{14} \div \dfrac{2}{7} =$ 너

다 $\dfrac{8}{5} \div \dfrac{3}{4} =$

$\dfrac{7}{6} \div \dfrac{4}{9} =$ 고

건 $2\dfrac{3}{4} \div \dfrac{5}{6} =$

$1\dfrac{2}{7} \div \dfrac{3}{8} =$ 도

들 $1\dfrac{2}{3} \div \dfrac{3}{4} =$

$5\dfrac{2}{3} \div 1\dfrac{1}{3} =$ 라

$2\dfrac{1}{3}$	$2\dfrac{2}{15}$	4	$3\dfrac{3}{7}$	2	$2\dfrac{2}{9}$	6	$1\dfrac{1}{4}$	$2\dfrac{5}{8}$	$3\dfrac{3}{10}$	$2\dfrac{1}{4}$	$4\dfrac{1}{4}$
				두							

.

실력평가

1. $\dfrac{4}{5} \div \dfrac{2}{5}$

2. $\dfrac{8}{9} \div \dfrac{4}{9}$

3. $\dfrac{2}{7} \div \dfrac{5}{7}$

4. $6 \div \dfrac{2}{3}$

5. $8 \div \dfrac{4}{5}$

6. $10 \div \dfrac{2}{9}$

7. $\dfrac{6}{7} \div \dfrac{2}{21}$

8. $\dfrac{7}{9} \div \dfrac{2}{3}$

9. $\dfrac{3}{4} \div \dfrac{1}{6}$

10. $5 \div \dfrac{3}{4}$

11. $9 \div \dfrac{4}{5}$

12. $15 \div \dfrac{3}{7}$

13. $\dfrac{9}{4} \div \dfrac{5}{7}$

14. $\dfrac{8}{3} \div \dfrac{5}{8}$

15. $\dfrac{13}{6} \div \dfrac{4}{5}$

16. $3\dfrac{1}{4} \div \dfrac{5}{9}$

17. $4\dfrac{4}{5} \div 1\dfrac{1}{2}$

수고하셨습니다!

통나무 $\frac{7}{8}$ m의 무게가 14 kg입니다. 통나무 1 m의 무게는 몇 kg입니까?

그림 그려 해결하기	식 세워 해결하기

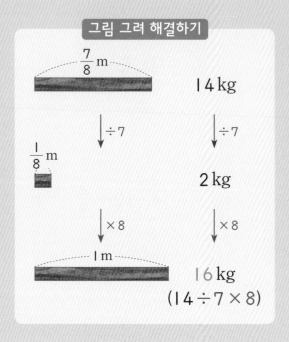

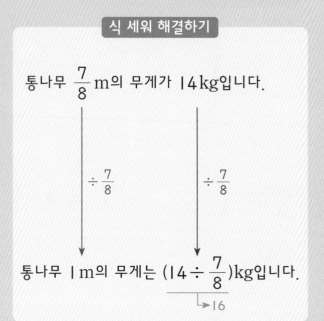

응용 ① 그림을 보고 해결해 보시오.

나무막대 $\frac{3}{4}$ m의 무게가 3 kg입니다. 나무막대 1 m의 무게는 몇 kg입니까?

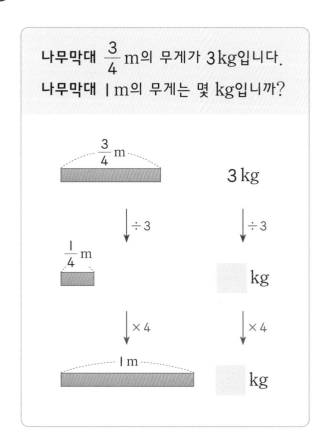

쇠막대 $\frac{2}{5}$ m의 무게가 8 kg입니다. 쇠막대 1 m의 무게는 몇 kg입니까?

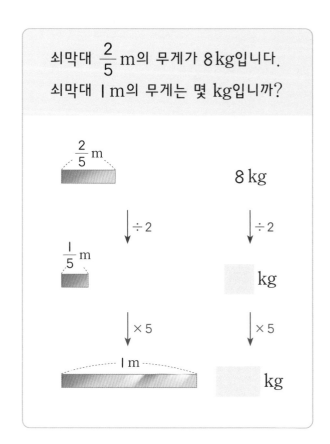

보기

고무관 $\frac{3}{4}$ m의 무게가 $1\frac{4}{5}$ kg입니다.

$\downarrow \div \frac{3}{4}$ $\qquad$ $\downarrow \div \frac{3}{4}$

고무관 1 m의 무게는 몇 kg입니까?

식 $\quad 1\frac{4}{5} \div \frac{3}{4} = 2\frac{2}{5}$

답 $\quad 2\frac{2}{5}$ kg

유리관 $\frac{9}{10}$ m의 무게가 $\frac{3}{7}$ kg입니다.

$\downarrow \div \frac{9}{10}$ $\qquad$ $\downarrow \div \frac{9}{10}$

유리관 1 m의 무게는 몇 kg입니까?

식 $\quad \frac{3}{7} \div \frac{9}{10} =$

답

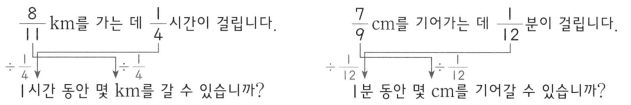

$\frac{8}{11}$ km를 가는 데 $\frac{1}{4}$ 시간이 걸립니다.

$\div \frac{1}{4} \downarrow$ $\qquad$ $\downarrow \div \frac{1}{4}$

1시간 동안 몇 km를 갈 수 있습니까?

식 $\quad \frac{8}{11} \div \frac{1}{4} =$

답

$\frac{7}{9}$ cm를 기어가는 데 $\frac{1}{12}$ 분이 걸립니다.

$\div \frac{1}{12} \downarrow$ $\qquad$ $\downarrow \div \frac{1}{12}$

1분 동안 몇 cm를 기어갈 수 있습니까?

식

답

음료수 $\frac{4}{5}$ L의 가격이 4000원입니다.

음료수 1L의 가격은 얼마입니까?

식

답

우유 $\frac{9}{10}$ L의 가격이 2700원입니다.

우유 1L의 가격은 얼마입니까?

식

답

응용 3 다음을 읽고 식을 세워 해결해 보시오.

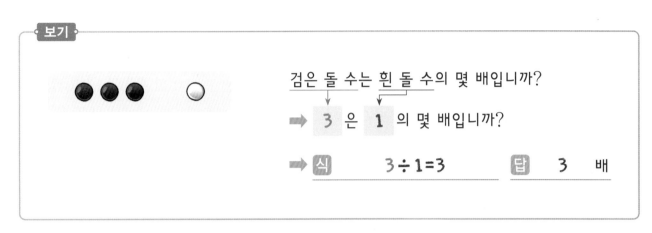

보기

검은 돌 수는 흰 돌 수의 몇 배입니까?

➡ 3 은 1 의 몇 배입니까?

➡ 식   3÷1=3   답   3   배

검은 돌 수는 흰 돌 수의 몇 배입니까?

➡ 　 은 　 의 몇 배입니까?

➡ 식   답   배

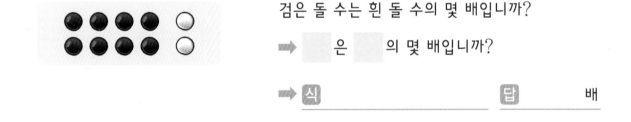

검은 돌 수는 흰 돌 수의 몇 배입니까?

➡ 　 은 　 의 몇 배입니까?

➡ 식   답   배

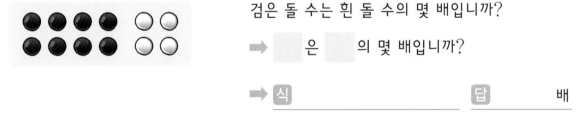

검은 돌 수는 흰 돌 수의 몇 배입니까?

➡ 　 은 　 의 몇 배입니까?

➡ 식   답   배

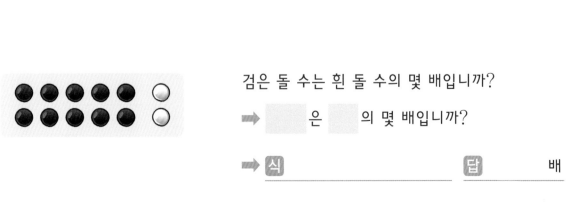

검은 돌 수는 흰 돌 수의 몇 배입니까?

➡ 　 은 　 의 몇 배입니까?

➡ 식   답   배

응용 4 다음을 읽고 식을 세워 해결해 보시오.

승호가 마신 물은 $\dfrac{3}{5}$ L이고, 주아가 마신 물은 $\dfrac{4}{5}$ L입니다.

$\underset{\frac{3}{5}}{\underline{\text{승호가 마신 물의 양}}}$ 은 $\underset{\frac{4}{5}}{\underline{\text{주아가 마신 물의 양}}}$ 의 몇 배입니까?

식 $\dfrac{3}{5} \div \dfrac{4}{5} =$ 　　　　　　　　　　**답**

냉장고에 콜라는 $\dfrac{2}{3}$ L 있고, 사이다는 $\dfrac{1}{9}$ L 있습니다.

콜라의 양은 사이다의 양의 몇 배입니까?

식 　　　　　　　　　　**답**

케이크 한 개 중 진호는 $\dfrac{1}{4}$ 을 먹었고, 수빈이는 $\dfrac{2}{5}$ 를 먹었습니다.

진호가 먹은 케이크 양은 수빈이가 먹은 케이크 양의 몇 배입니까?

식 　　　　　　　　　　**답**

노란색 테이프의 길이는 $1\dfrac{1}{5}$ m이고, 초록색 테이프의 길이는 $\dfrac{2}{3}$ m입니다.

노란색 테이프의 길이는 초록색 테이프의 길이의 몇 배입니까?

식 　　　　　　　　　　**답**

강아지의 무게는 $3\dfrac{1}{8}$ kg이고, 고양이의 무게는 $2\dfrac{1}{2}$ kg입니다.

강아지의 무게는 고양이의 무게의 몇 배입니까?

식 　　　　　　　　　　**답**

형성평가

걸린 시간:　　　　분

점　수:　　　　점

01 　 안에 알맞은 수를 써넣으시오.

(1) $\dfrac{4}{7} \div \dfrac{2}{7} = \boxed{} \div \boxed{} = \boxed{}$

(2) $\dfrac{9}{11} \div \dfrac{3}{11} = \boxed{} \div \boxed{} = \boxed{}$

02 분수의 나눗셈을 하시오.

(1) $\dfrac{8}{9} \div \dfrac{2}{9} = \boxed{}$

(2) $\dfrac{15}{17} \div \dfrac{5}{17} = \boxed{}$

03 　 안에 알맞은 수를 써넣으시오.

(1) $\dfrac{3}{7} \div \dfrac{5}{7} = \dfrac{\boxed{}}{\boxed{}}$

(2) $\dfrac{5}{12} \div \dfrac{11}{12} = \dfrac{\boxed{}}{\boxed{}}$

04 　 안에 알맞은 수를 써넣으시오.

(1) $\dfrac{7}{8} \div \dfrac{5}{8} = \dfrac{}{} = \boxed{}$

(2) $\dfrac{8}{9} \div \dfrac{7}{9} = \dfrac{}{} = \boxed{}$

(3) $\dfrac{7}{11} \div \dfrac{3}{11} = \dfrac{}{} = \boxed{}$

(4) $\dfrac{13}{15} \div \dfrac{8}{15} = \dfrac{}{} = \boxed{}$

(5) $\dfrac{11}{20} \div \dfrac{9}{20} = \dfrac{}{} = \boxed{}$

05 분수의 나눗셈을 하시오.

(1)

$\dfrac{7}{12}$	$\dfrac{11}{12}$	

(2)

$\dfrac{17}{18}$	$\dfrac{5}{18}$	

06 두 분수를 통분하시오.

(1) $\left(\dfrac{2}{3}, \dfrac{1}{4} \right)$ ➡ $\left(\dfrac{}{}, \dfrac{}{} \right)$

(2) $\left(\dfrac{3}{5}, \dfrac{4}{7} \right)$ ➡ $\left(\dfrac{}{}, \dfrac{}{} \right)$

07 두 분수를 통분하시오.

(1) $\left(\dfrac{5}{8}, \dfrac{7}{10} \right)$ ➡ $\left(\dfrac{}{}, \dfrac{}{} \right)$

(2) $\left(\dfrac{5}{6}, \dfrac{4}{9} \right)$ ➡ $\left(\dfrac{}{}, \dfrac{}{} \right)$

08 안에 알맞은 수를 써넣으시오.

(1) $\dfrac{1}{3} \div \dfrac{3}{5} = \dfrac{}{} \div \dfrac{}{} = \dfrac{}{}$

(2) $\dfrac{1}{4} \div \dfrac{3}{10} = \dfrac{}{} \div \dfrac{}{} = \dfrac{}{}$

09 안에 알맞은 수를 써넣으시오.

(1) $\dfrac{8}{7} \div \dfrac{5}{9} = \dfrac{}{} \div \dfrac{}{}$

$= \dfrac{}{} =$

(2) $\dfrac{11}{8} \div \dfrac{5}{6} = \dfrac{}{} \div \dfrac{}{}$

$= \dfrac{}{} =$

10 안에 알맞게 써넣으시오.

(1) $1\dfrac{2}{3} \div \dfrac{2}{5} = \dfrac{}{} \div \dfrac{2}{5}$

$= \dfrac{}{} \div \dfrac{}{}$

$=$

(2) $1\dfrac{5}{8} \div \dfrac{7}{10} = \dfrac{}{} \div \dfrac{7}{10}$

$= \dfrac{}{} \div \dfrac{}{}$

$=$

11 자연수를 크기가 같은 분수로 나타내어 보시오.

(1) $3 = \dfrac{\boxed{}}{7}$ (2) $5 = \dfrac{\boxed{}}{9}$

12 자연수를 분수로 나타내어 계산해 보시오.

(1) $4 \div \dfrac{4}{5} = \dfrac{\boxed{}}{5} \div \dfrac{4}{5} = \boxed{}$

(2) $12 \div \dfrac{6}{7} = \dfrac{\boxed{}}{7} \div \dfrac{6}{7} = \boxed{}$

13 그림을 완성하고, ▨ 안에 알맞은 수를 써넣으시오.

구슬 8개를 $\dfrac{4}{5}$ 접시에 나누기   접시 1개의 구슬 수

$8 \div \dfrac{4}{5}$ = $\boxed{}$

14 분수를 자연수로 나타내어 계산해 보시오.

(1) $6 \div \dfrac{3}{4} = (6 \div \boxed{}) \times \boxed{}$

$\qquad\qquad = \boxed{}$

(2) $18 \div \dfrac{6}{7} = (18 \div \boxed{}) \times \boxed{}$

$\qquad\qquad = \boxed{}$

15 곱셈으로 나타내어 계산해 보시오.

(1) $5 \div \dfrac{3}{4} = 5 \times \dfrac{\boxed{}}{\boxed{}}$

$\qquad\qquad = \boxed{}$

(2) $14 \div \dfrac{5}{6} = 14 \times \dfrac{\boxed{}}{\boxed{}}$

$\qquad\qquad = \boxed{}$

[16~17] 계산해 보시오.

16

$$\boxed{\text{(분수)×(분수)로 계산하기}}$$

$$\frac{4}{9} \div \frac{5}{13} = \frac{4}{9} \times \frac{\boxed{}}{\boxed{}}$$

$$= \frac{\boxed{}}{\boxed{}}$$

$$= \boxed{}$$

17

$$\boxed{\text{(분수)×(분수)로 계산하기}}$$

$$\frac{7}{5} \div \frac{6}{7} = \frac{7}{5} \times \frac{\boxed{}}{\boxed{}}$$

$$= \frac{\boxed{}}{\boxed{}}$$

$$= \boxed{}$$

18 계산해 보시오.

$$2\frac{2}{7} \div 1\frac{2}{5} = \frac{\boxed{}}{7} \div \frac{\boxed{}}{5}$$

$$= \frac{\boxed{}}{\boxed{}} \times \frac{\boxed{}}{\boxed{}}$$

$$= \boxed{}$$

19 계산해 보시오.

(1) $3 \div \frac{4}{5}$

(2) $\frac{4}{5} \div \frac{2}{3}$

(3) $\frac{11}{4} \div \frac{5}{8}$

(4) $1\frac{5}{9} \div \frac{6}{7}$

(5) $4\frac{9}{10} \div 2\frac{4}{5}$

20 분수의 나눗셈을 하시오.

	$\frac{7}{8}$	
$\frac{11}{12}$	$\div$	$\frac{5}{6}$
	$\frac{4}{5}$	

단원평가

1. 분수의 나눗셈

걸린 시간   분

점수   점

정답 09쪽

1 그림을 보고 ▨ 안에 알맞은 수를 써넣으시오.

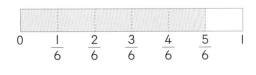

$$\frac{5}{6} \div \frac{1}{6} = \boxed{} \div \boxed{} = \boxed{}$$

2 ▨ 안에 알맞은 수를 써넣으시오.

$$\frac{5}{9} \div \frac{7}{9} = \boxed{} \div \boxed{} = \frac{}{}$$

3 계산을 하시오.

(1) $\dfrac{1}{4} \div \dfrac{5}{6}$

(2) $\dfrac{2}{5} \div \dfrac{2}{3}$

4 계산을 하시오.

(1) $\dfrac{4}{5} \div \dfrac{1}{3}$

(2) $\dfrac{2}{3} \div \dfrac{3}{7}$

5 빈 곳에 알맞은 수를 써넣으시오.

(1)
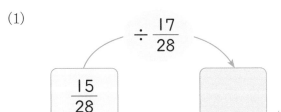

(2)
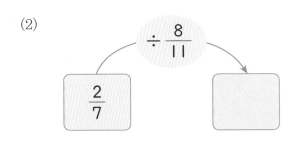

6 계산 결과가 나머지와 <u>다른</u> 것은 어느 것입니까? (   )

① $\dfrac{4}{7} \div \dfrac{2}{7}$ ② $\dfrac{8}{11} \div \dfrac{4}{11}$

③ $\dfrac{9}{13} \div \dfrac{3}{13}$ ④ $\dfrac{2}{9} \div \dfrac{1}{9}$

⑤ $\dfrac{14}{15} \div \dfrac{7}{15}$

7 ㉠÷㉡의 몫을 구하시오.

> ㉠ $\dfrac{1}{6}$이 5개인 수
>
> ㉡ $\dfrac{1}{9}$이 8개인 수

(   )

8 큰 수를 작은 수로 나눈 몫을 빈 곳에 써넣으시오.

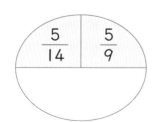

9 빈 곳에 알맞은 수를 써넣으시오.

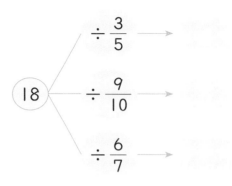

10 계산 결과가 자연수인 것은 어느 것입니까? (   )

① $7 \div \dfrac{6}{13}$ ② $3 \div \dfrac{4}{9}$

③ $6 \div \dfrac{9}{10}$ ④ $20 \div \dfrac{8}{11}$

⑤ $32 \div \dfrac{8}{13}$

11 다음은 분수의 나눗셈을 잘못 계산한 것입니다. 잘못 계산한 이유를 쓰고 바르게 계산하시오.

$$2\frac{1}{4} \div \frac{5}{6} = \frac{9}{4} \div \frac{5}{6} = \frac{\overset{3}{\cancel{9}}}{4} \times \frac{5}{\underset{2}{\cancel{6}}}$$
$$= \frac{15}{8} = 1\frac{7}{8}$$

이유

_____

_____

바른 계산

_____

12 관계있는 것끼리 선으로 이으시오.

$1\frac{2}{5} \div \frac{2}{3}$ •　　　• $\frac{8}{45}$

$\frac{2}{9} \div 1\frac{1}{4}$ •　　　• $\frac{26}{33}$

$8\frac{1}{4} \div 3\frac{2}{3}$ •　　　• $2\frac{1}{4}$

$1\frac{4}{9} \div 1\frac{5}{6}$ •　　　• $2\frac{1}{10}$

13 계산 결과가 단위분수인 것은 어느 것입니까? (　　　　)

① $1\frac{1}{4} \div 2\frac{1}{7}$　　　② $2\frac{4}{5} \div \frac{7}{10}$

③ $6\frac{3}{4} \div 1\frac{1}{8}$　　　④ $\frac{8}{15} \div 6\frac{2}{5}$

⑤ $\frac{5}{12} \div 1\frac{3}{20}$

14 〇 안에 >, =, <를 알맞게 써넣으시오.

(1) $\frac{8}{5} \div \frac{4}{9}$ 〇 $\frac{13}{6} \div \frac{5}{6}$

(2) $2\frac{3}{4} \div 4\frac{2}{5}$ 〇 $1\frac{3}{8} \div 2\frac{1}{5}$

15 빨간색 리본의 길이는 $\frac{15}{4}$ m이고, 파란색 리본의 길이는 $\frac{5}{8}$ m입니다. 빨간색 리본의 길이는 파란색 리본의 길이의 몇 배입니까?

(　　　　　　)배

16 계산 결과가 가장 큰 것부터 차례로 기호를 쓰시오.

$$㉠\ \frac{5}{7} \div \frac{3}{5} \qquad ㉡\ 5 \div 1\frac{3}{7} \qquad ㉢\ 1\frac{5}{8} \div 2\frac{1}{4}$$

(   )

17 안에 알맞은 수를 써넣으시오.

(1) $6\frac{1}{4} \times \boxed{} = 10$

(2) $2\frac{2}{5} \times \boxed{} = \frac{8}{15}$

18 $\frac{5}{6}$ 에 어떤 수를 곱하였더니 20이 되었습니다. 어떤 수를 구하시오.

(   )

19 가장 큰 수를 가장 작은 수로 나눈 몫을 구하시오.

$$2\frac{1}{5} \qquad \frac{14}{5} \qquad 1\frac{8}{9} \qquad \frac{19}{10}$$

(   )

20 넓이가 $13\frac{4}{5}$ cm²이고 가로가 $5\frac{3}{4}$ cm인 직사각형이 있습니다. 이 직사각형의 세로는 몇 cm인지 풀이 과정을 쓰고 답을 구하시오.

풀이

_____

_____

_____

답 _____

memo

매스티안

6-2
초등 수학
팩토

단원별
계산력
수학

2 단원

소수의 나눗셈

매스티안

6. 분수와 소수
· 분수와 소수
· 분수와 소수의 크기 비교

4. 분수
· 진분수, 가분수, 대분수
· 분모가 같은 분수의
  크기 비교

1. 분수의 덧셈과 뺄셈
· 분모가 같은 진분수,
  대분수의 덧셈과 뺄셈

4. 약분과 통분
· 약분하기, 통분하기
· 분모가 다른 분수의
  크기 비교

3. 소수의 덧셈과 뺄셈
· 소수 두 자리 수, 소수 세 자리 수
· 소수의 덧셈과 뺄셈

4. 소수의 곱셈
· (소수)×(자연수)
· (소수)×(소수)

2 소수의 나눗셈

Teaching Guide

수학에서 몫과 나머지는 정수의 나눗셈에서 만들어진 개념입니다.
예를 들어 14를 3으로 나누면 14÷3=4…2가 되어 몫이 4, 나머지가 2입니다. 이처럼 정수의 나눗셈
에서 몫과 나머지는 항상 정수이고, 그 값이 유일합니다. 그러나 소수의 나눗셈에서 몫과 나머지는 나누는
방법에 따라 다를 수 있습니다.

　　　　　　방법1 21.7÷4=5…1.7　　　　방법2 21.7÷4=5.4…0.1

따라서 소수의 나눗셈에서 몫과 나머지는 수학적으로 큰 의미가 없습니다.

2. 약수와 배수
· 약수와 배수
· 공약수와 최대공약수
· 공배수와 최소공배수

5-1

소인수분해
중학 1-1

최대공약수와 최소공배수
중학 1-1

1. 분수의 나눗셈
· (자연수)÷(자연수)
· (분수)÷(자연수)

1. 분수의 나눗셈
· (자연수)÷(분수)
· (분수)÷(분수)

5. 분수의 덧셈과 뺄셈
· 분모가 다른 진분수, 대분수의 덧셈과 뺄셈

5-1

2. 분수의 곱셈
· (분수)×(자연수)
· (분수)×(분수)

5-2

6-1

6-2

3. 소수의 나눗셈
· (소수)÷(자연수)
· (자연수)÷(자연수)

6-1

2. 소수의 나눗셈
· (소수)÷(소수)
· (자연수)÷(소수)

6-2

중학 1-1
유리수의 계산

중학 3-1
제곱근과 실수

중학 2-1
유리수와 순환소수

공부한 날짜

1 일 차	(소수)÷(소수)의 기본 월 일

2 일 차	자연수의 나눗셈을 이용하여 계산하기 월 일

3 일 차	분수의 나눗셈을 이용하여 계산하기 월 일

4 일 차	세로셈으로 계산하기 월 일

5 일 차	몫을 반올림하여 나타내기 월 일

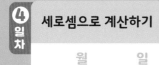

6 일 차	응용 문제 월 일

7 일 차	형성 평가 월 일

8 일 차	단원 평가 월 일

01 (소수)÷(소수)의 기본

초등 6-2 ❷ 소수의 나눗셈

1.2÷0.3＝4 (1.2에서 0.3을 4번 덜어 낼 수 있습니다.)

1 보기 와 같이 그림을 완성하고, 빈칸에 알맞은 수를 써넣으시오.

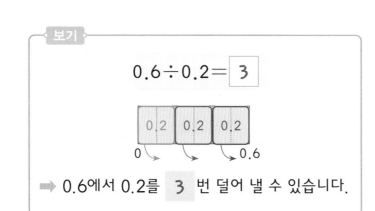

보기

0.6÷0.2＝ 3

➡ 0.6에서 0.2를 3 번 덜어 낼 수 있습니다.

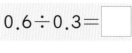

0.6÷0.3＝ ☐

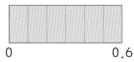

➡ 0.6에서 0.3을 ☐ 번 덜어 낼 수 있습니다.

0.8÷0.4＝ ☐

➡ 0.8에서 0.4를 ☐ 번 덜어 낼 수 있습니다.

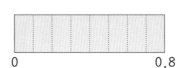

0.8÷0.2＝ ☐

➡ 0.8에서 0.2를 ☐ 번 덜어 낼 수 있습니다.

1.2÷0.6＝ ☐

➡ 1.2에서 0.6을 ☐ 번 덜어 낼 수 있습니다.

1.2÷0.4＝ ☐

➡ 1.2에서 0.4를 ☐ 번 덜어 낼 수 있습니다.

2 빈칸에 알맞은 수를 써넣으시오.

1 cm = 10 mm

24.6 cm = **246** mm
0.6 cm = **6** mm

➡ $24.6 \div 0.6$ = **246** ÷ **6** =

1 cm = 10 mm

32.8 cm = ☐ mm
0.4 cm = ☐ mm

➡ $32.8 \div 0.4$ = ☐ ÷ ☐ =

1 cm = 10 mm

27.9 cm = ☐ mm
0.3 cm = ☐ mm

➡ $27.9 \div 0.3$ = ☐ ÷ ☐ =

1 m = 100 cm

4.28 m = ☐ cm
0.04 m = ☐ cm

➡ $4.28 \div 0.04$ = ☐ ÷ ☐ =

1 m = 100 cm

5.25 m = ☐ cm
0.05 m = ☐ cm

➡ $5.25 \div 0.05$ = ☐ ÷ ☐ =

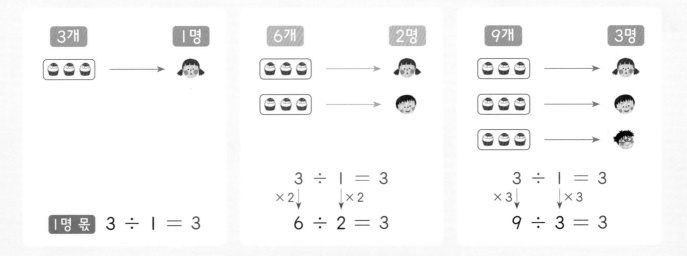

3개 → 1명

1명 몫 $3 \div 1 = 3$

6개 → 2명

$3 \div 1 = 3$
$\times 2 \downarrow \qquad \downarrow \times 2$
$6 \div 2 = 3$

9개 → 3명

$3 \div 1 = 3$
$\times 3 \downarrow \qquad \downarrow \times 3$
$9 \div 3 = 3$

(나누어지는 수)÷(나누는 수)=(몫)

나누어지는 수와 나누는 수가 똑같이 2배, 3배 되면 1명의 몫은 변하지 않습니다.
(컵케이크의 수)   (사람 수)

3 ☐ 안에 알맞은 수를 써넣고, 알맞은 말에 ◯표 하시오.

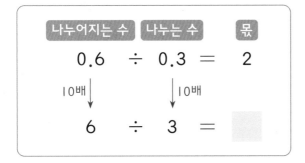

나누어지는 수	나누는 수		몫
0.6	÷	0.3 =	2
10배 ↓		10배 ↓	
6	÷	3 =	☐

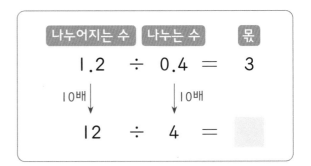

나누어지는 수	나누는 수		몫
1.2	÷	0.4 =	3
10배 ↓		10배 ↓	
12	÷	4 =	☐

➡ 나누어지는 수와 나누는 수를 똑같이 10배 하면 몫은 (변합니다 , 변하지 않습니다).

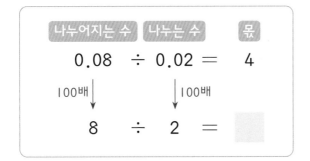

나누어지는 수	나누는 수		몫
0.08	÷	0.02 =	4
100배 ↓		100배 ↓	
8	÷	2 =	☐

나누어지는 수	나누는 수		몫
0.96	÷	0.12 =	8
100배 ↓		100배 ↓	
96	÷	12 =	☐

➡ 나누어지는 수와 나누는 수를 똑같이 100배 하면 몫은 (변합니다 , 변하지 않습니다).

4 자연수의 나눗셈을 이용하여 소수의 나눗셈을 하시오.

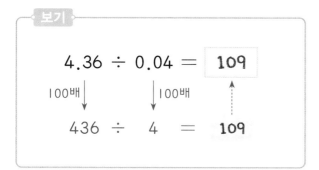

보기

$$4.36 \div 0.04 = \boxed{109}$$

100배 ↓   ↓ 100배   ↑

$$436 \div 4 = 109$$

$$5.4 \div 0.9 = \boxed{}$$

10배 ↓   ↓ 10배   ↑

$$54 \div 9 = 6$$

$$7.2 \div 0.8 = \boxed{}$$

10배 ↓   ↓ 10배   ↑

$$72 \div 8 =$$

$$2.42 \div 0.02 = \boxed{}$$

100배 ↓   ↓ 100배   ↑

$$242 \div 2 =$$

$$6.3 \div 0.7 = \boxed{}$$

10배 ↓   ↓ 10배   ↑

$$63 \div 7 =$$

$$3.96 \div 0.03 = \boxed{}$$

100배 ↓   ↓ 100배   ↑

$$396 \div 3 =$$

$$5.1 \div 0.3 = \boxed{}$$

10배 ↓   ↓ 10배   ↑

$$51 \div 3 =$$

$$0.72 \div 0.06 = \boxed{}$$

100배 ↓   ↓ 100배   ↑

$$72 \div 6 =$$

$$7.6 \div 0.4 = \boxed{}$$

10배 ↓   ↓ 10배   ↑

$$76 \div 4 =$$

$$4.55 \div 0.05 = \boxed{}$$

100배 ↓   ↓ 100배   ↑

$$455 \div 5 =$$

$$11.2 \div 0.7 = \boxed{}$$

10배 ↓   ↓ 10배   ↑

$$112 \div 7 =$$

$$1.44 \div 0.12 = \boxed{}$$

100배 ↓   ↓ 100배   ↑

$$144 \div 12 =$$

02 🐦 자연수의 나눗셈을 이용하여 계산하기

정답 11쪽

● 나누는 수를 자연수로 만들어 계산하기

(소수)÷(소수)

나누어지는 수	나누는 수
6.67	2.3

나누는 수를 자연수로 만들기

6.67÷2.3 → 6.67÷2.3
  10배   10배 10배

(어떤 수)÷(자연수)

66.7 ÷ 23

1 나누는 수를 자연수로 만들어 소수의 나눗셈의 몫과 같도록 나눗셈식을 완성하시오.

(소수)÷(소수)	(어떤 수)÷(자연수)		(소수)÷(소수)	(어떤 수)÷(자연수)
6.4÷0.4 (10배 10배) ➡	☐ ÷ ☐		5.94÷0.11 (100배 100배) ➡	☐ ÷ ☐
0.72÷0.6 ➡	☐ ÷ ☐		5.7÷0.3 ➡	☐ ÷ ☐
1.68÷0.24 ➡	☐ ÷ ☐		4.88÷0.8 ➡	☐ ÷ ☐
8.4÷0.6 ➡	☐ ÷ ☐		2.52÷0.12 ➡	☐ ÷ ☐
9.96÷1.2 ➡	☐ ÷ ☐		17.28÷2.7 ➡	☐ ÷ ☐

2 나누는 수를 자연수로 만들어 소수의 나눗셈의 몫과 같도록 나눗셈식을 완성하시오.

보기

(자연수)÷(소수)

나누어지는 수   나누는 수

$8 \div 0.25$

나누는 수를 자연수로 만들기

$8 \div 0.25$ → $800 \div 0.25$
　　　　　100배　　　100배　　100배

(어떤 수)÷(자연수)

$800 \div 25$

(자연수)÷(소수)	(어떤 수)÷(자연수)	(자연수)÷(소수)	(어떤 수)÷(자연수)

$7 \div 1.4$ ⇒ ☐ ÷ ☐
10배　10배

$1 \div 0.25$ ⇒ ☐ ÷ ☐
100배　100배

$6 \div 1.5$ ⇒ ☐ ÷ ☐

$9 \div 0.36$ ⇒ ☐ ÷ ☐

$9 \div 1.8$ ⇒ ☐ ÷ ☐

$6 \div 0.24$ ⇒ ☐ ÷ ☐

$12 \div 2.4$ ⇒ ☐ ÷ ☐

$29 \div 1.45$ ⇒ ☐ ÷ ☐

$15 \div 2.5$ ⇒ ☐ ÷ ☐

$36 \div 0.48$ ⇒ ☐ ÷ ☐

$59 \div 11.8$ ⇒ ☐ ÷ ☐

$65 \div 3.25$ ⇒ ☐ ÷ ☐

3 나누는 수를 자연수로 만들어 계산해 보시오.

보기

(소수) ÷ (소수)
24.6 ÷ 0.6

10배 10배

↓

(어떤 수) ÷ (자연수)
246 ÷ 6

↓

| 세로셈 |

```
      4 1
 6 ) 2 4 6
     2 4
     ─────
       6
       6
     ─────
       0
```

(소수) ÷ (소수)
9.87 ÷ 0.47

(어떤 수) ÷ (자연수)
☐ ÷ ☐

| 세로셈 |

(소수) ÷ (소수)
6.51 ÷ 0.7

(어떤 수) ÷ (자연수)
☐ ÷ ☐

| 세로셈 |

(자연수) ÷ (소수)
11 ÷ 0.5

(어떤 수) ÷ (자연수)
☐ ÷ ☐

| 세로셈 |

(자연수) ÷ (소수)
48 ÷ 0.64

(어떤 수) ÷ (자연수)
☐ ÷ ☐

| 세로셈 |

(소수) ÷ (소수)
3.9 ÷ 0.65

(어떤 수) ÷ (자연수)
☐ ÷ ☐

| 세로셈 |

실력평가

1. 1.8÷0.2

2. 2.4÷0.4

3. 1.12÷0.08

4. 4.51÷0.11

5. 5.16÷0.6

6. 6.12÷0.9

7. 20.25÷1.5

8. 27÷5.4

9. 30÷7.5

10. 117÷4.5

11. 9÷2.25

12. 18÷0.75

수고하셨습니다!

03 분수의 나눗셈을 이용하여 계산하기

정답 12쪽

(소수)÷(소수)　(분수)÷(분수)　계산하기

소수 → 분수

$1.2 \div 0.5 = \dfrac{12}{10} \div \dfrac{5}{10} = 12 \div 5 = 2.4$

소수 → 분수

$$\begin{array}{r} 2.4 \\ 5\overline{)1\,2.0} \\ \underline{1\,0} \\ 2\,0 \\ \underline{2\,0} \\ 0 \end{array}$$

1 소수를 분수로 고쳐서 계산해 보시오.

보기

(소수)÷(소수)　(분수)÷(분수)　계산하기

$1.8 \div 0.2 = \dfrac{18}{10} \div \dfrac{2}{10} = 18 \div 2 = 9$

$4.8 \div 0.6 = \dfrac{48}{} \div \dfrac{6}{} = $

$3.84 \div 0.08 = \dfrac{384}{} \div \dfrac{8}{} = $

$5.6 \div 1.4 = \dfrac{}{} \div \dfrac{}{} = $

$2.16 \div 0.12 = \dfrac{}{} \div \dfrac{}{} = $

$72.9 \div 0.9 = \dfrac{}{} \div \dfrac{}{} = $

$1.69 \div 0.13 = \dfrac{}{} \div \dfrac{}{} = $

2 보기 와 같은 방법으로 계산해 보시오.

보기

| (자연수) ÷ (소수) | (분수) ÷ (분수) | 계산하기 |

$$8 \div 0.25 = \frac{800}{100} \div \frac{25}{100} = 800 \div 25 = 32$$

(소수 2자리 수)

소수 → 분수

자연수 → 분수

| (자연수) ÷ (소수) | (분수) ÷ (분수) | 계산하기 |

$$6 \div 0.2 = \frac{}{10} \div \frac{}{10} =$$
소수 1자리 수

$$9 \div 0.36 = \frac{}{100} \div \frac{}{100} =$$
소수 2자리 수

$$56 \div 0.8 = \frac{}{} \div \frac{}{} =$$

$$4 \div 0.25 = \frac{}{} \div \frac{}{} =$$

$$27 \div 4.5 = \frac{}{} \div \frac{}{} =$$

$$90 \div 3.75 = \frac{}{} \div \frac{}{} =$$

| (소수)÷(소수) | (분수)÷(분수) | (분수)×(분수) | 계산하기 |

곱셈으로 바꾸기

$$2.96 \div 0.8 = \frac{296}{100} \div \frac{8}{10} = \frac{296}{100} \times \frac{10}{8} = \frac{\overset{37}{\cancel{296}}}{\underset{10}{\cancel{100}}} \times \frac{\overset{1}{\cancel{10}}}{\underset{1}{\cancel{8}}} = \frac{37}{10} = 3.7$$

분모와 분자 바꾸기

---

3 소수를 분수로 고쳐서 계산해 보시오.

| (소수)÷(소수) | (분수)÷(분수) | (분수)×(분수) | 계산하기 |

$$2.52 \div 0.9 = \frac{252}{} \div \frac{9}{} = \frac{}{} \times \frac{}{} = $$

$$0.9 \div 0.15 = \frac{9}{} \div \frac{15}{} = \frac{}{} \times \frac{}{} = $$

$$1.56 \div 1.2 = \frac{}{} \div \frac{}{} = \frac{}{} \times \frac{}{} = $$

$$5.1 \div 1.02 = \frac{}{} \div \frac{}{} = \frac{}{} \times \frac{}{} = $$

$$4.68 \div 2.6 = \frac{}{} \div \frac{}{} = \frac{}{} \times \frac{}{} = $$

4 소수의 나눗셈 실력을 점검해 보시오.

실력평가

맞힌 개수	제한 시간
개	**10** 분

1. $4.2 \div 0.6$

2. $6.5 \div 0.5$

3. $1.02 \div 0.17$

4. $3.12 \div 0.13$

5. $6.88 \div 1.6$

6. $9.52 \div 3.4$

7. $3.4 \div 0.85$

8. $6.2 \div 1.24$

9. $12 \div 1.5$

10. $36 \div 2.4$

11. $29 \div 1.16$

12. $42 \div 1.75$

수고하셨습니다!

04 세로셈으로 계산하기

정답 13쪽

● 나누는 수를 자연수로 만들어 (소수)÷(소수) 계산하기

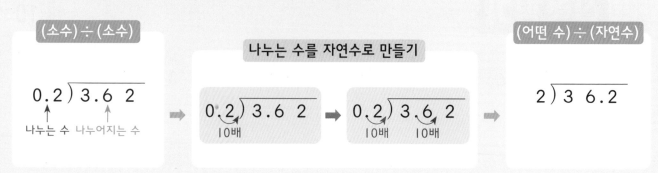

1 나누는 수를 자연수로 만들어 소수의 나눗셈의 몫과 같도록 나눗셈식을 완성하시오.

(소수)÷(소수)	(어떤 수)÷(자연수)	(소수)÷(소수)	(어떤 수)÷(자연수)

0.3) 2.7 (10배, 10배) ➡ 3) ☐

0.25) 1.2 5 (100배, 100배) ➡ ☐) ☐

0.8) 1.4 4 ➡ ☐) ☐

1.7) 8.5 ➡ ☐) ☐

0.43) 2.1 5 ➡ ☐) ☐

2.9) 6.3 8 ➡ ☐) ☐

1.8) 2 1.6 ➡ ☐) ☐

0.38) 2.2 8 ➡ ☐) ☐

3.3) 9.5 7 ➡ ☐) ☐

3.4) 8.8 4 ➡ ☐) ☐

2 나누는 수를 자연수로 만들어 계산해 보시오.

| 나누는 수를 자연수로 만들기 | 계산하기 |

```
1.5)3.7 5        15)3 7 5      15)3 7.5
  10배  10배          30            30
                    ___           ___
                    7 5           7 5
                                  7 5
                                  ___
                                    0
```

```
0.4)6.8          0.26)3.1 2        1.2)2.1 6
```

```
3.2)2 2.4        0.57)7.9 8        2.3)3.2 2
```

```
4.8)8 1.6        1.32)4 7.5 2      5.3)1 4.3 1
```

17

● 나누는 수를 자연수로 만들어 (자연수)÷(소수) 계산하기

(자연수)÷(소수)

나누는 수를 자연수로 만들기

(어떤 수)÷(자연수)

$$4.5 \overline{)27}$$

나누는 수 나누어지는 수

$\Rightarrow$ $4.5\overline{)27}$ (10배) $\Rightarrow$ $4.5\overline{)27.0}$ (10배) (10배) $\Rightarrow$ $45\overline{)270}$

3 나누는 수를 자연수로 만들어 소수의 나눗셈의 몫과 같도록 나눗셈식을 완성하시오.

(자연수)÷(소수)	(어떤 수)÷(자연수)	(자연수)÷(소수)	(어떤 수)÷(자연수)
$0.5\overline{)8.0}$ (10배) (10배)	$5\overline{)}$	$1.25\overline{)40.00}$ (100배) (100배)	$\overline{)}$
$2.4\overline{)60.0}$	$\overline{)}$	$0.04\overline{)36.00}$	$\overline{)}$
$1.6\overline{)40}$	$\overline{)}$	$3.25\overline{)78}$	$\overline{)}$
$3.4\overline{)51}$	$\overline{)}$	$2.92\overline{)73}$	$\overline{)}$
$7.2\overline{)252}$	$\overline{)}$	$5.24\overline{)131}$	$\overline{)}$

4 나누는 수를 자연수로 만들어 계산해 보시오.

$$0.1\,2\,)\overline{9.6\,0}$$
100배   100배

$$12\,)\overline{9\,6\,0}$$
$$\,\,9\,6$$
몫: 8

$$12\,)\overline{9\,6\,0}$$
$$\,\,9\,6$$
$$\,0$$
몫: 8 0

$$3.5\,)\overline{1\,4}$$

$$0.1\,6\,)\overline{1\,2}$$

$$0.0\,7\,)\overline{4.2}$$

$$6.2\,)\overline{3\,1}$$

$$1.9\,2\,)\overline{4\,8}$$

$$0.2\,5\,)\overline{1.5}$$

$$8.4\,)\overline{1\,2\,6}$$

$$2.7\,5\,)\overline{6\,6}$$

$$0.5\,2\,)\overline{2.6}$$

05 몫을 반올림하여 나타내기

정답 14쪽

초등 6-2
❷ 소수의 나눗셈

● $11 \div 7$의 몫을 반올림하여 나타내기

```
      1.5 7 1······
  7 ) 1 1.0 0 0
      7
      ─────
      4 0
      3 5
      ─────
        5 0
        4 9
      ─────
        1 0
           7
      ─────
           3
```

$11 \div 7$의 몫을 반올림하여

❶ 자연수로 나타내기: $11 \div 7 = 1.571 \cdots \Rightarrow 2$
→ 소수 첫째 자리에서 반올림

❷ 소수 첫째 자리까지 나타내기: $11 \div 7 = 1.571 \cdots \Rightarrow 1.6$
→ 소수 둘째 자리에서 반올림

❸ 소수 둘째 자리까지 나타내기: $11 \div 7 = 1.571 \cdots \Rightarrow 1.57$
→ 소수 셋째 자리에서 반올림

1 나눗셈의 몫을 조건 에 맞게 반올림하여 나타내시오.

조건
소수 첫째 자리에서 반올림하기

$2 \div 3 = 0.666666 \cdots$

➡

조건
소수 둘째 자리에서 반올림하기

$4 \div 7 = 0.571428 \cdots$

➡

조건
소수 셋째 자리에서 반올림하기

$5 \div 9 = 0.555555 \cdots$

➡

조건
소수 첫째 자리에서 반올림하기

$11 \div 9 = 1.222222 \cdots$

➡

조건
소수 둘째 자리에서 반올림하기

$16 \div 7 = 2.285714 \cdots$

➡

조건
소수 셋째 자리에서 반올림하기

$21 \div 9 = 2.333333 \cdots$

➡

2 나눗셈의 몫을 조건 에 맞게 반올림하여 나타내시오.

조건
반올림하여 **자연수**로 나타내기

┌ 소수 **첫째** 자리에서 반올림하기
└ 12÷7＝1.714285……

➡

조건
반올림하여 **소수 첫째 자리**까지 나타내기

┌ 소수　　　 자리에서 반올림하기
└ 3÷11＝0.272727……

➡

조건
반올림하여 **소수 둘째 자리**까지 나타내기

┌ 소수　　　 자리에서 반올림하기
└ 7÷13＝0.538461……

➡

조건
반올림하여 **자연수**로 나타내기

┌ 소수　　　 자리에서 반올림하기
└ 7.6÷3＝2.533333……

➡

조건
반올림하여 **소수 첫째 자리**까지 나타내기

┌ 소수　　　 자리에서 반올림하기
└ 8.5÷6＝1.416666……

➡

조건
반올림하여 **소수 둘째 자리**까지 나타내기

┌ 소수　　　 자리에서 반올림하기
└ 9.6÷7＝1.371428……

➡

조건
반올림하여 **소수 첫째 자리**까지 나타내기

┌ 소수　　　 자리에서 반올림하기
└ 6.5÷0.7＝9.285714……

➡

조건
반올림하여 **소수 둘째 자리**까지 나타내기

┌ 소수　　　 자리에서 반올림하기
└ 13.5÷6.8＝1.985294……

➡

조건 에 맞게 나눗셈의 몫을 구해 보시오.

조건

반올림하여 소수 첫째 자리까지 나타내기

```
          2.8 8
   6 ) 1 7.3 0
       1 2
         5 3
         4 8
           5 0
           4 8
             2
```

➡ 몫: ☐

조건

반올림하여 소수 둘째 자리까지 나타내기

```
   7 ) 1 8.7
```

➡ 몫: ☐

조건

반올림하여 소수 둘째 자리까지 나타내기

```
   0.9 ) 6.8
```

➡ 몫: ☐

조건

반올림하여 소수 첫째 자리까지 나타내기

```
   0.8 ) 8.7
```

➡ 몫: ☐

4 나눗셈의 몫을 자연수까지 구하고, 남는 수를 써넣으시오.

보기

$$2\overline{)8.6}$$

몫은 **4** 이고,

0.6 남습니다.

$$5\overline{)22.3}$$

➡ 몫은 ☐ 이고,

☐ 남습니다.

$$7\overline{)46.7}$$

➡ 몫은 ☐ 이고,

☐ 남습니다.

$$4\overline{)21.7}$$

➡ 몫은 ☐ 이고,

☐ 남습니다.

$$8\overline{)57.7}$$

➡ 몫은 ☐ 이고,

☐ 남습니다.

$$9\overline{)74.4}$$

➡ 몫은 ☐ 이고,

☐ 남습니다.

$$3\overline{)57.5}$$

➡ 몫은 ☐ 이고,

☐ 남습니다.

$$4\overline{)62.7}$$

➡ 몫은 ☐ 이고,

☐ 남습니다.

$$6\overline{)81.4}$$

➡ 몫은 ☐ 이고,

☐ 남습니다.

물 ⑫.5 L가 있습니다. 물통 한 개에 물을 ⓪.5 L씩 담는다면 필요한 물통은 몇 개입니까?

➠ 주어진 수에 ○표 하고, 구하는 것에 밑줄 치기

   물의 양: **12.5** L, 물통 한 개에 담는 물의 양: L

➠ 문제 해결하기

   전체 물의 양을 물통 한 개에 담는 물의 양으로 (뺍니다 , 나눕니다).

➠ 문제 풀기

   (필요한 물통의 수)＝12.5÷0.5＝   ÷   ＝   (개)

➠ 답 쓰기

   필요한 물통은   개입니다.

집에서 학교까지의 거리는 2.34 km이고, 집에서 도서관까지의 거리는 1.8 km입니다.
집에서 학교까지의 거리는 집에서 도서관까지의 거리의 몇 배입니까?

➠ 주어진 수에 ○표 하고, 구하는 것에 밑줄 치기

   집에서 학교까지의 거리: km, 집에서 도서관까지의 거리: km

➠ 문제 해결하기

   집에서 학교까지의 거리를 집에서 도서관까지의 거리로 (뺍니다 , 나눕니다).

➠ 문제 풀기

   (집에서 학교까지의 거리)÷(집에서 도서관까지의 거리)

   ＝2.34÷1.8＝   ÷   ＝   (배)

➠ 답 쓰기

   집에서 학교까지의 거리는 집에서 도서관까지의 거리의   배입니다.

길이가 (66)m인 철사가 있습니다. 이 철사를 (2.75)m씩 자르면 몇 도막으로 자를 수 있습니까?

■▶ **주어진 수에 ○표 하고, 구하는 것에 밑줄 치기**

철사의 길이: **66** m, 자르는 한 도막의 길이: m

■▶ **문제 해결하기**

전체 철사의 길이를 자르는 한 도막의 길이로 (뺍니다 , 나눕니다).

■▶ **문제 풀기**

(도막의 수)＝66÷2.75＝   (도막)

■▶ **답 쓰기**

철사는   도막으로 자를 수 있습니다.

밀가루 56.1 kg을 한 봉지에 6 kg씩 나누어 담으려고 합니다. 나누어 담을 수 있는 봉지 수와 남는 밀가루는 몇 kg입니까?

■▶ **주어진 수에 ○표 하고, 구하는 것에 밑줄 치기**

밀가루의 양: kg, 한 봉지에 나누어 담는 양: kg

■▶ **문제 해결하기**

몫을 (자연수 부분 , 소수 첫째 자리) 까지 구하고, 남는 수를 알아봅니다.

■▶ **문제 풀기**

56.1÷6 ➡ 6) 5 6.1

몫:
_____

남는 수:

■▶ **답 쓰기**

나누어 담을 수 있는 봉지는   봉지이고, 남는 밀가루는   kg입니다.

● ▨ 안에 알맞은 수를 써넣고, 답을 구하시오.

1 Drill

주스 14.4L가 있습니다. 병 한 개에 주스를 0.9L씩 담는다면 필요한 병은 몇 개입니까?

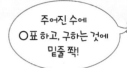
주어진 수에
○표 하고, 구하는 것에
밑줄 쫙!

풀이 (필요한 병의 수)

= ▨ ÷ ▨ ➡ 0.9) 1 4.4

답　　　　　　개

2 Drill

원 모양의 연못의 둘레는 8.1m입니다. 이 연못의 둘레에 0.45m 간격으로 깃대를 꽂으려고 합니다. 필요한 깃대는 모두 몇 개입니까?

풀이 (필요한 깃대의 수)

= ▨ ÷ ▨ ➡ 0.45) 8.1

답　　　　　　개

3 Drill

빵 1개를 만드는 데 소금 3.8g이 필요합니다. 소금 57g으로 빵을 몇 개 만들 수 있습니까?

풀이 (만들 수 있는 빵의 수)

= ▨ ÷ ▨ ➡ 3.8) 5 7

답　　　　　　개

4 Drill

감자 37.5kg을 한 사람당 4kg씩 나누어 주려고 합니다. 나누어 줄 수 있는 사람 수와 남는 감자는 몇 kg입니까?

풀이 (전체 감자의 양)

÷ (한 사람당 나누어 주는 양)　　4) 3 7.5

= ▨ ÷ ▨ ➡ ▨　　**답**　　　　명,　　　　kg

● 서술형 문제를 읽고 풀이 과정과 답을 쓰시오.

도전 ①

찰흙이 3.25kg 있습니다. 찰흙을 한 사람에게 0.65kg씩 나누어 준다면 몇 명에게 나누어 줄 수 있습니까?

풀이

답

도전 ②

일정한 빠르기로 1분 동안 1.2km를 가는 자동차가 있습니다. 이 자동차가 같은 빠르기로 3.24km를 가는 데 몇 분이 걸리겠습니까?

풀이

답

도전 ③

서진이네 목장에서 오늘 짠 우유 30L를 한 통에 1.25L씩 나누어 담으려고 합니다. 필요한 통은 몇 개입니까?

풀이

답

도전 ④

리본 2m로 상자 1개를 묶을 수 있습니다. 리본 13.4m로 똑같은 크기의 상자를 묶을 때, 묶을 수 있는 상자 수와 남는 리본은 몇 m입니까?

풀이

답

형성평가

걸린 시간: 분
정답 16쪽   점 수: 점

01 보기 와 같이 그림을 완성하고, 빈칸에 알맞은 수를 써넣으시오.

> **보기**
>
> $$0.8 \div 0.4 = 2$$
>
>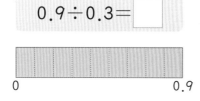
>
> ➡ 0.8에서 0.4를 2번 덜어 낼 수 있습니다.

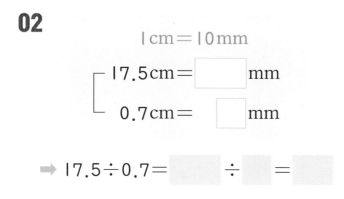

$$0.9 \div 0.3 = \boxed{}$$

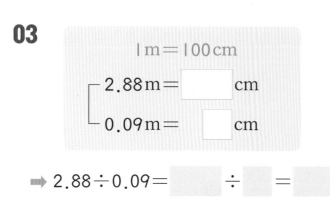

➡ 0.9에서 0.3을 ☐ 번 덜어 낼 수 있습니다.

[02~03] 빈칸에 알맞은 수를 써넣으시오.

02

$$1\,cm = 10\,mm$$

$$\left[\begin{array}{l} 17.5\,cm = \boxed{}\ mm \\ 0.7\,cm = \boxed{}\ mm \end{array}\right.$$

➡ $17.5 \div 0.7 = \boxed{} \div \boxed{} = \boxed{}$

03

$$1\,m = 100\,cm$$

$$\left[\begin{array}{l} 2.88\,m = \boxed{}\ cm \\ 0.09\,m = \boxed{}\ cm \end{array}\right.$$

➡ $2.88 \div 0.09 = \boxed{} \div \boxed{} = \boxed{}$

04 ☐ 안에 알맞은 수를 써넣고, 알맞은 말에 ○표 하시오.

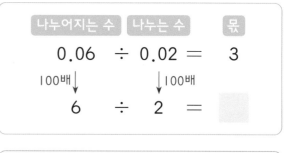

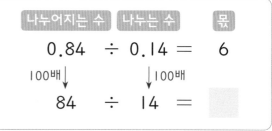

➡ 나누어지는 수와 나누는 수를 똑같이 100배 하면 몫은
(변합니다 , 변하지 않습니다).

05 자연수의 나눗셈을 이용하여 소수의 나눗셈을 하시오.

(1)

$$11.7 \div 0.9 = \boxed{}$$

$$117 \div 9 = \boxed{}$$

(2)

$$3.15 \div 0.35 = \boxed{}$$

$$315 \div 35 = \boxed{}$$

06 나누는 수를 자연수로 만들어 소수의 나눗셈의 몫과 같도록 나눗셈식을 완성하시오.

(1) $2.16 \div 0.18$ ➡ $\div$

(2) $4.32 \div 1.6$ ➡ $\div$

07 나누는 수를 자연수로 만들어 소수의 나눗셈의 몫과 같도록 나눗셈식을 완성하시오.

(1) $12 \div 1.5$ ➡ $\div$

(2) $60 \div 3.75$ ➡ $\div$

08 나누는 수를 자연수로 만들어 계산해 보시오.

(소수) ÷ (소수)

$16.2 \div 0.9$

⬇

(어떤 수) ÷ (자연수)

    $\div$

⬇

세로셈

09 소수의 나눗셈을 하시오.

(1) $2.1 \div 0.3 =$

(2) $1.44 \div 0.24 =$

(3) $4.32 \div 3.6 =$

(4) $9 \div 0.5 =$

(5) $10 \div 1.25 =$

10 소수를 분수로 고쳐서 계산해 보시오.

(1) $5.6 \div 0.8 = \dfrac{56}{} \div \dfrac{8}{}$

$= $

(2) $2.24 \div 0.56 = \dfrac{224}{} \div \dfrac{56}{}$

$= $

11 분수로 고쳐서 계산해 보시오.

(1) $6 \div 0.4 = \dfrac{}{} \div \dfrac{}{}$

$= $

(2) $33 \div 2.75 = \dfrac{}{} \div \dfrac{}{}$

$= $

12 소수를 분수로 고쳐서 계산해 보시오.

$3.92 \div 2.8 = \dfrac{}{} \div \dfrac{}{}$

$= \dfrac{}{} \times \dfrac{}{}$

$= $

13 나누는 수를 자연수로 만들어 소수의 나눗셈의 몫과 같도록 나눗셈식을 완성하시오.

(1) $0.4\,)\,\overline{3.6}$ ➡ $\,)\,\overline{}$

(2) $4.2\,)\,\overline{4.6\,2}$ ➡ $\,)\,\overline{}$

14 나누는 수를 자연수로 만들어 계산해 보시오.

$0.5\,2\,)\,\overline{9.8\ 8}$

15 나누는 수를 자연수로 만들어 소수의 나눗셈의 몫과 같도록 나눗셈식을 완성하시오.

(1) $0.5\,)\,\overline{6}$ ➡ $\,)\,\overline{}$

(2) $3.2\,4\,)\,\overline{8\ 1}$ ➡ $\,)\,\overline{}$

16 나누는 수를 자연수로 만들어 계산해 보시오.

$2.1\,6\,)\,\overline{3\ 2.4}$

17 나눗셈의 몫을 조건에 맞게 반올림하여 나타내시오.

(1)
조건
소수 둘째 자리에서 반올림하기

$7 \div 9 = 0.777777\cdots$

➡

(2)
조건
소수 셋째 자리에서 반올림하기

$14 \div 11 = 1.272727\cdots$

➡

18 나눗셈의 몫을 조건에 맞게 반올림하여 나타내시오.

(1)
조건
반올림하여 자연수로 나타내기

소수   자리에서 반올림하기

$8.7 \div 7 = 1.242857\cdots$

➡

(2)
조건
반올림하여 소수 둘째 자리까지 나타내기

소수   자리에서 반올림하기

$14.9 \div 1.9 = 7.842105\cdots$

➡

19 조건에 맞게 나눗셈의 몫을 구해 보시오.

조건
반올림하여 소수 첫째 자리까지 나타내기

$0.7 \overline{)1.5\ 8}$

➡ 몫:

20 나눗셈의 몫을 자연수까지 구하고, 남는 수를 써넣으시오.

$6 \overline{)2\ 5.8}$

➡ 몫은 ☐ 이고,

☐ 남습니다.

31

정답 17쪽

1 　안에 알맞은 수를 써넣으시오.

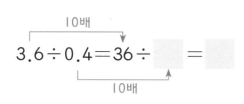

10배

$3.6 \div 0.4 = 36 \div \boxed{} = \boxed{}$

10배

2 소수를 분수로 고쳐서 계산해 보시오.

(1) $1.56 \div 1.2$

(2) $8.84 \div 3.4$

3 계산해 보시오.

$1.6 \overline{)12.8}$

4 빈 곳에 알맞은 수를 써넣으시오.

(1)

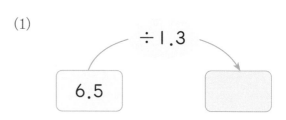

÷1.3

6.5

(2)

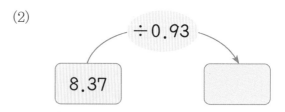

÷0.93

8.37

5 큰 수를 작은 수로 나눈 몫을 빈 곳에 써넣으시오.

(1)

70.2	2.6

(2)

1.25	13.75

6 계산 결과가 더 큰 것을 찾아 ○표 하시오.

$$21.96 \div 1.22 \qquad 24.05 \div 1.3$$

(   )   (   )

7 계산 결과가 나머지와 <u>다른</u> 것을 찾아 기호를 쓰시오.

> ㉠ $1.92 \div 0.24$ ㉡ $8.64 \div 0.72$
>
> ㉢ $18.48 \div 1.54$ ㉣ $23.64 \div 1.97$

(   )

8 ☐ 안에 알맞은 수를 써넣으시오.

(1) $7.5 \div \boxed{} = 75 \div 25 = \boxed{}$

(2) $\boxed{} \div 7.2$
$= 345.6 \div 72 = \boxed{}$

9 $8667 \div 321$과 몫이 같은 것은 어느 것입니까? (   )

① $86.67 \div 32.1$ ② $86.67 \div 321$

③ $8.667 \div 3210$ ④ $866.7 \div 3.21$

⑤ $8.667 \div 0.321$

10 계산이 <u>잘못된</u> 곳을 찾아 바르게 계산하고, 이유를 써 보시오.

$$4.8\,\overline{)\,24.0}^{\;0.5}$$
$$\underline{24\;0}$$
$$0$$

➡

이유 _____

_____

_____

11 몫을 반올림하여 소수 둘째 자리까지 나타내시오.

$$6.87 \div 1.4$$

(   )

12 몫을 반올림하여 소수 첫째 자리까지 나타낸 값이 더 큰 것에 ○표 하시오.

$$4 \div 1.7$$ $$11.26 \div 4.2$$

(   )   (   )

13 몫을 반올림하여 소수 첫째 자리까지 나타낸 몫과 소수 둘째 자리까지 나타낸 몫의 차를 구하시오.

$$18.3 \div 3.9$$

(   )

14 계산 결과가 12보다 큰 것을 모두 찾아 기호를 쓰시오.

| ㉠ $19 \div 0.76$ | ㉡ $27 \div 2.25$ |
| ㉢ $60 \div 7.5$ | ㉣ $63 \div 4.5$ |

(   )

15 ☐ 안에 알맞은 수를 써넣으시오.

(1)
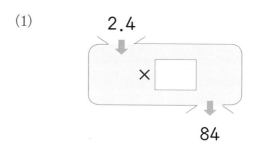

(2)
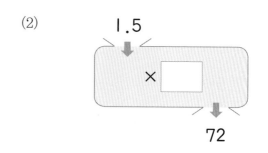

34

16 몫이 큰 순서대로 기호를 쓰시오.

> ㉠ 8.4÷0.7
> ㉡ 47.25÷3.15
> ㉢ 137.28÷13.2

( )

17 고리 한 개를 만드는 데 철사가 7 cm 필요합니다. 길이가 85.7 cm인 철사로는 고리를 몇 개까지 만들 수 있고, 이때 남는 철사는 몇 cm입니까?

( )개, ( )cm

18 몫의 크기를 비교하여 ◯ 안에 >, =, <를 알맞게 써넣으시오.

| 85÷7의 몫을 반올림하여 자연수로 나타내기 | 85÷7 |

19 가로가 9.6 cm이고 넓이가 38.4 cm²인 직사각형이 있습니다. 이 직사각형의 세로는 몇 cm입니까?

9.6 cm

( )cm

20 어떤 수를 1.5로 나누어야 할 것을 잘못하여 곱하였더니 36이 되었습니다. 어떤 수는 얼마인지 풀이 과정을 쓰고 답을 구하시오.

풀이

답

memo

논리적 사고력과 창의적 문제해결력을 키워 주는
매스티안 교재 활용법!

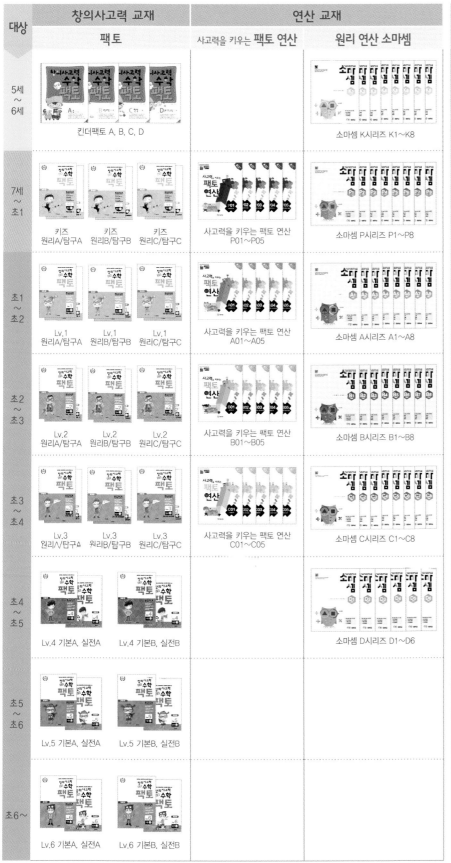

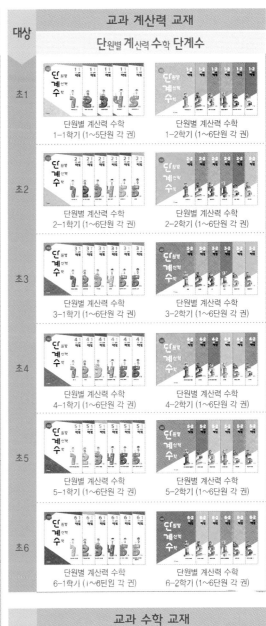

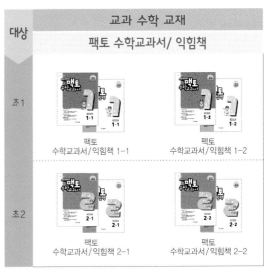

대상	창의사고력 교재			연산 교재	
	팩토			사고력을 키우는 **팩토 연산**	원리 연산 소마셈
5세~6세	킨더팩토 A, B, C, D				소마셈 K시리즈 K1~K8
7세~초1	키즈 원리A/탐구A	키즈 원리B/탐구B	키즈 원리C/탐구C	사고력을 키우는 팩토 연산 P01~P05	소마셈 P시리즈 P1~P8
초1~초2	Lv.1 원리A/탐구A	Lv.1 원리B/탐구B	Lv.1 원리C/탐구C	사고력을 키우는 팩토 연산 A01~A05	소마셈 A시리즈 A1~A8
초2~초3	Lv.2 원리A/탐구A	Lv.2 원리B/탐구B	Lv.2 원리C/탐구C	사고력을 키우는 팩토 연산 B01~B05	소마셈 B시리즈 B1~B8
초3~초4	Lv.3 원리A/탐구A	Lv.3 원리B/탐구B	Lv.3 원리C/탐구C	사고력을 키우는 팩토 연산 C01~C05	소마셈 C시리즈 C1~C8
초4~초5	Lv.4 기본A, 실전A	Lv.4 기본B, 실전B			소마셈 D시리즈 D1~D6
초5~초6	Lv.5 기본A, 실전A	Lv.5 기본B, 실전B			
초6~	Lv.6 기본A, 실전A	Lv.6 기본B, 실전B			

대상	교과 계산력 교재	
	단원별 **계산력 수학** 단계수	
초1	단원별 계산력 수학 1-1학기 (1~5단원 각 권)	단원별 계산력 수학 1-2학기 (1~6단원 각 권)
초2	단원별 계산력 수학 2-1학기 (1~6단원 각 권)	단원별 계산력 수학 2-2학기 (1~6단원 각 권)
초3	단원별 계산력 수학 3-1학기 (1~6단원 각 권)	단원별 계산력 수학 3-2학기 (1~6단원 각 권)
초4	단원별 계산력 수학 4-1학기 (1~6단원 각 권)	단원별 계산력 수학 4-2학기 (1~6단원 각 권)
초5	단원별 계산력 수학 5-1학기 (1~6단원 각 권)	단원별 계산력 수학 5-2학기 (1~6단원 각 권)
초6	단원별 계산력 수학 6-1학기 (1~6단원 각 권)	단원별 계산력 수학 6-2학기 (1~6단원 각 권)

대상	교과 수학 교재	
	팩토 수학교과서/ 익힘책	
초1	팩토 수학교과서/익힘책 1-1	팩토 수학교과서/익힘책 1-2
초2	팩토 수학교과서/익힘책 2-1	팩토 수학교과서/익힘책 2-2

단계수 학습 순서

매일 학습

단원별로 꼭 알아야 할 개념만 쏙쏙 학습하고, 다양한 연산 문제를 통해 필수 개념을 숙달하여 계산력을 쑥쑥 키울 수 있습니다.

도전! 응용문제

필수 개념을 활용한 **응용** 문제 또는 **서술형** 문제를 통해 사고력과 문제해결력을 기를 수 있습니다.

형성 평가

단원의 **복습 단계**로 문제를 풀면서 학습한 내용을 잘 알고 있는지 다시 한 번 확인할 수 있습니다.

단원 평가

단원의 **마무리 학습**으로 학교 시험에 자주 나오는 문제 유형을 통해서 수시 평가 등 학교 시험에 대비할 수 있습니다.

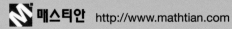 매스티안 http://www.mathtian.com

자율안전확인신고필증번호 : B361H200-4001

1.주소 : 06153 서울특별시 강남구 봉은사로 442 (삼성동)
2.문의전화 : 1588-6066
3.제조국 : 대한민국
4.사용연령 : 13세 이상
※ KC마크는 이 제품이 공통안전기준에 적합하였음을 의미합니다.

 ⚠주의

종이, 모서리에 다칠 수 있으니 주의하세요!

초등학교	반	번
이름		

6-2

초등 수학
팩토

단원별

계산력

수학

3
단원

공간과 입체

매스티안

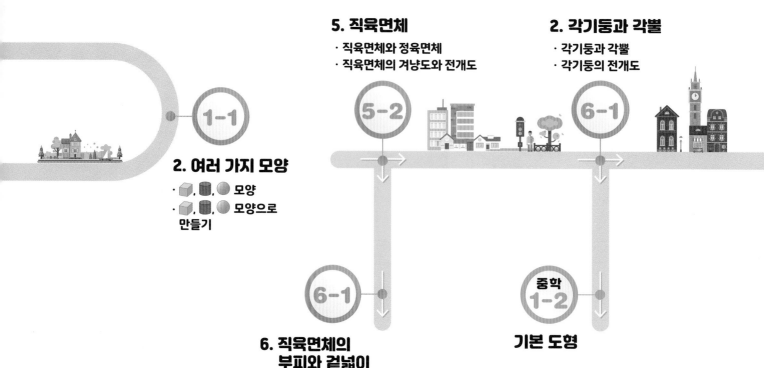

3 공간과 입체

Teaching Guide

쌓기나무로 쌓은 모양의 경우, 위와 아래, 앞과 뒤, 오른쪽과 왼쪽에서 본 모양은 서로 대칭이기 때문에 어느 한 쪽의 모양만 알면 다른 쪽의 모양도 알 수 있으므로 위, 앞, 오른쪽 옆에서 본 모양으로 나타냅니다. 그러나 오른쪽과 같이 위, 앞, 옆에서 본 모양이 주어지더라도 쌓은 모양 또는 필요한 쌓기나무의 개수는 하나로 결정되지 않을 수 있습니다.

위　　　　앞　　　　옆

6. 원기둥, 원뿔, 구

· 원기둥, 원뿔, 구
· 원기둥의 전개도

6-2

중학
1-2

다면체와 회전체

입체도형의 겉넓이와 부피

중학
1-2

6-2

3. 공간과 입체

· 쌓은 모양과 쌓기나무의 개수
· 쌓기나무로 여러 가지
  모양 만들기

공부한 날짜

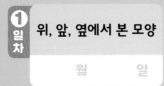
1일차 위, 앞, 옆에서 본 모양
월   일

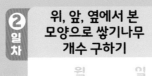
2일차 위, 앞, 옆에서 본 모양으로 쌓기나무 개수 구하기
월   일

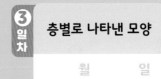
3일차 층별로 나타낸 모양
월   일

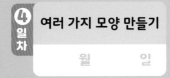
4일차 여러 가지 모양 만들기
월   일

5일차 응용 문제
월   일

6일차 형성 평가
월   일

7일차 단원 평가
월   일

01 위, 앞, 옆에서 본 모양

정답 18쪽

● 각 방향에서 본 모양 그리기

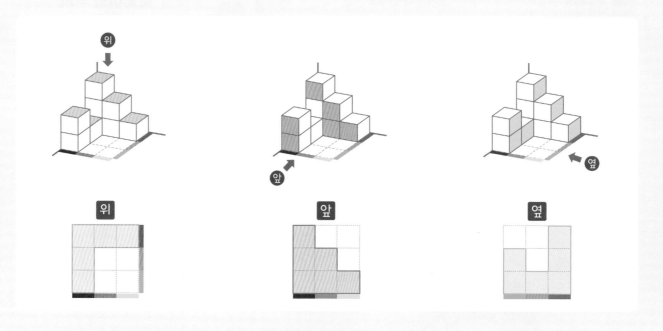

① 쌓기나무로 쌓은 모양을 보고 각 방향에서 본 모양을 그려 보시오.

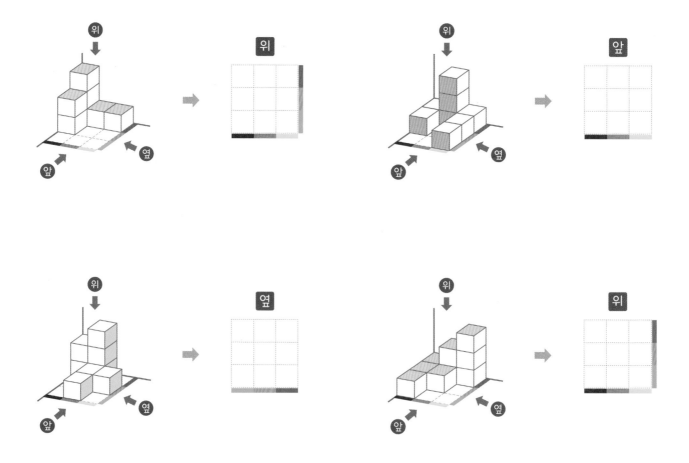

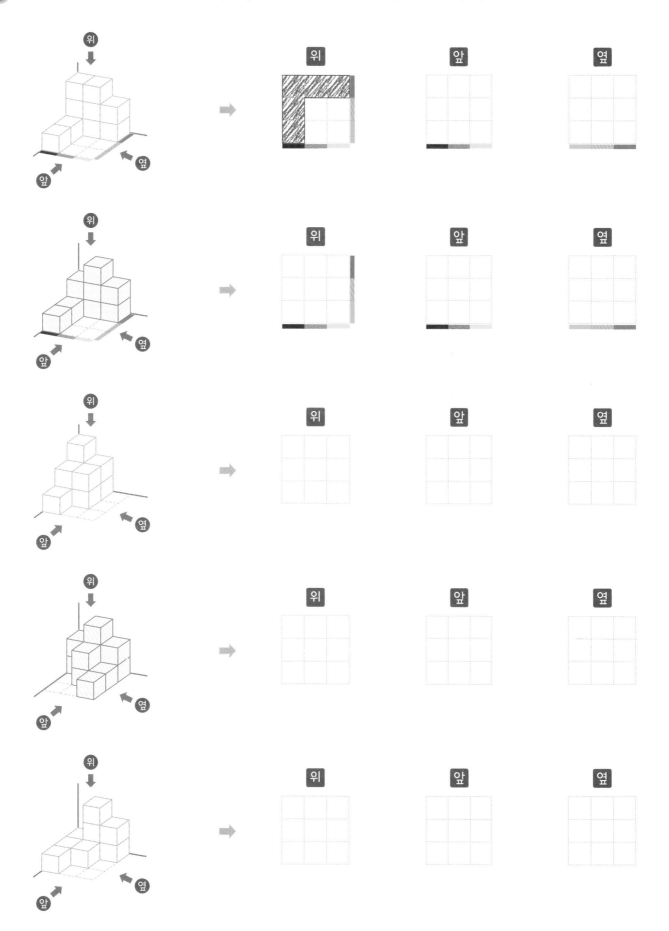

3 위, 앞, 옆에서 본 모양을 보고 알맞게 쌓은 모양을 찾아 ☐ 안에 기호를 써넣으시오.

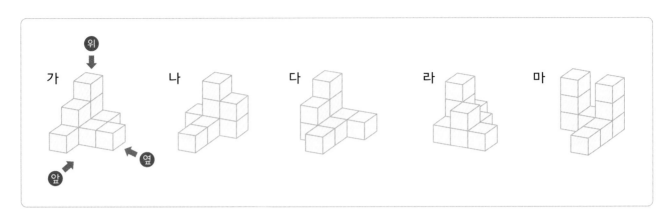

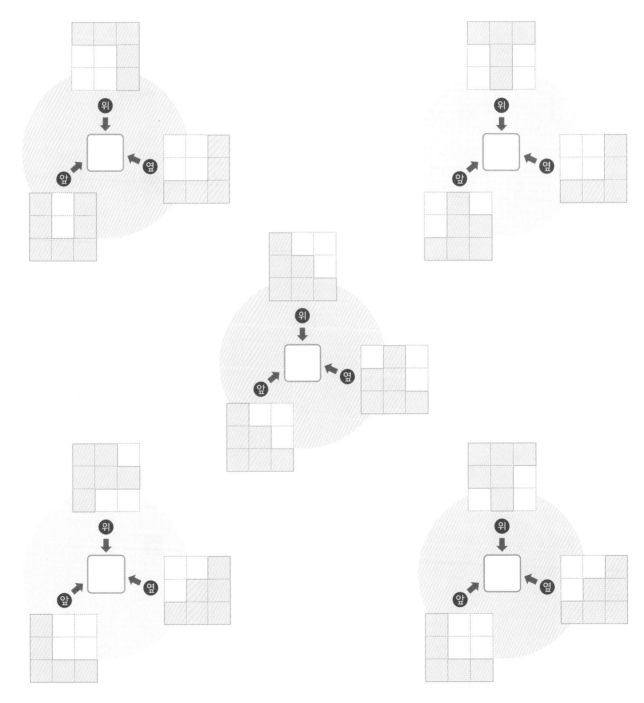

4 위, 앞, 옆에서 본 모양을 보고 알맞게 쌓은 모양을 찾아   안에 기호를 써넣으시오.

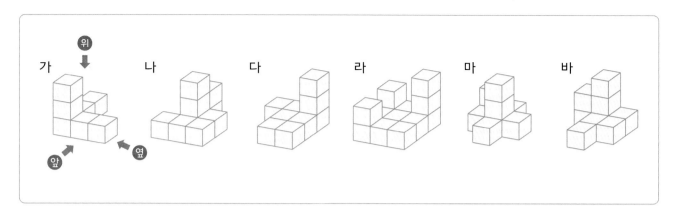

가   나   다   라   마   바

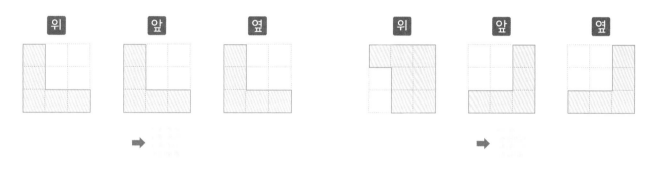

| 위 | 앞 | 옆 | | 위 | 앞 | 옆 |

➡   ➡

| 위 | 앞 | 옆 | | 위 | 앞 | 옆 |

➡   ➡

| 위 | 앞 | 옆 | | 위 | 앞 | 옆 |

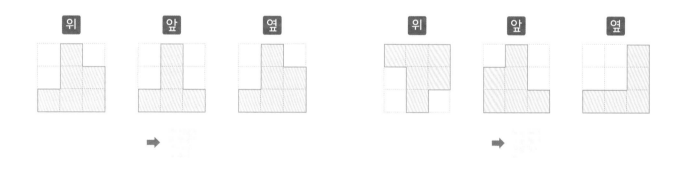

➡   ➡

02 위, 앞, 옆에서 본 모양으로 쌓기나무 개수 구하기

정답 19쪽

● 각 자리에 쌓은 쌓기나무의 개수 구하기

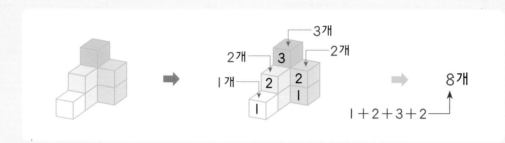

🔍 **1** 각 자리에 쌓은 쌓기나무의 개수를 ▨ 안에 써넣고, 전체 쌓기나무의 개수를 구하시오.

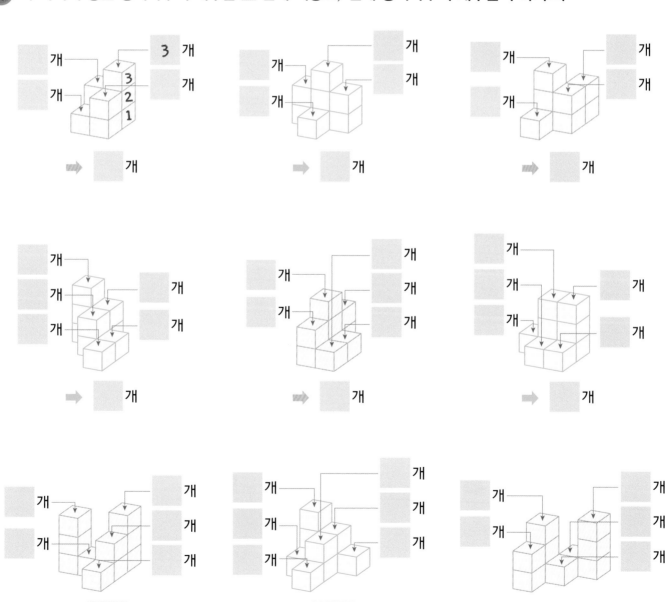

2 위에서 본 모양을 그리고, 각 자리에 쌓은 쌓기나무의 개수를 써넣으시오. 또 전체 쌓기나무의 개수를 구하시오.

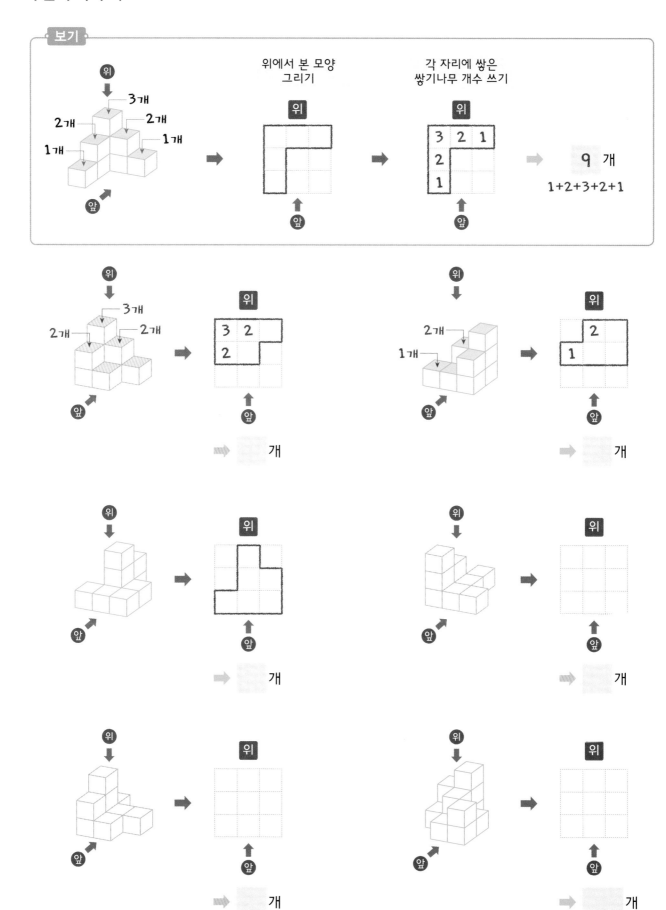

보기

위에서 본 모양 그리기

각 자리에 쌓은 쌓기나무 개수 쓰기

3	2	1
2		
1		

9 개

1+2+3+2+1

| 3 | 2 | |
| 2 | | |

➡ 개

| | 2 | |
| 1 | | |

➡ 개

➡ 개

➡ 개

➡ 개

➡ 개

3 쌓기나무로 쌓은 모양을 보고 위에서 본 모양에 수를 쓴 것입니다. 앞과 옆에서 본 모양을 각각 그려 보시오.

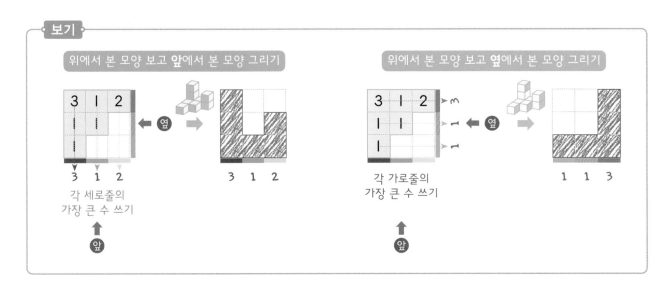

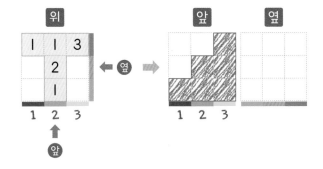

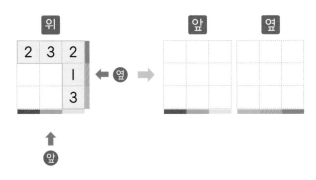

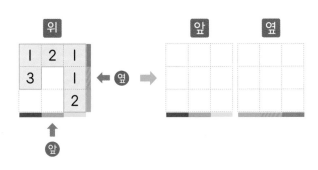

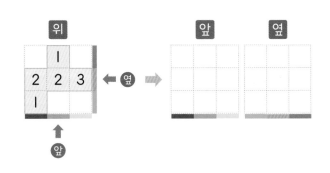

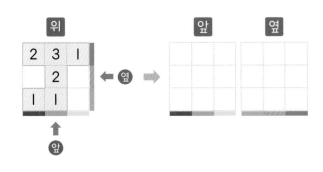

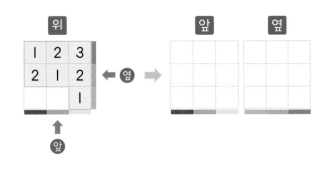

4 위에서 본 모양에 쓰인 수를 보고 앞과 옆에서 본 모양을 각각 그려 보시오.

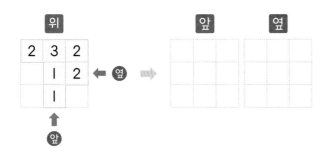

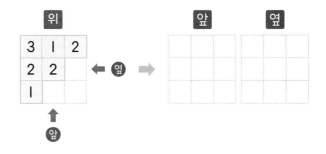

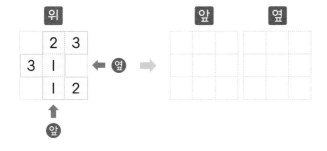

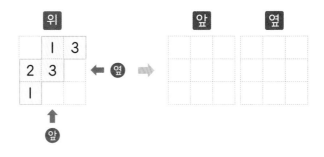

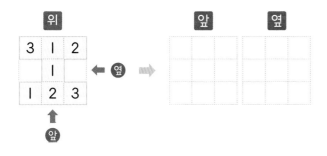

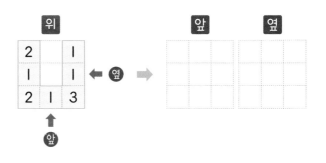

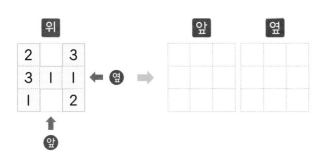

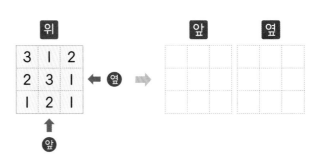

● 쌓은 모양을 보고 층별로 나타내기

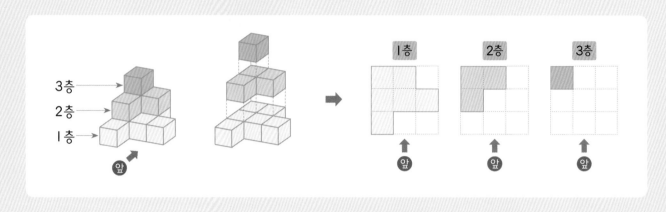

1 쌓기나무로 쌓은 모양을 보고 층별로 모양을 그려 보시오.

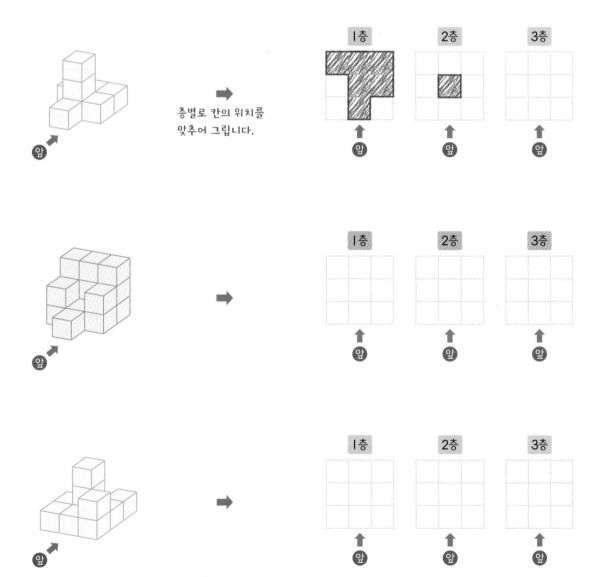

층별로 칸의 위치를 맞추어 그립니다.

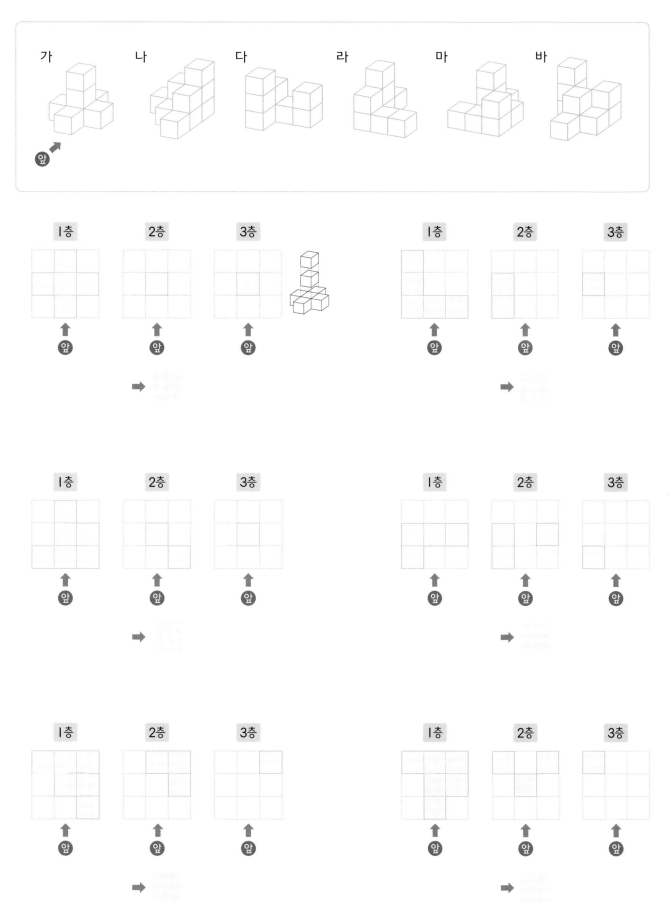

3 쌓기나무로 쌓은 모양을 층별로 나타낸 모양입니다. 위에서 본 모양을 그려 수를 쓰고, 전체 쌓기나무의 개수를 구하시오..

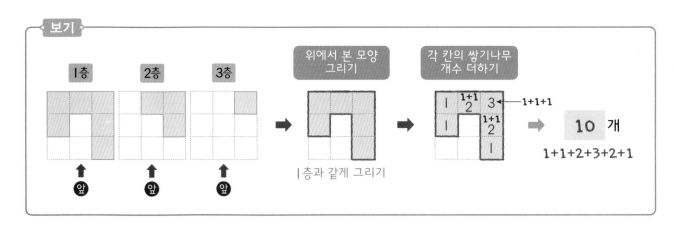

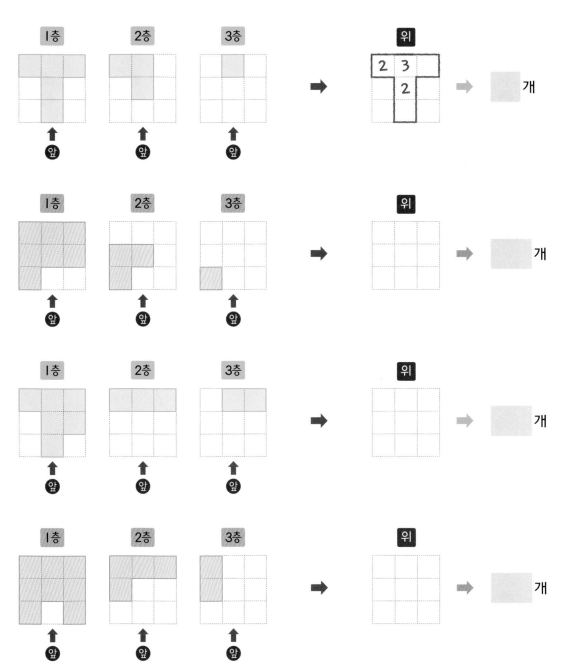

4 쌓기나무로 쌓은 모양을 층별로 나타낸 모양입니다. 위에서 본 모양을 그려 수를 쓰고, 앞, 옆에서 본 모양을 그려 보시오.

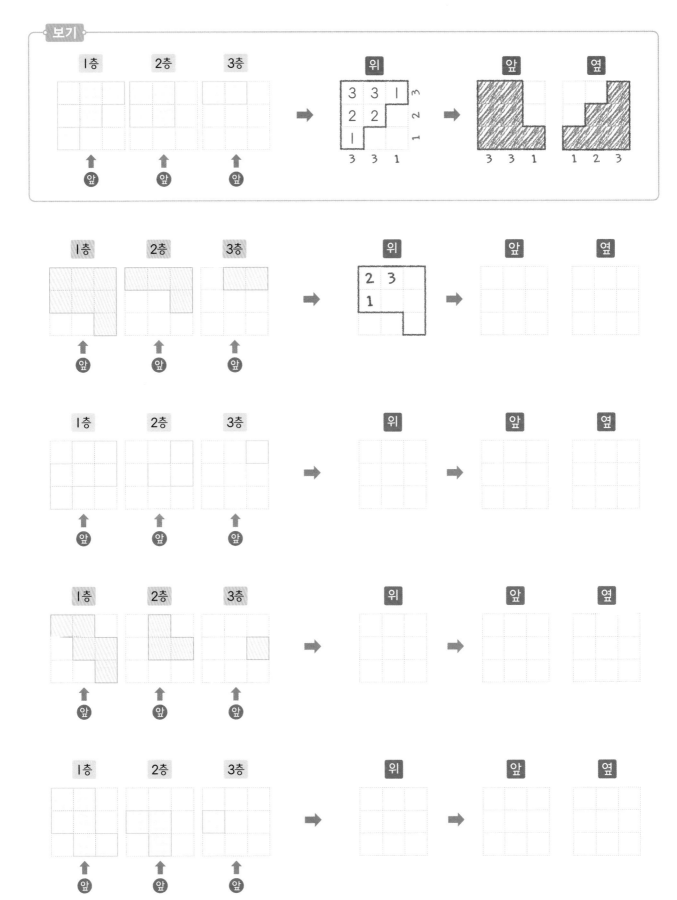

04 여러 가지 모양 만들기

정답 21쪽

● 색 모양을 찾아 색칠하기

1 주어진 두 모양을 사용하여 만든 새로운 모양에서 색 모양을 찾아 색칠하시오.

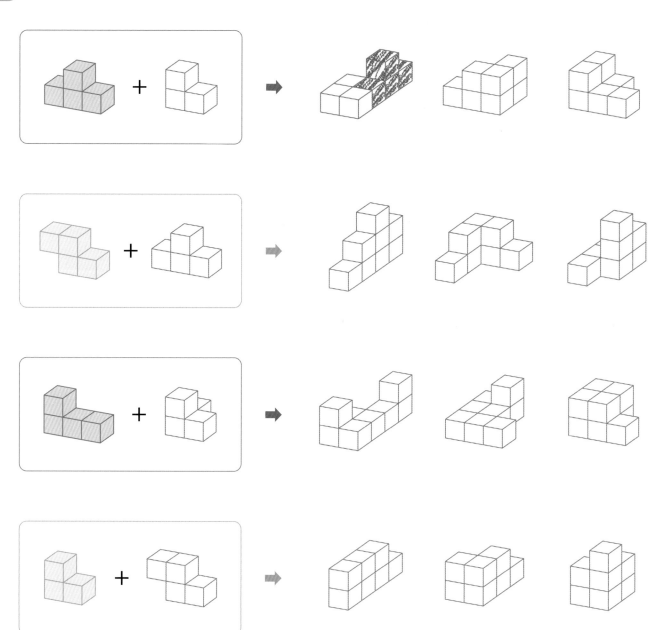

2 주어진 두 모양을 사용하여 만들 수 있는 새로운 모양 두 가지를 찾아 ◯표 하시오.

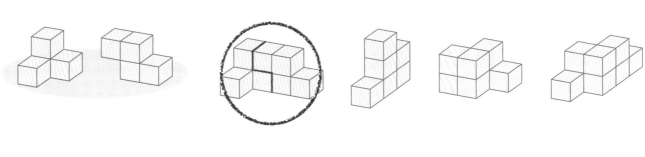

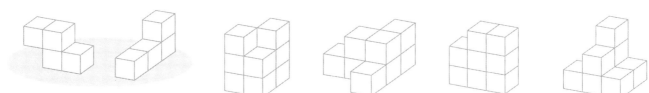

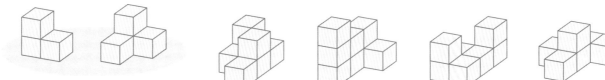

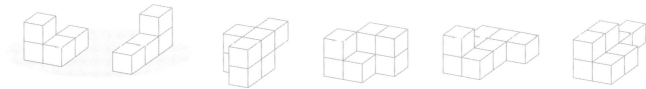

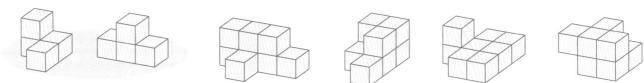

3 주어진 모양을 만들 수 있는 서로 다른 두 가지 모양을 찾아 기호를 쓰시오.

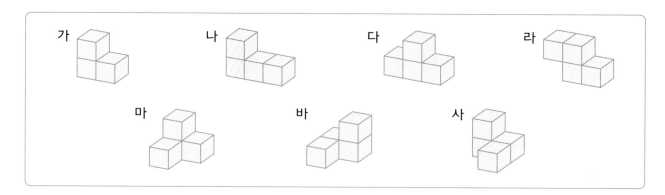

가   나   다   라

마   바   사

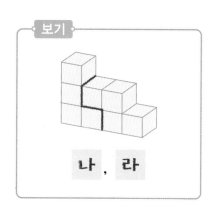

나 , **라**

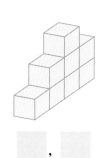

⬜ , ⬜

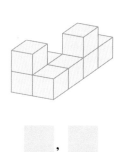

⬜ , ⬜

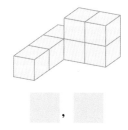

⬜ , ⬜

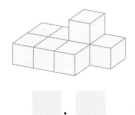

⬜ , ⬜

⬜ , ⬜

⬜ , ⬜

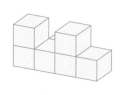

⬜ , ⬜

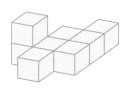

⬜ , ⬜

4 서로 다른 두 가지 모양으로 주어진 모양을 만들 수 있는 방법을 모두 찾아 기호를 쓰시오.

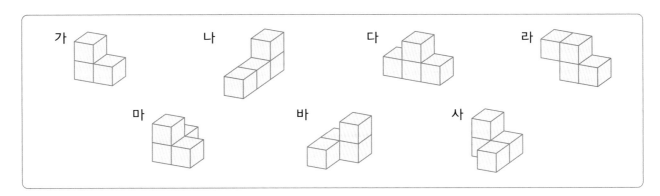

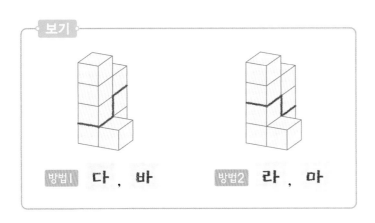

방법1 **다 , 바**   방법2 **라 , 마**

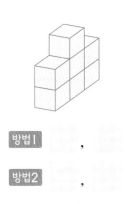

방법1 _____ , _____

방법2 _____ , _____

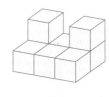

방법1 _____ , _____

방법2 _____ , _____

방법1 _____ , _____

방법2 _____ , _____

방법1 _____ , _____

방법2 _____ , _____

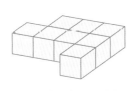

방법1 _____ , _____

방법2 _____ , _____

방법1 _____ , _____

방법2 _____ , _____

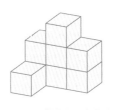

방법1 _____ , _____

방법2 _____ , _____

도전! 응용문제

정답 22쪽

응용 ① 위, 앞, 옆에서 본 모양과 똑같이 쌓을 때 필요한 쌓기나무의 개수를 구하시오.

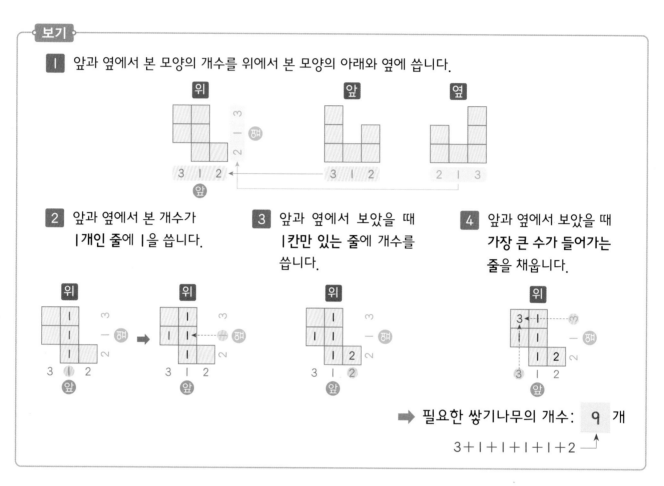

보기

1 앞과 옆에서 본 모양의 개수를 위에서 본 모양의 아래와 옆에 씁니다.

2 앞과 옆에서 본 개수가 1개인 줄에 1을 씁니다.

3 앞과 옆에서 보았을 때 1칸만 있는 줄에 개수를 씁니다.

4 앞과 옆에서 보았을 때 가장 큰 수가 들어가는 줄을 채웁니다.

➡ 필요한 쌓기나무의 개수: **9** 개

3+1+1+1+1+2

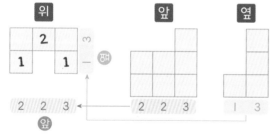

➡ 필요한 쌓기나무의 개수: ☐ 개

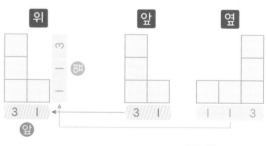

➡ 필요한 쌓기나무의 개수: ☐ 개

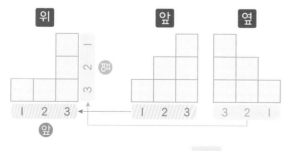

➡ 필요한 쌓기나무의 개수: ☐ 개

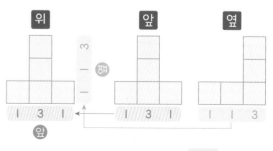

➡ 필요한 쌓기나무의 개수: ☐ 개

응용 ② 위, 앞, 옆에서 본 모양과 똑같이 쌓을 때 필요한 쌓기나무의 개수를 구하시오.

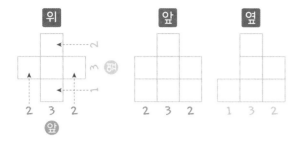

➡ 필요한 쌓기나무의 개수: 개

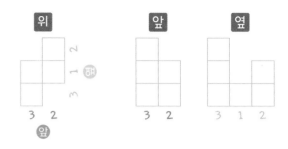

➡ 필요한 쌓기나무의 개수: 개

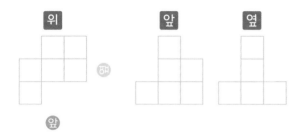

➡ 필요한 쌓기나무의 개수: 개

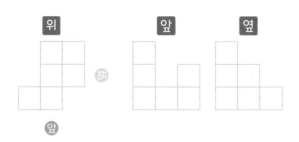

➡ 필요한 쌓기나무의 개수: 개

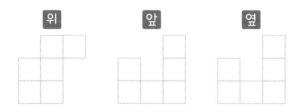

➡ 필요한 쌓기나무의 개수: 개

➡ 필요한 쌓기나무의 개수: 개

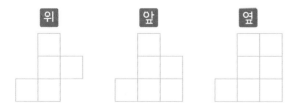

➡ 필요한 쌓기나무의 개수: 개

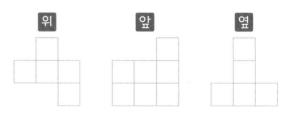

➡ 필요한 쌓기나무의 개수: 개

응용 **3** 위, 앞, 옆에서 본 모양과 똑같이 쌓을 때 필요한 쌓기나무의 최대, 최소 개수를 각각 구하시오.

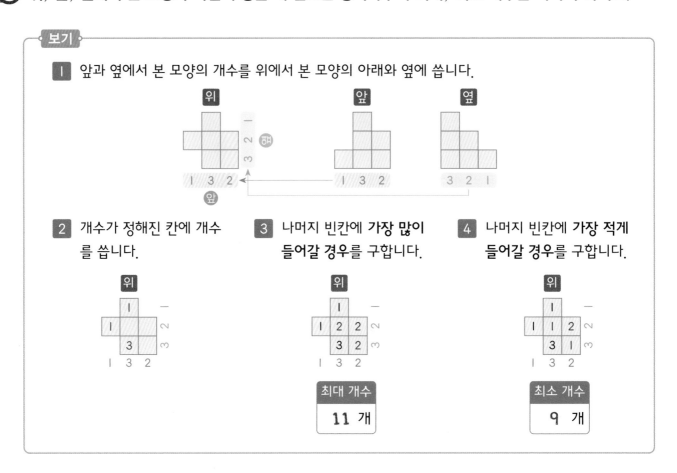

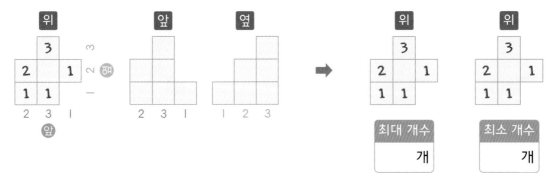

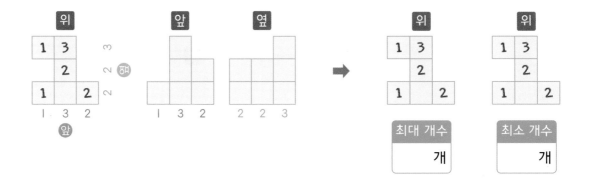

응용 **4** 위, 앞, 옆에서 본 모양과 똑같이 쌓을 때 필요한 쌓기나무의 최대, 최소 개수를 각각 구하시오.

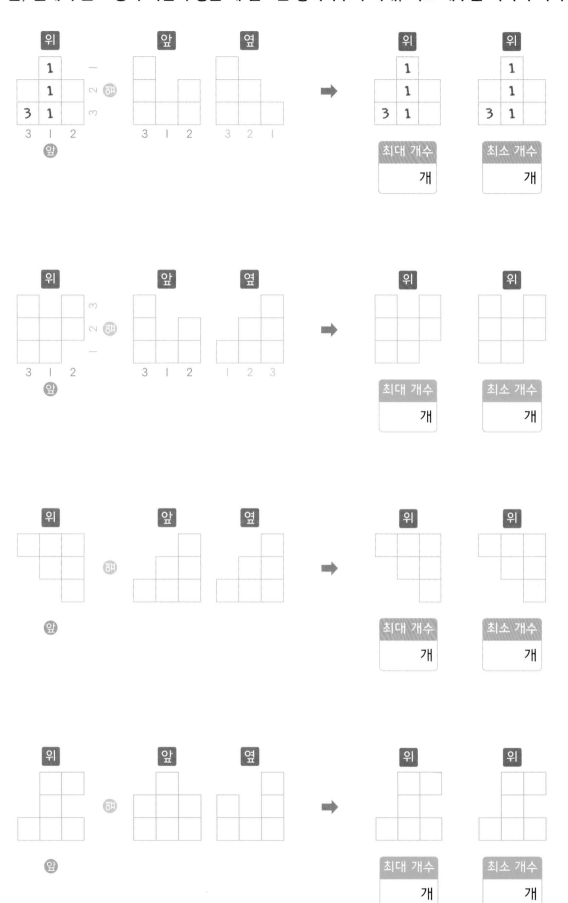

형성평가

정답 23쪽

걸린 시간: [   ] 분
점수: [   ] 점

[01~02] 쌓기나무로 쌓은 모양을 보고, 각 방향 에서 본 모양을 그려 보시오.

01

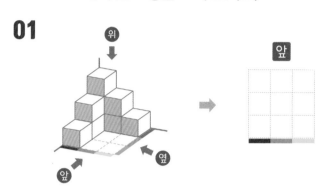

02

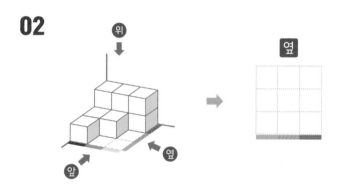

03 쌓기나무로 쌓은 모양을 보고 위, 앞, 옆 에서 본 모양을 각각 그려 보시오.

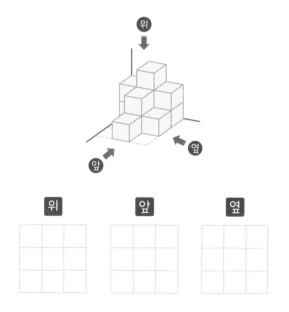

[04~05] 위, 앞, 옆에서 본 모양을 보고 알맞게 쌓은 모양을 찾아 [   ] 안에 기호를 써넣 으시오.

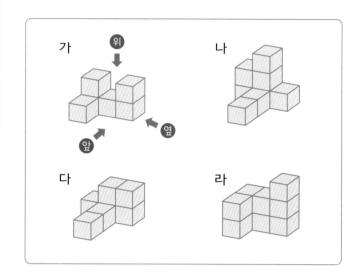

04

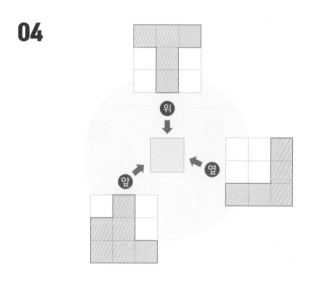

05

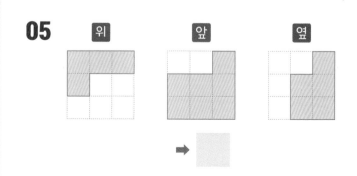

06 각 자리에 쌓은 쌓기나무의 개수를 ☐ 안에 써넣고, 전체 쌓기나무의 개수를 구하시오.

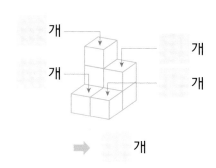

개 ──

── 개

개 ──

── 개

➡ ☐ 개

[07~08] 위에서 본 모양을 그리고, 각 자리에 쌓은 쌓기나무의 개수를 써넣으시오. 또 전체 쌓기나무의 개수를 구하시오.

07

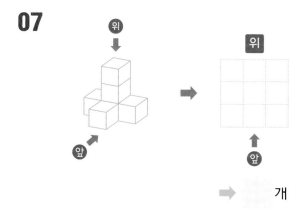

➡ ☐ 개

08

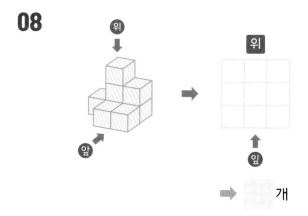

➡ ☐ 개

09 쌓기나무로 쌓은 모양을 보고 위에서 본 모양에 수를 쓴 것입니다. 앞과 옆에서 본 모양을 각각 그려 보시오.

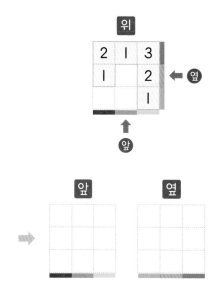

위

2	1	3
1		2
		1

← 옆

↑ 앞

앞   옆

➡

10 위에서 본 모양에 쓰인 수를 보고 앞과 옆에서 본 모양을 각각 그려 보시오.

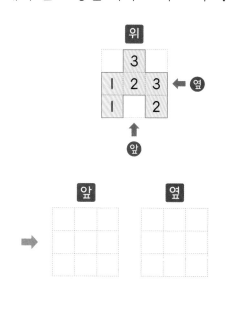

위

	3	
1	2	3
1		2

← 옆

↑ 앞

앞   옆

➡

11 쌓기나무로 쌓은 모양을 보고 층별로 모양을 그려 보시오.

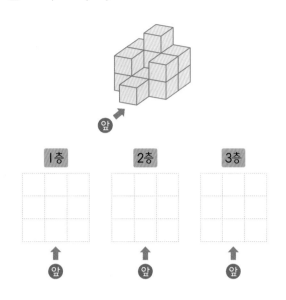

| 1층 | 2층 | 3층 |

↑   ↑   ↑
앞   앞   앞

[12~13] 층별로 나타낸 모양을 보고 쌓은 모양을 찾아 ▨ 안에 기호를 써넣으시오.

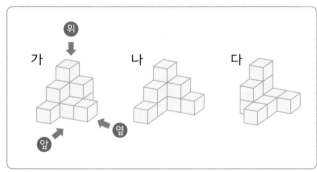

12

| 1층 | 2층 | 3층 |

↑   ↑   ↑
앞   앞   앞

➡

13

| 1층 | 2층 | 3층 |

↑   ↑   ↑
앞   앞   앞

➡

14 쌓기나무로 쌓은 모양을 층별로 나타낸 모양입니다. 위에서 본 모양을 그려 수를 쓰고, 전체 쌓기나무의 개수를 구하시오.

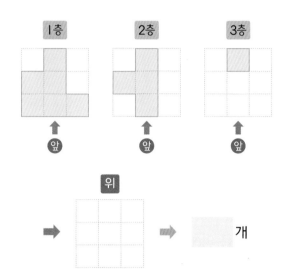

| 1층 | 2층 | 3층 |

↑   ↑   ↑
앞   앞   앞

위

➡   ➡ ▨ 개

15 쌓기나무로 쌓은 모양을 층별로 나타낸 모양입니다. 위에서 본 모양을 그려 수를 쓰고, 앞, 옆에서 본 모양을 그려 보시오.

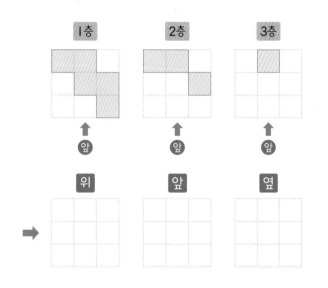

| 1층 | 2층 | 3층 |

↑   ↑   ↑
앞   앞   앞

위   앞   옆

➡

16 주어진 두 모양을 사용하여 만든 새로운
모양에서 색 모양을 찾아 색칠하시오.

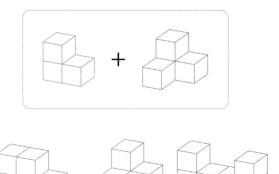

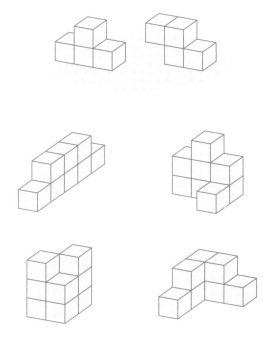

17 주어진 두 모양을 사용하여 만들 수 있는
새로운 모양 두 가지를 찾아 ◯표 하시오.

[18~19] 주어진 모양을 만들 수 있는 서로 다른
두 가지 모양을 찾아 기호를 쓰시오.

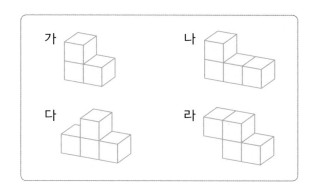

18

,

19

,

20 서로 다른 두 가지 모양으로 주어진 모양
을 만들 수 있는 방법을 모두 찾아 기호를
쓰시오.

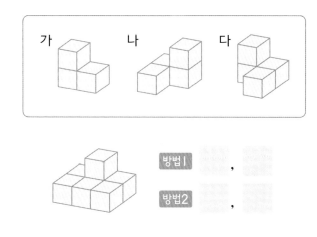

방법1   ,

방법2   ,

정답 24쪽

1 다음 도형의 앞과 옆에서 본 모양을 각각 그려 보시오.

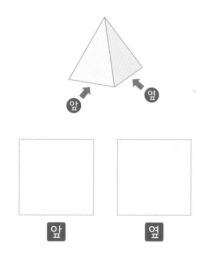

앞   옆

[2~3] 그림을 보고 물음에 답하시오.

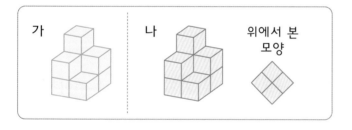

2 그림 가와 나 중에서 쌓기나무의 수를 정확히 셀 수 있는 것은 어느 것입니까?

(   )

3 그림 나에서 사용된 쌓기나무는 몇 개입니까?

(   )개

4 쌓기나무로 쌓은 모양과 위에서 본 모양입니다. ㉠에 쌓은 쌓기나무는 몇 개입니까?

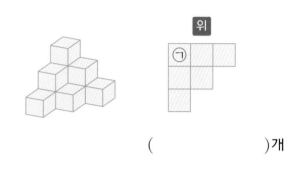

(   )개

[5~6] 똑같은 모양으로 쌓는 데 필요한 쌓기나무의 개수를 구하시오.

5

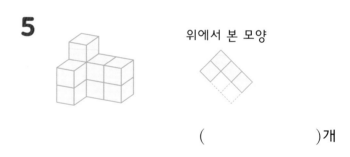

위에서 본 모양

(   )개

6

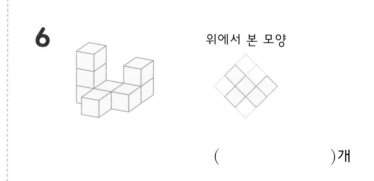

위에서 본 모양

(   )개

7 쌓기나무 8개로 만든 모양입니다. 위, 앞, 옆에서 본 모양을 찾아 기호를 쓰시오.

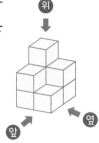

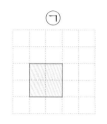 ㉠

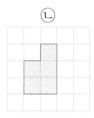 ㉡

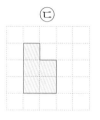 ㉢

위에서 본 모양 (   )

앞에서 본 모양 (   )

옆에서 본 모양 (   )

8 쌓기나무로 쌓은 모양을 위에서 본 모양입니다. 앞과 옆에서 본 모양을 그려 보시오.

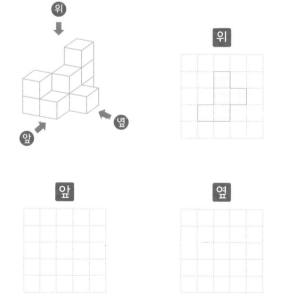

9 □ 안의 수는 각 자리에 쌓아 올린 쌓기나무의 수입니다. 서로 관계있는 것끼리 선으로 이으시오.

2	1	2
1		

•   •

2	1	1
1		

•   •

3	2	1
1		

•   •

10 쌓기나무로 쌓은 모양을 위에서 본 모양에 수를 쓴 것입니다. 앞에서 본 모양은 '앞', 옆에서 본 모양은 '옆'이라고 쓰시오.

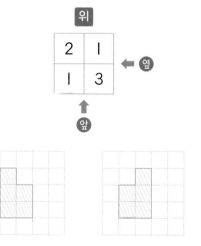

(   ) (   )

[11~13] 그림과 같은 모양을 만들기 위해서 쌓기
나무가 모두 몇 개 필요한지 알아보려고
합니다. 물음에 답하시오.

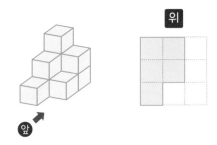

11 각 층별로 모양을 각각 그려 보시오.

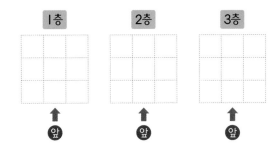

12 각 층별로 쌓인 쌓기나무의 수를 세어 빈
칸에 알맞은 수를 써넣으시오.

층수	1층	2층	3층
수(개)			

13 필요한 쌓기나무는 모두 몇 개입니까?

( )개

[14~15] 쌓기나무로 쌓은 모양을 보고 물음에
답하시오.

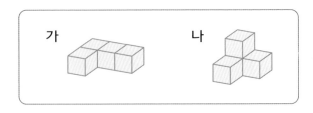

14 가 모양에 쌓기나무 1개를 붙여서 만들
수 있는 모양을 찾아 기호를 쓰시오.

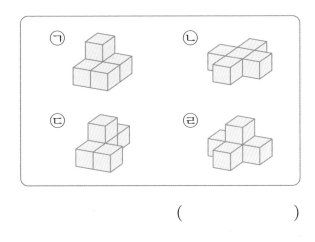

( )

15 가와 나 모양을 연결하여 만들 수 <u>없는</u> 모
양을 찾아 기호를 쓰시오.

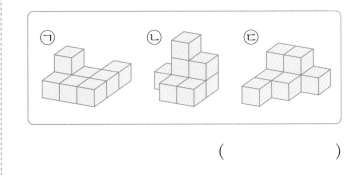

( )

16 □ 안의 수는 각 자리에 쌓아 올린 쌓기나무의 수입니다. 완성된 모양의 2층에 놓인 쌓기나무는 몇 개입니까?

	1	3	3
1	2	4	

(   )개

17 쌓기나무를 위, 앞, 옆에서 본 모양입니다. 똑같은 모양을 만들기 위해 필요한 쌓기나무는 몇 개입니까?

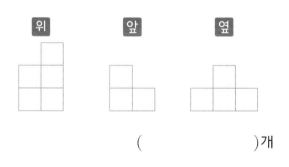

(   )개

18 그림과 같은 쌓기나무 모양에 쌓기나무 1개를 붙여서 만들 수 있는 서로 다른 모양은 모두 몇 가지입니까? (단, 뒤집거나 돌려서 나오는 모양은 같은 모양입니다.)

(   )가지

19 그림과 같은 쌓기나무 모양에 쌓기나무를 더 쌓아서 가장 작은 정육면체를 만들려고 합니다. 더 필요한 쌓기나무는 몇 개입니까?

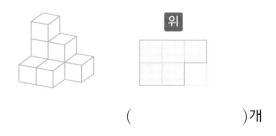

(   )개

20 민주는 가지고 있는 쌓기나무 12개로 모양을 쌓고 위에서 본 모양을 그린 것입니다. 모양을 쌓고 남은 쌓기나무는 몇 개인지 풀이 과정을 쓰고 답을 구하시오.

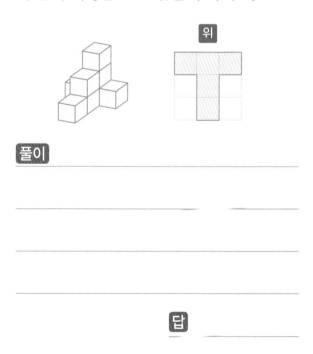

풀이

답

memo

6-2

초등 수학
팩토

단원별
계산력
수학

4
단원

비례식과 비례배분

FACTO school

매스티안

팩토는 자유롭게 자신감있게 창의적으로 생각하는 주니어수학자입니다.

단계별 원별 산력 수학

펴낸 곳 (주)타임교육C&P **펴낸이** 이길호 **지은이** 매스티안R&D센터

주소 06153 서울특별시 강남구 봉은사로 442 (삼성동) **문의전화** 1588.6066

팩토카페 http://cafe.naver.com/factos **홈페이지** http://www.mathtian.com

GH2204

생각이 자유로운 사람들! 매스티안R&D센터

매스티안R&D센터의 논리적 사고력과 창의적 문제해결력을 키우는 수학 콘텐츠는 국내외 수많은 교육 현장에서 그 우수성을 높이 평가받고 있습니다.
매스티안R&D센터는 여기에 안주하지 않고 앞으로도 학생, 교사, 학부모 모두가 행복한 수학 시간을 만들 수 있도록 노력하겠습니다.

매스티안 공식 홈페이지 ··· (http://www.mathtian.com)

· 매스티안의 다양한 출간 교재 소개

· 출간 교재와 관련된 학습 자료(보충 학습지, 활동지 등) 제공

· 출간 교재와 관련된 평가 시험 및 분석 제공

매스티안 공식 카페 ··· 팩토 (http://cafe.naver.com/factos)

· 창의사고력 수학 팩토 무료 동영상 강의 제공

· 출간 교재에 관한 질문 및 답변

· 영재교육원 대비 자료(기출 문제, 예상 문제) 제공

· 초등 수학 비법 및 Q&A

FACTO school

6-2

초등 수학
팩토

단원별

계산력

수학

4 단원

비례식과 비례배분

매스티안

4. 비와 비율

· 비
· 비율을 분수, 소수,
  백분율로 나타내기

6-1

5. 시계 보기와
   규칙 찾기

· '몇 시', '몇 시 30분'
· 물체, 무늬, 수 배열에서
  규칙 찾기

1-2

6. 규칙 찾기

· 수 배열표에서 수의 규칙 찾기
· 변화하는 모양에서 규칙 찾기
· 계산식의 배열에서 규칙 찾기

2-2

4-1

5-1

6. 규칙 찾기

· 덧셈표, 곱셈표에서 규칙 찾기
· 여러 가지 무늬, 쌓은 모양,
  생활에서 규칙 찾기

3. 규칙과 대응

· 대응 관계
· 대응 관계를 식으로
  나타내기

4 비례식과 비례배분

Teaching Guide

비례식과 비례식의 성질을 학습할 때는 전항, 후항, 내항, 외항 등과 같은 용어에 대한 약속을 모르면 수업을 할 때 의사소통에 어려움이 있습니다. 따라서 용어를 학습할 때는 한자의 뜻과 함께 용어의 의미를 이해하고 익히게 하는 것이 좋습니다. 비에서 기호 ' : ' 앞에 있는 항을 앞 전(前) 자를 써서 전항, 뒤에 있는 항을 뒤 후(後) 자를 써서 후항이라 합니다. 비례식에서 등호 ' = '를 중심으로 안쪽에 있는 두 항은 안 내(內) 자를 써서 내항, 바깥쪽에 있는 두 항은 바깥 외(外) 자를 써서 외항이라 합니다. 모두 쉬운 한자이니 아이 스스로 뜻을 찾아보게 할 수도 있습니다.

4. 비례식과 비례배분

6-2

· 비의 성질, 비례식, 비례식의 성질
· 비례배분

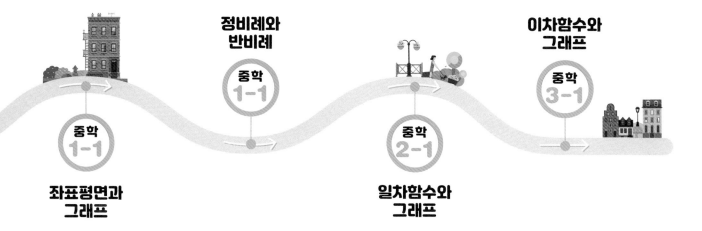

정비례와
반비례

중학 1-1

이차함수와
그래프

중학 3-1

중학 1-1

좌표평면과
그래프

중학 2-1

일차함수와
그래프

공부한 날짜

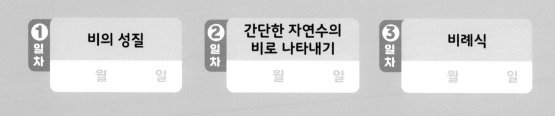

①일차 비의 성질
월 일

②일차 간단한 자연수의 비로 나타내기
월 일

③일차 비례식
월 일

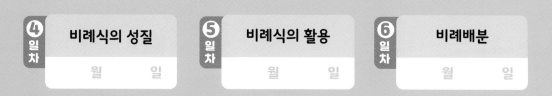

④일차 비례식의 성질
월 일

⑤일차 비례식의 활용
월 일

⑥일차 비례배분
월 일

⑦일차 응용 문제
월 일

⑧일차 형성 평가
월 일

⑨일차 단원 평가
월 일

참 잘했어요!

잘했어 최고야!

01 비의 성질

정답 25쪽

● **비율이 같은 비 만들기 ①**: 비의 전항과 후항에 **0이 아닌 같은 수를** 곱하기

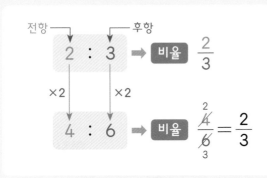

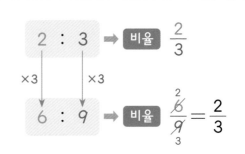

1 비를 보고 비율을 구한 후, 알 수 있는 사실에 ◯표 하시오.

보기

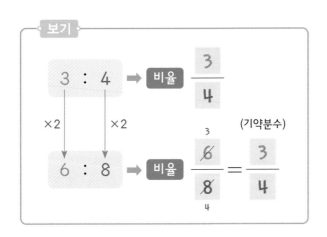

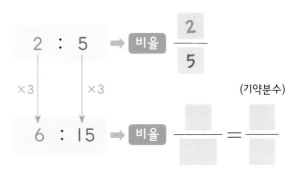

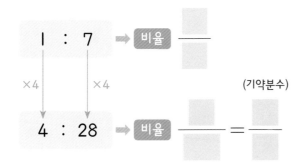

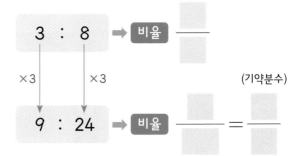

알 수 있는 사실

비의 전항과 후항에 0이 아닌 같은 수를 곱하여도 비율은 (같습니다 , 다릅니다).

② 비의 성질을 이용하여 비율이 같은 비를 만들어 보시오.

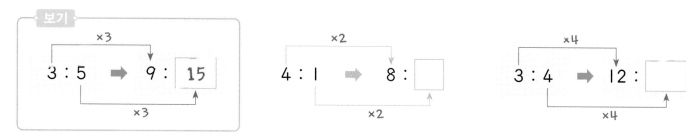

보기

$3 : 5 \Rightarrow 9 : \boxed{15}$ ×3   ×3

$4 : 1 \Rightarrow 8 : \boxed{}$ ×2   ×2

$3 : 4 \Rightarrow 12 : \boxed{}$ ×4   ×4

$2 : 3 \Rightarrow 10 : \boxed{}$

$7 : 3 \Rightarrow 21 : \boxed{}$

$4 : 9 \Rightarrow 8 : \boxed{}$

$5 : 6 \Rightarrow \boxed{} : 24$

$7 : 11 \Rightarrow 14 : \boxed{}$

$3 : 10 \Rightarrow \boxed{} : 40$

$8 : 5 \Rightarrow 40 : \boxed{}$

$7 : 3 \Rightarrow \boxed{} : 24$

$8 : 9 \Rightarrow 72 : \boxed{}$

$11 : 6 \Rightarrow \boxed{} : 42$

$10 : 13 \Rightarrow 50 : \boxed{}$

$19 : 8 \Rightarrow \boxed{} : 32$

● 비율이 같은 비 만들기 ②: 비의 전항과 후항을 0이 아닌 같은 수로 나누기

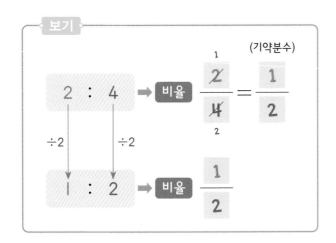

3 비를 보고 비율을 구한 후, 알 수 있는 사실에 ◯표 하시오.

보기

$2 : 4$ ➡ 비율 $\dfrac{\cancel{2}^{1}}{\cancel{4}_{2}} = \dfrac{1}{2}$ (기약분수)

$\div 2$ $\div 2$

$1 : 2$ ➡ 비율 $\dfrac{1}{2}$

$9 : 15$ ➡ 비율 $\dfrac{\cancel{9}^{3}}{\cancel{15}_{5}} = \dfrac{\ }{\ }$ (기약분수)

$\div 3$ $\div 3$

$3 : 5$ ➡ 비율 $\dfrac{\ }{\ }$

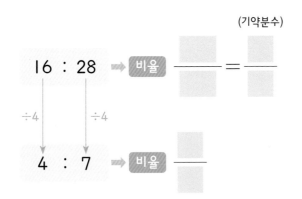

$16 : 28$ ➡ 비율 $\dfrac{\ }{\ } = \dfrac{\ }{\ }$ (기약분수)

$\div 4$ $\div 4$

$4 : 7$ ➡ 비율 $\dfrac{\ }{\ }$

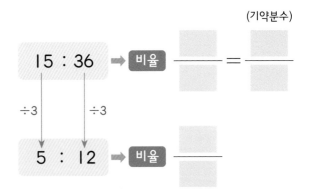

$15 : 36$ ➡ 비율 $\dfrac{\ }{\ } = \dfrac{\ }{\ }$ (기약분수)

$\div 3$ $\div 3$

$5 : 12$ ➡ 비율 $\dfrac{\ }{\ }$

알 수 있는 사실

비의 전항과 후항을 0이 아닌 같은 수로 나누어도 비율은 (같습니다 , 다릅니다).

4 비의 성질을 이용하여 비율이 같은 비를 만들어 보시오.

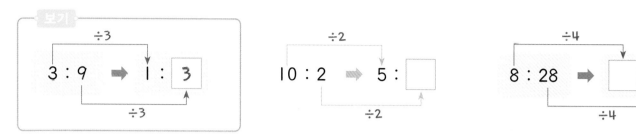

보기

$\div 3$

$3 : 9 \Rightarrow 1 : \boxed{3}$

$\div 3$

$\div 2$

$10 : 2 \Rightarrow 5 : \boxed{}$

$\div 2$

$\div 4$

$8 : 28 \Rightarrow \boxed{} : 7$

$\div 4$

$20 : 25 \Rightarrow 4 : \boxed{}$　　　　$21 : 15 \Rightarrow 7 : \boxed{}$

$4 : 18 \Rightarrow \boxed{} : 9$　　$36 : 20 \Rightarrow \boxed{} : 5$　　$18 : 42 \Rightarrow 3 : \boxed{}$

$21 : 56 \Rightarrow \boxed{} : 8$　　　　$45 : 15 \Rightarrow 9 : \boxed{}$

$30 : 9 \Rightarrow \boxed{} : 3$　　$64 : 40 \Rightarrow 8 : \boxed{}$　　$50 : 70 \Rightarrow \boxed{} : 7$

$30 : 45 \Rightarrow 2 : \boxed{}$　　　　$18 : 90 \Rightarrow \boxed{} : 10$

02 간단한 자연수의 비로 나타내기

● (자연수) : (자연수)를 간단한 자연수의 비로 나타내기

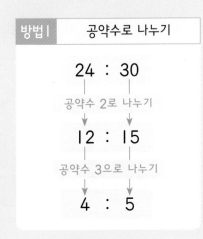

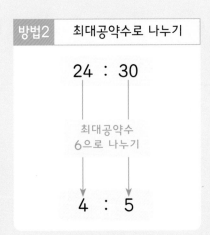

1 간단한 자연수의 비로 나타내시오.

(2로 약분) 6 : 2 ➡ ☐ : ☐
        3   1

15 : 18 ➡ ☐ : ☐

20 : 45 ➡ ☐ : ☐

28 : 16 ➡ ☐ : ☐

35 : 14 ➡ ☐ : ☐

24 : 42 ➡ ☐ : ☐

27 : 81 ➡ ☐ : ☐

30 : 105 ➡ ☐ : ☐

● **(소수):(소수)를 간단한 자연수의 비로 나타내기**

2 간단한 자연수의 비로 나타내시오.

0.2 : 0.8 ➡ ☐ : ☐
(×10) 2　8
(2로 약분) 1　4

0.1 : 0.14 ➡ ☐ : ☐
(×100) 10　14
(2로 약분) 5　7

0.3 : 0.27 ➡ ☐ : ☐

0.35 : 0.25 ➡ ☐ : ☐

0.18 : 0.78 ➡ ☐ : ☐

0.64 : 0.4 ➡ ☐ : ☐

1.2 : 0.32 ➡ ☐ : ☐

0.81 : 1.44 ➡ ☐ : ☐

● (분수):(분수)를 간단한 자연수의 비로 나타내기

3 간단한 자연수의 비로 나타내시오.

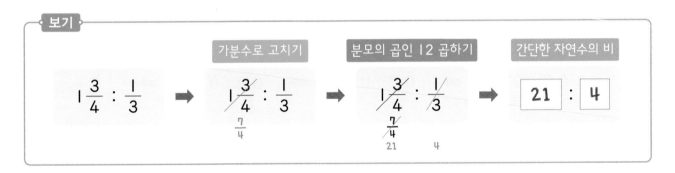

$\dfrac{4}{5} : \dfrac{2}{3}$ ➡ ☐ : ☐

(분모의 곱인 15 곱하기) 12 10
(2로 약분) 6   5

$\dfrac{4}{9} : \dfrac{5}{12}$ ➡ ☐ : ☐

$\dfrac{1}{4} : \dfrac{3}{5}$ ➡ ☐ : ☐

$\dfrac{3}{10} : \dfrac{2}{5}$ ➡ ☐ : ☐

$1\dfrac{1}{2} : \dfrac{2}{5}$ ➡ ☐ : ☐

(가분수로 고치기) $\dfrac{3}{2}$
(분모의 곱인 10 곱하기) 15 4

$\dfrac{3}{5} : 1\dfrac{2}{3}$ ➡ ☐ : ☐

$2\dfrac{1}{10} : \dfrac{7}{8}$ ➡ ☐ : ☐

$1\dfrac{1}{5} : 1\dfrac{2}{7}$ ➡ ☐ : ☐

4 간단한 자연수의 비로 나타내시오.

보기

소수 → 분수 　　분모의 곱인 40 곱하기 　　2로 약분

$$0.2 : \frac{1}{4} \Rightarrow \frac{2}{10} : \frac{1}{4} \Rightarrow \frac{2}{10} : \frac{1}{4} \Rightarrow \frac{2}{10} : \frac{1}{4}$$
　　　　　　　　　　　　　　　　8　　10　　　4　　5

간단한 자연수의 비

⇒ 4 : 5

$$0.3 : \frac{1}{3} \Rightarrow \square : \square$$

(분수로 고치기) $\frac{3}{10}$

(분모의 곱인 30 곱하기)　9　　10

$$\frac{1}{6} : 0.4 \Rightarrow \square : \square$$

(분수로 고치기) $\frac{4}{10}$

(분모의 곱인 60 곱하기)　10　　24

(2로 약분)　5　　12

$$\frac{8}{15} : 0.2 \Rightarrow \square : \square$$

$$0.9 : 1\frac{2}{7} \Rightarrow \square : \square$$

$$1.2 : \frac{2}{3} \Rightarrow \square : \square$$

$$1\frac{1}{9} : 0.4 \Rightarrow \square : \square$$

$$0.25 : \frac{4}{5} \Rightarrow \square : \square$$

$$\frac{1}{10} : 0.35 \Rightarrow \square : \square$$

03 🎷 비례식

● **비례식**: 비율이 같은 두 비를 기호 '＝'를 사용하여 2 : 3＝6 : 9와 같이 나타내는 식

$$2 : 3 \Rightarrow \boxed{비율} \frac{2}{3}$$

$$\times 3 \qquad \times 3$$

$$6 : 9 \Rightarrow \boxed{비율} \frac{\cancel{6}}{\cancel{9}_3}^2 = \frac{2}{3}$$

$$= \Rightarrow \boxed{비례식} \quad 2 : 3 ＝ 6 : 9$$

1 비율을 기약분수로 나타낸 후 비례식을 세워 보시오.

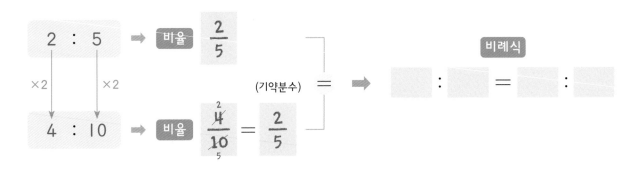

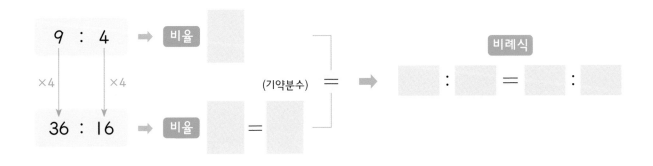

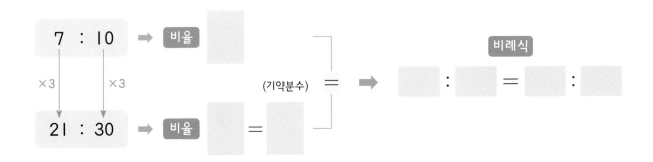

2 비율이 같은 비를 찾아 비례식을 세워 보시오.

보기

$2:5$ $\overset{6}{6}:\overset{9}{9}$ (3으로 약분) $2 \quad 3$ $\overset{12}{12}:\overset{14}{14}$ (2로 약분) $6 \quad 7$ **비례식** ⟹ $2:3 = 6 : 9$

비율: $\frac{2}{5}$ 비율: $\frac{2}{3}$ 비율: $\frac{6}{7}$ 비율: $\frac{2}{3}$ 비율: $\frac{2}{3}$

$\overset{9}{9}:\overset{21}{21}$ (3으로 약분) $3 \quad 7$ $\overset{16}{16}:\overset{28}{28}$ (4로 약분) $4 \quad 7$ $\overset{14}{14}:\overset{8}{8}$ (2로 약분) $7 \quad 4$ **비례식** ⟹ $4:7 = \quad : \quad$

비율: $\frac{3}{7}$ 비율: $\frac{4}{7}$ 비율: $\frac{7}{4}$ 비율: $\frac{4}{7}$ 비율: $\frac{4}{7}$

$\overset{30}{30}:\overset{24}{24}$ (6으로 약분) $5 \quad 4$ $\overset{10}{10}:\overset{6}{6}$ (2로 약분) $5 \quad 3$ $\overset{20}{20}:\overset{24}{24}$ (4로 약분) $5 \quad 6$ **비례식** ⟹ $5:4 = \quad : \quad$

비율: $\frac{5}{4}$ 비율: $\frac{5}{3}$ 비율: $\frac{5}{6}$

$9:4$ $3:8$ $2:9$ **비례식** ⟹ $8:36 = \quad : \quad$

$3:4$ $4:3$ $3:5$ **비례식** ⟹ $12:16 = \quad : \quad$

$9:4$ $5:9$ $5:12$ **비례식** ⟹ $45:81 = \quad : \quad$

$44:24$ $35:55$ $18:33$ **비례식** ⟹ $6:11 = \quad : \quad$

3 비의 성질을 이용하여 ▨ 안에 알맞은 수를 써넣으시오.

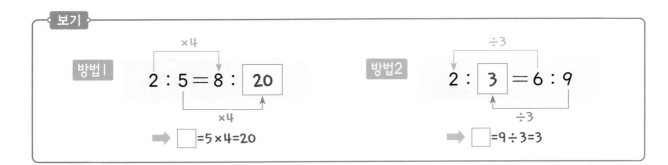

보기

방법1
×4
$2 : 5 = 8 : \boxed{20}$
×4
➡ $\boxed{} = 5 \times 4 = 20$

방법2
÷3
$2 : \boxed{3} = 6 : 9$
÷3
➡ $\boxed{} = 9 \div 3 = 3$

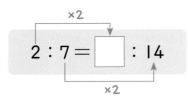

×2
$2 : 7 = \boxed{} : 14$
×2

×4
$9 : 4 = 36 : \boxed{}$
×4

÷5
$2 : \boxed{} = 10 : 35$
÷5

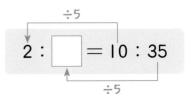

÷2
$\boxed{} : 6 = 10 : 12$
÷2

$12 : 28 = \boxed{} : 7$

$7 : 4 = 35 : \boxed{}$

$5 : \boxed{} = 20 : 12$

$\boxed{} : 9 = 20 : 36$

$20 : \boxed{} = 5 : 4$

$\boxed{} : 81 = 2 : 9$

$10 : 7 = 40 : \boxed{}$

$4 : \boxed{} = 32 : 88$

$9 : 5 = 63 : \boxed{}$

4 비율을 보고 비례식을 세워 보시오.

보기

비례식

$$\frac{3}{15} = \frac{1}{5} \implies 3 : 15 = 1 : 5$$

비 3 : 15 ← → 비 1 : 5

$$\frac{1}{3} = \frac{6}{18}$$

(비) 1 : 3 ← → (비) 6 : 18

➡ 1 : 3 = :

$$\frac{9}{12} = \frac{3}{4}$$

(비) 9 : 12 ← → (비) 3 : 4

➡ : = :

$$\frac{12}{42} = \frac{2}{7}$$

➡ : = :

$$\frac{3}{8} = \frac{15}{40}$$

➡ : = :

$$\frac{4}{5} = \frac{24}{30}$$

➡ : = :

$$\frac{40}{72} = \frac{5}{9}$$

➡ : = :

$$\frac{56}{64} = \frac{7}{8}$$

➡ : = :

$$\frac{3}{10} = \frac{27}{90}$$

➡ : = :

$$\frac{6}{11} = \frac{30}{55}$$

➡ : = :

$$\frac{12}{13} = \frac{84}{91}$$

➡ : = :

04 비례식의 성질

● 외항과 내항

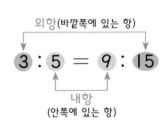

● 비례식의 성질: 외항의 곱과 내항의 곱이 같음

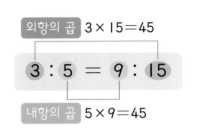

1 비례식에서 외항과 내항을 각각 찾아 쓰시오.

$2 : 9 = 8 : 36$

외항   **2**   , _____

내항   **9**   , _____

$8 : 3 = 40 : 15$

외항 _____, _____

내항 _____, _____

$56 : 16 = 7 : 2$

외항 _____, _____

내항 _____, _____

$35 : 63 = 5 : 9$

외항 _____, _____

내항 _____, _____

$1.6 : 1.2 = 4 : 3$

외항 _____, _____

내항 _____, _____

$4.5 : 3.5 = 9 : 7$

외항 _____, _____

내항 _____, _____

$\dfrac{2}{3} : \dfrac{6}{7} = 7 : 9$

외항 _____, _____

내항 _____, _____

$1\dfrac{1}{2} : 1\dfrac{2}{5} = 15 : 14$

외항 _____, _____

내항 _____, _____

$\dfrac{2}{3} : \dfrac{5}{6} = \dfrac{2}{9} : \dfrac{5}{18}$

외항 _____, _____

내항 _____, _____

2 비례식에서 외항과 곱과 내항의 곱을 각각 구한 후, 알 수 있는 사실에 ◯표 하시오.

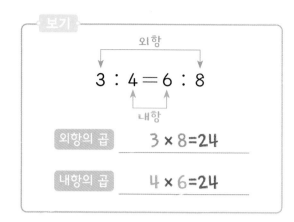

보기

$3 : 4 = 6 : 8$

외항

내항

외항의 곱 $3 \times 8 = 24$

내항의 곱 $4 \times 6 = 24$

$15 : 6 = 5 : 2$

외항의 곱

내항의 곱

$9 : 10 = 27 : 30$

외항의 곱

내항의 곱

$24 : 21 = 8 : 7$

외항의 곱

내항의 곱

$2.7 : 1.2 = 9 : 4$

외항의 곱

내항의 곱

$2.5 : 3.5 = 5 : 7$

외항의 곱

내항의 곱

$\dfrac{2}{5} : \dfrac{3}{7} = 28 : 30$

외항의 곱

내항의 곱

$\dfrac{1}{3} : \dfrac{4}{5} = \dfrac{2}{21} : \dfrac{8}{35}$

외항의 곱

내항의 곱

알 수 있는 사실

비례식에서 외항의 곱과 내항의 곱은 (같습니다 , 다릅니다).

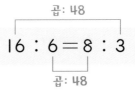

3 비례식이면 ◯표, 비례식이 아니면 ╳표 하시오.

> **보기**
>
> 곱: 12
>
> $$2 : 3 = 9 : 6$$
>
> 곱: 27
>
> ➡ 외항의 곱과 내항의 곱이 다릅니다.
> ➡ 비례식이 아닙니다.
>
> 곱: 48
>
> $$16 : 6 = 8 : 3$$
>
> 곱: 48
>
> ➡ 외항의 곱과 내항의 곱이 같습니다.
> ➡ 비례식입니다.

곱: 72

$$9 : 2 = 36 : 8$$ ⋯⋯ (   )

곱: 72

$$12 : 15 = 3 : 4$$ ⋯⋯ (   )

$$14 : 15 = 7 : 5$$ ⋯⋯ (   )

$$12 : 27 = 4 : 9$$ ⋯⋯ (   )

$$3 : 11 = 12 : 55$$ ⋯⋯ (   )

$$60 : 25 = 12 : 5$$ ⋯⋯ (   )

$$1.5 : 5 = 3 : 20$$ ⋯⋯ (   )

$$0.9 : 0.3 = 32 : 8$$ ⋯⋯ (   )

$$20 : 45 = 1.6 : 3.6$$ ⋯⋯ (   )

$$\frac{1}{2} : \frac{1}{5} = 4 : 10$$ ⋯⋯ (   )

$$24 : 21 = 1 : \frac{2}{3}$$ ⋯⋯ (   )

$$60 : 50 = \frac{3}{10} : \frac{1}{4}$$ ⋯⋯ (   )

4 비례식의 성질을 이용하여 ☐ 안에 알맞은 수를 써넣으시오.

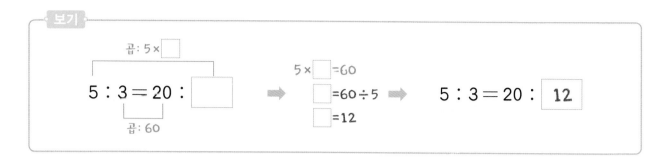

보기

곱: 5 × ☐

$5 : 3 = 20 : \boxed{}$

곱: 60

$5 × \boxed{} = 60$

$\boxed{} = 60 ÷ 5$

$\boxed{} = 12$

$5 : 3 = 20 : \boxed{12}$

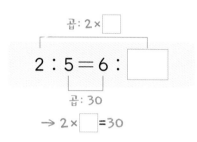

곱: 2 × ☐

$2 : 5 = 6 : \boxed{}$

곱: 30

→ $2 × \boxed{} = 30$

곱: 63

$9 : 21 = \boxed{} : 7$

곱: 21 × ☐

$5 : \boxed{} = 20 : 24$

$\boxed{} : 40 = 3 : 8$

$11 : 4 = 55 : \boxed{}$

$36 : 28 = \boxed{} : 7$

$\boxed{} : 30 = 0.5 : 3$

$0.9 : \boxed{} = 0.4 : 12$

$\boxed{} : 1.6 = 7 : 1.4$

$9 : 2.7 = 4 : \boxed{}$

$10 : \dfrac{1}{3} = \boxed{} : \dfrac{1}{5}$

$\boxed{} : 10 = 1\dfrac{2}{5} : 7$

$15 : \dfrac{2}{3} = \boxed{} : \dfrac{4}{5}$

● 그림을 보고 비례식으로 나타내기

방법1 3개 : 150원 = 20개 : 1000원

방법2 3개 : 20개 = 150원 : 1000원

---

1 그림에 맞는 비례식을 2가지 방법으로 만들어 보시오.

1자루
200원
12자루
2400원

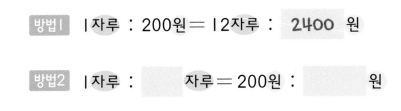

방법1 1자루 : 200원 = 12자루 : 2400 원

방법2 1자루 :　　자루 = 200원 :　　원

2개
240원
10개
1200원

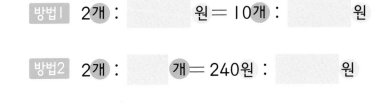

방법1 2개 :　　원 = 10개 :　　원

방법2 2개 :　　개 = 240원 :　　원

8장
500원
40장
2500원

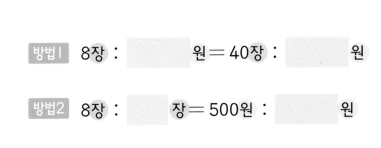

방법1 8장 :　　원 = 40장 :　　원

방법2 8장 :　　장 = 500원 :　　원

2 그림에 맞는 비례식을 2가지 방법으로 만들어 보시오.

2개
1800원

4개
3600원

방법1   2 개 : 1800 원 = ☐ 개 : ☐ 원

방법2   ☐ 개 : ☐ 개 = ☐ 원 : ☐ 원

3개
2100원

11개
7700원

방법1   ☐ 개 : ☐ 원 = ☐ 개 : ☐ 원

방법2   ☐ 개 : ☐ 개 = ☐ 원 : ☐ 원

3개
15분

8개
40분

방법1   ☐ 개 : ☐ 분 = ☐ 개 : ☐ 분

방법2   ☐ 개 : ☐ 개 = ☐ 분 : ☐ 분

200mL
800원

900mL
3600원

방법1   ☐ mL : ☐ 원 = ☐ mL : ☐ 원

방법2   ☐ mL : ☐ mL = ☐ 원 : ☐ 원

보기 와 같은 방법으로 비례식을 이용하여 문제를 해결하시오.

보기

10분에 2 km를 달리는 육상 선수가 있습니다. 이 선수가 같은 빠르기로 30분 동안 달릴 수 있는 거리는 몇 km입니까?
└─ △km

간단히 나타내기 ➡ 비례식 세운 후 풀기

○ 10 분 → 2 km

식 10 분 : 2 km = 30 분 : △km

○ 30 분 → △km

10 × △ = 2 × 30
△ = 60 ÷ 10
△ = 6

답 6 km

5분 동안 20 L의 물이 나오는 수도꼭지가 있습니다. 이 수도꼭지로 80 L 들이의 물통을 가득 채우려면 몇 분 동안 물을 받아야 합니까?
└─ △분

간단히 나타내기 ➡ 비례식 세운 후 풀기

○ 5 분 → 20 L

식 　분 : 　L = △분 : 　L

○ △분 → 　L

답 　분

어느 과일 가게에서는 오렌지가 4개에 6000원입니다. 이 과일 가게에서 15000원으로 살 수 있는 오렌지는 모두 몇 개입니까?
└─ △개

간단히 나타내기 ➡ 비례식 세운 후 풀기

○ 　개 → 　원

식 　개 : 　원 = △개 : 　원

○ △개 → 　원

답 　개

4 비례식을 이용하여 문제를 해결하시오.

어느 박물관에서는 어린이 5명의 입장료가 9000원입니다. 36000원으로는 모두 몇 명
의 어린이가 입장할 수 있습니까?
└─△명

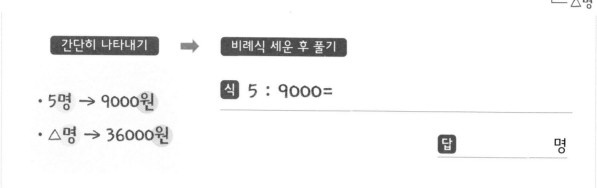

| 간단히 나타내기 | ➡ | 비례식 세운 후 풀기 |

식 5 : 9000=

· 5명 → 9000원

· △명 → 36000원

답 _____ 명

어느 복사기는 9초에 8장을 복사할 수 있습니다. 이 복사기로 64장을 복사할 때 걸리는
시간은 몇 초입니까?

| 간단히 나타내기 | ➡ | 비례식 세운 후 풀기 |

식

답 _____ 초

어느 사람이 3일 동안 일을 하고 18만 원을 받았습니다. 이 사람이 같은 일을 7일 동안 하
고 받을 수 있는 돈은 얼마입니까?

| 간단히 나타내기 | ➡ | 비례식 세운 후 풀기 |

식

답 _____ 원

06 비례배분

정답 30쪽

● **비례배분**: 전체를 주어진 비로 배분하는 것

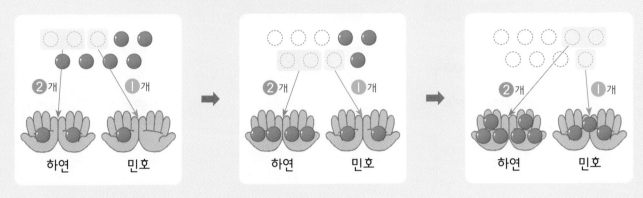

구슬 9개를 하연이와 민호가 **2 : 1**로 나누어 갖기

(2 : 1로 나눈다는 것은 하연이에게 2개 줄 때 민호에게 1개 준다는 것)

하연   민호   하연   민호   하연   민호

➡ 구슬을 하연이는 **6개**, 민호는 **3개** 가지게 됩니다.

1 두 사람이 사탕을 주어진 비로 나누어 가지려고 합니다. 각 접시에 사탕을 ◯로 그리고 가지게 되는 사탕의 수를 구하시오.

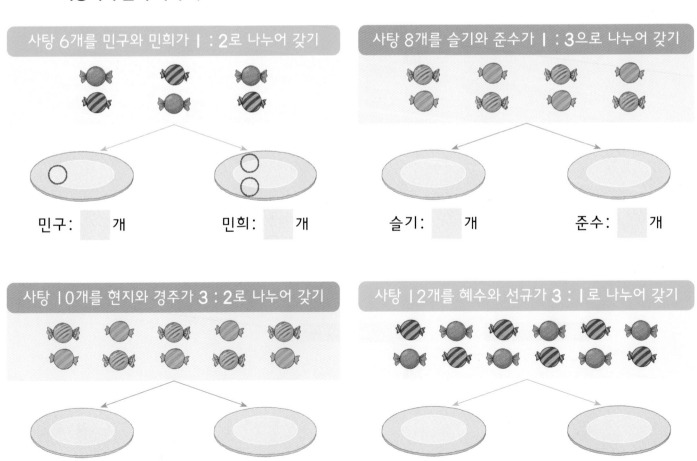

사탕 6개를 민구와 민희가 1 : 2로 나누어 갖기

민구: 개   민희: 개

사탕 8개를 슬기와 준수가 1 : 3으로 나누어 갖기

슬기: 개   준수: 개

사탕 10개를 현지와 경주가 3 : 2로 나누어 갖기

현지: 개   경주: 개

사탕 12개를 혜수와 선규가 3 : 1로 나누어 갖기

혜수: 개   선규: 개

2 보기 와 같은 방법으로 전체 구슬을 주어진 비로 나눈 후, ☐ 안에 알맞은 수를 써넣으시오.

보기

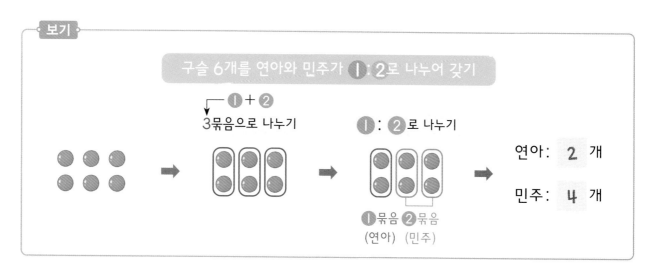

구슬 6개를 연아와 민주가 **①** : **②**로 나누어 갖기

①+**②**
3묶음으로 나누기

① : **②**로 나누기

연아 : **2** 개

민주 : **4** 개

①묶음 **②**묶음
(연아) (민주)

구슬 8개를 선호와 민경이가
Ⅰ : 3으로 나누어 갖기

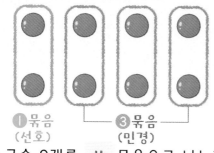

①묶음 **③**묶음
(선호) (민경)

➡ 구슬 8개를 **4** 묶음으로 나누기
①+**③**

➡ 선호 : ☐ 개, 민경 : ☐ 개

구슬 Ⅰ0개를 진영이와 준석이가
3 : 2로 나누어 갖기

➡ 구슬 Ⅰ0개를 ☐ 묶음으로 나누기

➡ 진영 : ☐ 개, 준석 : ☐ 개

구슬 9개를 솔민이와 소연이가
2 : Ⅰ로 나누어 갖기

➡ 구슬 9개를 ☐ 묶음으로 나누기

➡ 솔민 : ☐ 개, 소연 : ☐ 개

구슬 Ⅰ5개를 진수와 성찬이가
Ⅰ : 4로 나누어 갖기

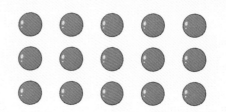

➡ 구슬 Ⅰ5개를 ☐ 묶음으로 나누기

➡ 진수 : ☐ 개, 성찬 : ☐ 개

3 〔보기〕와 같은 방법으로 전체 초콜릿을 주어진 비로 나눈 후, ▨ 안에 알맞은 수를 써넣으시오.

〔보기〕

초콜릿 8개를 명우와 윤기가 **3** : **1** 로 나누어 갖기

③+① → 4묶음(전체)

③묶음 ①묶음
(명우) (윤기)

명우 전체 초콜릿의 $\dfrac{3 \,(묶음)}{4 \,(묶음)}$ → $8 \times \dfrac{3}{4} = $ **6** (개)

윤기 전체 초콜릿의 $\dfrac{1 \,(묶음)}{4 \,(묶음)}$ → $8 \times \dfrac{1}{4} = $ **2** (개)

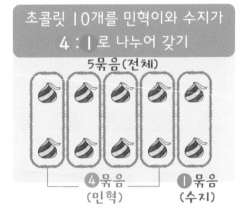

초콜릿 10개를 민혁이와 수지가
4 : 1로 나누어 갖기

5묶음(전체)

④묶음 ①묶음
(민혁) (수지)

민혁 전체 초콜릿의 $\dfrac{4}{5}$ → $10 \times \dfrac{4}{5} = $ ▨ (개)

④+①

수지 전체 초콜릿의 $\dfrac{}{}$ → $10 \times \dfrac{}{} = $ ▨ (개)

초콜릿 12개를 주찬이와 효수가
1 : 2로 나누어 갖기

주찬 전체 초콜릿의 $\dfrac{}{}$ → $12 \times \dfrac{}{} = $ ▨ (개)

효수 전체 초콜릿의 $\dfrac{}{}$ → $12 \times \dfrac{}{} = $ ▨ (개)

초콜릿 18개를 은주와 명선이가
2 : 7로 나누어 갖기

은주 전체 초콜릿의 $\dfrac{}{}$ → $18 \times \dfrac{}{} = $ ▨ (개)

명선 전체 초콜릿의 $\dfrac{}{}$ → $18 \times \dfrac{}{} = $ ▨ (개)

4 보기 와 같은 방법으로 주어진 수를 주어진 비로 나누어 보시오.

보기

6을 2 : 1 로 나누기

$$6 \times \frac{\boxed{2}}{\boxed{2} + \boxed{1}} = 6 \times \frac{\boxed{2}}{\boxed{3}} = \boxed{4}$$

$$6 \times \frac{\boxed{1}}{\boxed{2} + \boxed{1}} = 6 \times \frac{\boxed{1}}{\boxed{3}} = \boxed{2}$$

8을 ① : 3 으로 나누기

$$8 \times \frac{\boxed{1}}{\boxed{1} + \boxed{3}} = 8 \times \frac{\boxed{1}}{\boxed{4}} = \boxed{}$$

$$8 \times \frac{\boxed{}}{\boxed{} + \boxed{}} = 8 \times \frac{\boxed{}}{\boxed{}} = \boxed{}$$

14를 5 : 2로 나누기

$$14 \times \frac{\boxed{}}{\boxed{} + \boxed{}} = 14 \times \frac{\boxed{}}{\boxed{}} = \boxed{}$$

$$14 \times \frac{\boxed{}}{\boxed{} + \boxed{}} = 14 \times \frac{\boxed{}}{\boxed{}} = \boxed{}$$

16을 3 : 1로 나누기

$$16 \times \frac{\boxed{}}{\boxed{} + \boxed{}} = 16 \times \frac{\boxed{}}{\boxed{}} = \boxed{}$$

$$16 \times \frac{\boxed{}}{\boxed{} + \boxed{}} = 16 \times \frac{\boxed{}}{\boxed{}} = \boxed{}$$

20을 2 : 3으로 나누기

$$20 \times \frac{\boxed{}}{\boxed{} + \boxed{}} = 20 \times \frac{\boxed{}}{\boxed{}} = \boxed{}$$

$$20 \times \frac{\boxed{}}{\boxed{} + \boxed{}} = 20 \times \frac{\boxed{}}{\boxed{}} = \boxed{}$$

24를 5 : 3으로 나누기

$$24 \times \frac{\boxed{}}{\boxed{} + \boxed{}} = 24 \times \frac{\boxed{}}{\boxed{}} = \boxed{}$$

$$24 \times \frac{\boxed{}}{\boxed{} + \boxed{}} = 24 \times \frac{\boxed{}}{\boxed{}} = \boxed{}$$

주형이와 동생의 나이의 비가 ④ : ③입니다. 주형이의 나이가 ⑫살이라면 동생의 나이는 몇 살입니까?

➠ **주어진 수에 ○표 하고, 구하는 것에 밑줄 치기**

주형이와 동생의 나이의 비 ⟶ ☐ : ☐ , 주형이의 나이: ☐ 살

➠ **알맞은 비에 ○표 하고, 문제 해결하기**

주형이의 나이가 12살일 때, 동생의 나이를 △살이라고 하면 주형이와 동생의 나이의 비는 (△:12 , 12:△)입니다.

➠ **문제 풀기**

4 : 3= ☐ : ☐ ➡ △= ☐

➠ **답 쓰기**

동생의 나이는 ☐ 살입니다.

민석이는 소금과 물을 2 : 9로 섞어서 소금물을 만들려고 합니다. 물을 450g 넣었다면 소금은 몇 g을 넣어야 합니까?

➠ **주어진 수에 ○표 하고, 구하는 것에 밑줄 치기**

소금의 양과 물의 양의 비 ⟶ ☐ : ☐ , 물의 양: ☐ g

➠ **알맞은 비에 ○표 하고, 문제 해결하기**

넣은 물의 양이 450g일 때, 소금의 양을 △g이라고 하면 넣은 소금의 양과 물의 양의 비는 (△ : 450 , 450 : △)입니다.

➠ **문제 풀기**

2 : 9= ☐ : ☐ ➡ △= ☐

➠ **답 쓰기**

넣어야 하는 소금의 양은 ☐ g입니다.

한 봉지에 구슬이 ㉈28개 들어 있습니다. 이 구슬을 민주와 동생이 ㉈3 : 4로 나누어 가진다면 민주가 가지는 구슬은 몇 개입니까?

■▶ 주어진 수에 ○표 하고, 구하는 것에 밑줄 치기

민주와 동생이 나누어 가진 구슬 수의 비 ➡   :   , 전체 구슬 수: 개

■▶ 문제 해결하기

민주가 가지는 구슬 수는 전체 구슬   개의 ―――입니다.

■▶ 문제 풀기

(민주가 가지는 구슬 수)=   ×―――=   (개)

■▶ 답 쓰기

민주가 가지는 구슬은   개입니다.

젤리 36개를 진영이와 민정이가 4 : 5로 나누어 먹으려고 합니다. 민정이는 젤리를 몇 개 먹을 수 있습니까?

■▶ 주어진 수에 ○표 하고, 구하는 것에 밑줄 치기

진영이와 민정이가 나누어 먹을 젤리 수의 비 ➡   :   , 전체 젤리 수: 개

■▶ 문제 해결하기

민정이가 먹게 되는 젤리 수는 전체 젤리   개의 ―――입니다.

■▶ 문제 풀기

(민정이가 먹게 되는 젤리 수)=   ×―――=   (개)

■▶ 답 쓰기

민정이가 먹게 되는 젤리는   개입니다.

● ⬜ 안에 알맞은 수를 써넣고, 답을 구하시오.

1 Drill

다영이와 민수가 가지고 있는 구슬 수의 비는 3 : 4입니다. 다영이가 구슬을 6개 가지고 있다면 민수가 가지고 있는 구슬은 몇 개입니까?

주어진 수에 ○표 하고, 구하는 것에 밑줄 쫙!

풀이 다영이가 구슬을 6개 가지고 있을 때,
민수가 가지고 있는 구슬을 △개라고 하면

$3 : 4 = $ ⬜ : ⬜ ➡ $△ = $ ⬜

답 ＿＿＿＿＿ 개

2 Drill

부침가루와 튀김가루를 2 : 1로 섞어서 부침개의 반죽을 만들려고 합니다. 부침가루를 280g 넣었다면 튀김가루는 몇 g을 넣어야 합니까?

풀이 부침가루를 280g 넣었을 때, 넣을 튀김가루의 양을 △g이라고 하면

$2 : 1 = $ ⬜ : ⬜ ➡ $△ = $ ⬜

답 ＿＿＿＿＿ g

3 Drill

은행나무 80그루를 호수와 공원에 3 : 5의 비로 나누어 심었습니다. 공원에 심은 은행나무는 몇 그루입니까?

풀이 (공원에 심은 은행나무 수)$=$ ⬜ $× \dfrac{⬜}{⬜} = $ ⬜ (그루)

답 ＿＿＿＿＿ 그루

4 Drill

현지네 학교 6학년 남학생 수와 여학생 수의 비는 7 : 6입니다. 6학년 전체 학생 수가 208명이라면 여학생은 몇 명입니까?

풀이 (6학년 여학생 수)$=$ ⬜ $× \dfrac{⬜}{⬜} = $ ⬜ (명)

답 ＿＿＿＿＿ 명

● 서술형 문제를 읽고 풀이 과정과 답을 쓰시오.

도전 ①

주형이와 영진이의 키의 비는 9 : 10입니다. 주형이의 키가 153cm라면, 영진이의 키는 몇 cm입니까?

풀이

답 _____

도전 ②

어른과 초등학생의 미술관 입장료의 비는 7 : 4입니다. 초등학생의 입장료가 2400원일 때, 어른의 입장료는 얼마입니까?

풀이

답 _____

도전 ③

길이가 135 cm인 철사가 있습니다. 길이의 비가 8 : 7이 되도록 두 조각으로 자르면 잘린 두 조각의 철사 중 더 긴 조각의 길이는 몇 cm입니까?

풀이

답 _____

도전 ④

연필 한 타는 12자루입니다. 연필 3타를 선미와 태일이가 5 : 4로 나누어 가진다면 태일이가 가지는 연필은 몇 자루입니까?

풀이

답 _____

형성평가

초등 6-2

❹ 비례식과 비례배분

01 비를 보고 비율을 구하려고 합니다. ▨ 안에 알맞은 수를 써넣으시오.

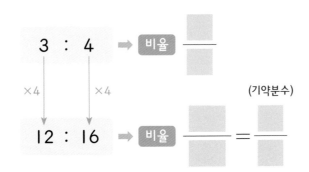

3 : 4 ➡ 비율 ▢/▢

×4   ×4   (기약분수)

12 : 16 ➡ 비율 ▢/▢ = ▢/▢

02 비의 성질을 이용하여 비율이 같은 비를 만들어 보시오.

(1) 4 : 7 ➡ 12 : ▢

(2) 11 : 15 ➡ ▢ : 30

03 비를 보고 비율을 구하려고 합니다. ▨ 안에 알맞은 수를 써넣으시오.

(기약분수)

15 : 20 ➡ 비율 ▢/▢ = ▢/▢

÷5   ÷5

3 : 4 ➡ 비율 ▢/▢

04 비의 성질을 이용하여 비율이 같은 비를 만들어 보시오.

(1) 30 : 42 ➡ ▢ : 7

(2) 40 : 45 ➡ 8 : ▢

05 간단한 자연수의 비로 나타내시오.

(1) 35 : 21 ➡ ▢ : ▢

(2) 72 : 56 ➡ ▢ : ▢

06 간단한 자연수의 비로 나타내시오.

(1) 0.8 : 1.2 ➡ ▢ : ▢

(2) 4.8 : 0.64 ➡ ▢ : ▢

07 간단한 자연수의 비로 나타내시오.

(1) $\dfrac{7}{10} : \dfrac{5}{6}$ ➡ ☐ : ☐

(2) $1\dfrac{3}{4} : 1\dfrac{2}{5}$ ➡ ☐ : ☐

08 간단한 자연수의 비로 나타내시오.

(1) $0.8 : \dfrac{11}{25}$ ➡ ☐ : ☐

(2) $1\dfrac{2}{3} : 2.4$ ➡ ☐ : ☐

09 비율을 기약분수로 나타낸 후 비례식을 세워 보시오.

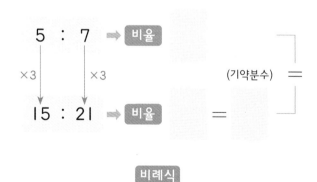

➡ ☐ : ☐ = ☐ : ☐

10 비율이 같은 비를 찾아 비례식을 세워 보시오.

$6 : 8 \qquad 8 : 9 \qquad 9 : 7$

➡ $48 : 54 =$ ☐ : ☐

11 비의 성질을 이용하여 ☐ 안에 알맞은 수를 써넣으시오.

(1) $3 : 4 = 18 :$ ☐

(2) $5 : 7 =$ ☐ $: 28$

(3) $9 : 8 = 45 :$ ☐

(4) ☐ $: 66 = 6 : 11$

(5) $72 :$ ☐ $= 8 : 3$

12 비율을 보고 비례식을 세워 보시오.

(1) $\dfrac{2}{5} = \dfrac{8}{20}$

➡ ___ : ___ = ___ : ___

(2) $\dfrac{21}{30} = \dfrac{7}{10}$

➡ ___ : ___ = ___ : ___

13 비례식에서 외항과 내항을 각각 찾아 쓰시오.

$$3 : 4 = 24 : 32$$

외항 _____ , _____

내항 _____ , _____

14 비례식에서 외항의 곱과 내항의 곱을 각각 구하시오.

$$6 : 7 = 1.8 : 2.1$$

외항의 곱 _____

내항의 곱 _____

15 비례식이면 ◯표, 비례식이 아니면 ✕표 하시오.

$3 : 5 = 18 : 24$ ······ (   )

$4 : 7 = 16 : 28$ ······ (   )

$1.2 : 3 = 2 : 5$ ······ (   )

$\dfrac{4}{5} : 7 = 4 : 28$ ······ (   )

16 비례식의 성질을 이용하여 ▨ 안에 알맞은 수를 써넣으시오.

(1) $5 : 9 = 15 : \boxed{}$

(2) $28 : 16 = \boxed{} : 4$

(3) $0.4 : 9 = \boxed{} : 45$

(4) $2.7 : \boxed{} = 9 : 4$

(5) $\boxed{} : 5 = \dfrac{2}{3} : \dfrac{5}{6}$

17 그림에 맞는 비례식을 2가지 방법으로 만들어 보시오.

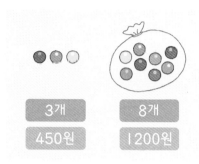

3개	8개
450원	1200원

방법1

　　개 : 　　　원 ＝ 　　개 : 　　　원

방법2

　　개 : 　　개 ＝ 　　　원 : 　　　원

18 과일 가게에서 키위 5개를 3000원에 팔고 있습니다. 1200원으로 키위를 몇 개 살 수 있는지 구하시오.

간단히 나타내기

비례식 세운 후 풀기

식

답　　　　　개

19 두 사람이 사탕을 주어진 비로 나누어 가지려고 합니다. 각 접시에 사탕을 ◯로 그리고 가지게 되는 사탕의 수를 구하시오.

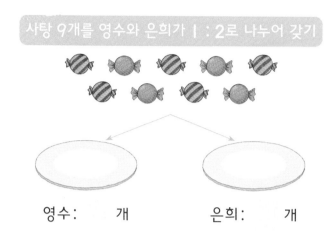

영수:　　개　　　　은희:　　개

20 27을 4 : 5로 나누어 보시오.

$$27 \times \dfrac{\boxed{}}{\boxed{} + \boxed{}} = 27 \times \dfrac{\boxed{}}{\boxed{}} = \boxed{}$$

$$27 \times \dfrac{\boxed{}}{\boxed{} + \boxed{}} = 27 \times \dfrac{\boxed{}}{\boxed{}} = \boxed{}$$

4. 비례식과 비례배분

정답 33쪽

1 비례식에서 외항과 내항을 찾아 쓰시오.

$$15 : 10 = 3 : 2$$

외항 (   )

내항 (   )

2 비의 성질을 이용하여 비율이 같은 비를 만들었습니다. ▨ 안에 알맞은 수를 써넣으시오.

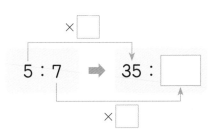

3 2 : 5 = 16 : 40에 대한 설명으로 <u>잘못</u>된 것을 모두 찾아 기호를 쓰시오.

> ㉠ 전항은 2와 16입니다.
> ㉡ 후항은 16과 40입니다.
> ㉢ 외항은 2와 40입니다.
> ㉣ 내항은 2와 5입니다.

(   )

4 비율이 같은 비를 찾아 비례식을 세워 보시오.

4 : 10   15 : 33   27 : 45

$$3 : 5 = \boxed{} : \boxed{}$$

5 간단한 자연수의 비로 나타내시오.

(1) 1.2 : 1.7 ➡ ☐ : ☐

(2) $\dfrac{1}{8} : \dfrac{1}{3}$ ➡ ☐ : ☐

(3) 12 : 15 ➡ ☐ : ☐

(4) $\dfrac{3}{5} : 1.3$ ➡ ☐ : ☐

(5) $2.5 : 1\dfrac{1}{3}$ ➡ ☐ : ☐

6 비례식을 모두 고르시오. (   )

① $4:5=10:8$ ② $1:7=7:1$

③ $2:3=6:9$ ④ $12:30=2:5$

⑤ $36:45=6:5$

7 비례식에서 외항의 곱과 내항의 곱을 각각 구하시오.

$$7:6=28:24$$

외항의 곱 (   )

내항의 곱 (   )

8 직사각형의 가로 길이와 세로 길이의 비를 간단한 자연수의 비로 나타내시오.

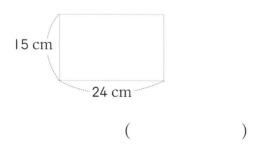

15 cm

24 cm

(   )

9 비례식의 성질을 이용하여   안에 알맞은 수를 써넣으시오.

(1) $5:6=15:$

(2) $9:4=$ $:28$

(3) $:45=4:5$

(4) $\dfrac{1}{9}:$ $=63:81$

(5) $5:$ $=\dfrac{8}{9}:1.6$

10 90을 $7:8$로 나누었을 때의 값을 작은 수부터 차례로 쓰시오.

(,   )

11 비율이 같은 것끼리 선으로 이으시오.

$1\frac{2}{5} : 1.8$ •   • $3 : 5$

$\frac{1}{2} : \frac{5}{6}$ •   • $4 : 5$

$1.8 : 2\frac{1}{4}$ •   • $7 : 9$

13 어떤 사람이 6일 동안 일을 하고 48만 원을 받았습니다. 이 사람이 같은 일을 11일 동안 하면 얼마를 받을 수 있겠습니까?

(   )원

14 사탕 48개를 주혜와 민서가 5 : 7의 비로 나누어 가지려고 합니다. 민서는 사탕을 몇 개 가지게 되는지 구하시오.

(   )개

12 직선 가와 나가 서로 평행할 때 삼각형 ㉮와 ㉯의 넓이의 비를 간단한 자연수의 비로 나타내시오.

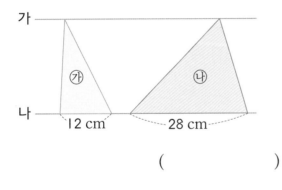

(   )

15 안에 알맞은 수를 써넣으시오.

$(6 + \boxed{}) : 5 = 52 : 20$

16 안에 들어갈 수가 가장 큰 비례식을 찾아 기호를 쓰시오.

> ㉠ $2.5 : 4 = \quad : 8$
>
> ㉡ $3.6 : 4\frac{4}{5} = 3 :$
>
> ㉢ $0.3 : \frac{3}{4} = \quad : 15$

( )

17 비례식에서 외항의 곱이 24일 때 ㉠과 ㉡의 값을 각각 구하시오.

$$㉠ : 8 = ㉡ : 1.6$$

㉠ ( )

㉡ ( )

18 어느 날 낮과 밤의 길이의 비는 7 : 5였습니다. 이날 낮과 밤의 길이는 각각 몇 시간입니까?

낮 ( )시간

밤 ( )시간

19 민정이와 소희가 색종이를 6:5의 비로 나누어 가졌습니다. 소희가 가진 색종이가 45장이라면 민정이와 소희가 가지고 있는 색종이는 모두 몇 장입니까?

( )장

20 가로가 15 m, 세로가 12 m인 직사각형 모양의 밭을 넓이가 3 : 7이 되도록 나누려고 합니다. 나누어진 두 개의 밭 중 더 좁은 밭의 넓이는 몇 m^2인지 풀이 과정을 쓰고 답을 구하시오.

풀이

답

memo

6-2

초등 수학
팩토

단원별

계산력

수학

5 단원

원의 넓이

매스티안

4. 평면도형의 이동
· 평면도형 밀기, 뒤집기, 돌리기
· 평면도형 뒤집고 돌리기
· 규칙적인 무늬 만들기

4-1

4. 사각형
· 수직과 수선, 평행과 평행선
· 사각형의 종류

6. 다각형
· 다각형, 정다각형, 대각선
· 모양 만들기와 채우기

4-2

4-2

4-2

2. 삼각형
· 이등변삼각형, 정삼각형
· 예각삼각형, 둔각삼각형

3-1

2. 평면도형
· 선분, 반직선, 직선
· 각, 직각
· 직각삼각형, 직사각형, 정사각형

중학
2-2

사각형의 성질

중학
1-2

다각형

5 원의 넓이

Teaching Guide

아이들이 원의 넓이를 구하는 것을 어려워하는 이유 중 하나는 원주율을 3.14로 계산하면 식이 소수의 곱셈 문제가 되어 복잡해지기 때문입니다. 원주율은 3.1415926535897932……인 무리수입니다. 초등학교 교육과정에서는 무리수를 쓸 수 없어서 근삿값인 3.14를 써왔습니다. 중학교에서는 3.14 대신 '파이'라는 개념을 사용하므로 굳이 3.14로 구하지 않아도 됩니다. 그래서 교과서에서는 원주율의 근삿값으로 3, 3.1 등 문제에 따라 여러 가지를 함께 사용합니다. 중요한 것은 원의 넓이를 구하는 방법을 아는 것이기 때문입니다.

6. 다각형의 둘레와 넓이

· 평면도형의 둘레
· 1cm², 1m², 1km²
· 삼각형과 사각형의 넓이

5-1

6-2

5. 원의 넓이

· 원주와 지름의 관계
· 원주율
· 원주와 지름, 원의 넓이

원과 부채꼴

중학 1-2

원의 성질

중학 3-2

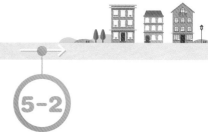

5-2

3. 합동과 대칭

· 합동
· 선대칭도형, 점대칭도형

중학 1-2

작도와 합동

중학 2-2

삼각형의 성질
도형의 닮음
피타고라스의 정리

중학 3-2

삼각비

공부한 날짜

1 일차 원주율, 원주, 지름 구하기
월   일

2 일차 여러 가지 원의 둘레 구하기
월   일

3 일차 원의 넓이 구하기
월   일

4 일차 여러 가지 원의 넓이 구하기
월   일

5 일차 응용 문제
월   일

6 일차 형성 평가
월   일

7 일차 단원 평가
월   일

01 원주율, 원주, 지름 구하기

정답 34쪽

● **원주**: 원의 둘레
● **원주율**: 원의 지름에 대한 원주의 비율(3.14159265358979932……)

필요에 따라 3, 3.1, 3.14 등으로 어림하여 사용

(원주) = (지름) × (원주율)
(넓이) = (가로) × (세로)

(지름) = (원주) ÷ (원주율)
(가로) = (넓이) ÷ (세로)

$$(원주율) = \frac{(원주)\,{}^{(넓이)}}{(지름)\,{}^{(가로)}}\quad{}^{(세로)}$$

---

1 원주율을 반올림하여 소수 둘째 자리까지 나타내고, 알 수 있는 사실에 ◯표 하시오.

원주: 12.564 cm

4 cm

(원주율) | (원주) 12.564 / (지름) 4

$(원주율) = \dfrac{12.564}{4} =$ ☐

반올림하여 나타내기 ☐

원주: 15.705 cm

5 cm

(원주율) | (원주) / (지름)

$(원주율) = \dfrac{}{} =$ ☐

반올림하여 나타내기 ☐

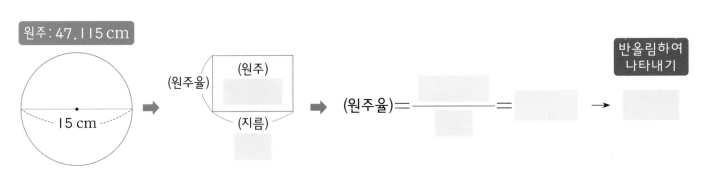

원주: 47.115 cm

15 cm

(원주율) | (원주) / (지름)

$(원주율) = \dfrac{}{} =$ ☐

반올림하여 나타내기 ☐

알 수 있는 사실

원의 크기와 상관없이 원주율의 값은 (일정합니다 , 일정하지 않습니다).

② 원주를 구하시오. (원주율: 3.14)

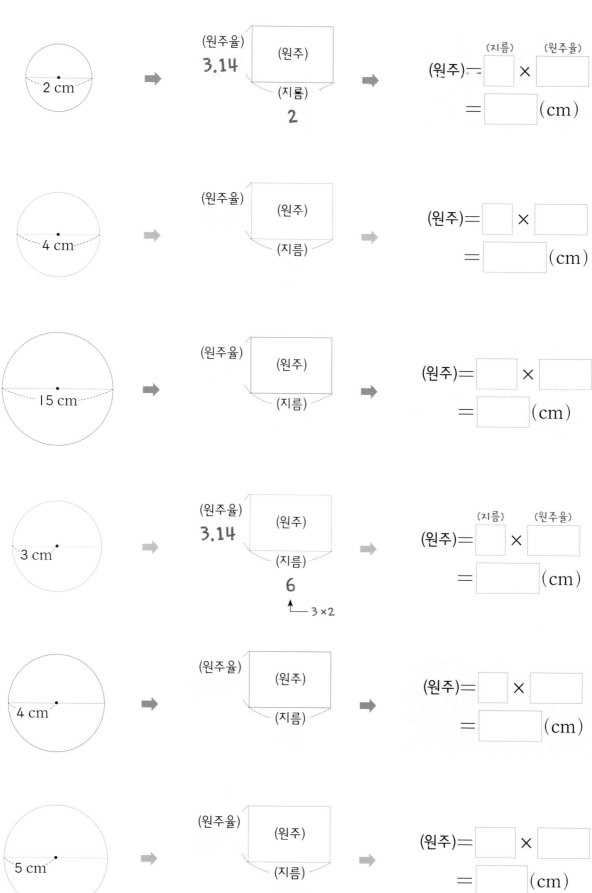

원 1 (2 cm)

(원주율) 3.14 □ (원주) / (지름) 2

(지름) (원주율)
(원주)=□×□
= □ (cm)

원 2 (4 cm)

(원주율) □ (원주) / (지름)

(원주)=□×□
= □ (cm)

원 3 (15 cm)

(원주율) □ (원주) / (지름)

(원주)=□×□
= □ (cm)

원 4 (3 cm)

(원주율) 3.14 □ (원주) / (지름) 6 ↑ 3×2

(지름) (원주율)
(원주)=□×□
= □ (cm)

원 5 (4 cm)

(원주율) □ (원주) / (지름)

(원주)=□×□
= □ (cm)

원 6 (5 cm)

(원주율) □ (원주) / (지름)

(원주)=□×□
= □ (cm)

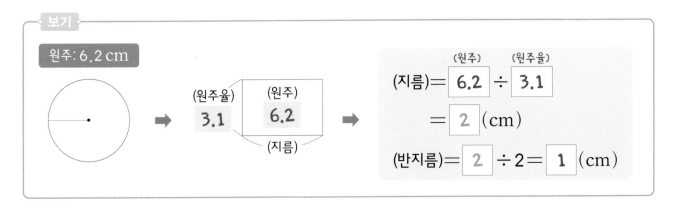

보기

원주: 6.2 cm

(지름) = 6.2 ÷ 3.1
     = 2 (cm)
(반지름) = 2 ÷ 2 = 1 (cm)

원주: 15.5 cm

(지름) = ☐ ÷ ☐
     = ☐ (cm)

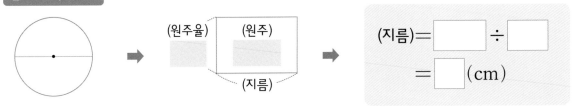

원주: 12.4 cm

(지름) = ☐ ÷ ☐
     = ☐ (cm)

원주: 24.8 cm

(지름) = ☐ ÷ ☐
     = ☐ (cm)
(반지름) = ☐ ÷ 2 = ☐ (cm)

원주: 18.6 cm

(지름) = ☐ ÷ ☐
     = ☐ (cm)
(반지름) = ☐ ÷ 2 = ☐ (cm)

4 안에 알맞은 수를 써넣으시오. (원주율: 3)

지름: ☐ cm

원주: ☐ cm

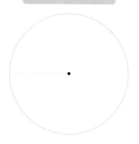

반지름: ☐ cm

원주: 18 cm

반지름: ☐ cm

지름: 7 cm

원주: ☐ cm

원주: 39 cm

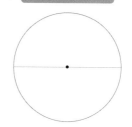

지름: ☐ cm

원주: 48 cm

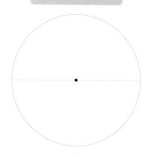

지름: ☐ cm

원주: 36 cm

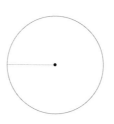

반지름: ☐ cm

반지름: 5 cm

원주: ☐ cm

02 여러 가지 원의 둘레 구하기

정답 35쪽

● 원주의 일부분인 빨간색 선의 길이 구하기 (원주율: 3)

원주	원주의 $\dfrac{1}{4}$	원주의 $\dfrac{1}{2}$	원주의 $\dfrac{3}{4}$

60 cm   15 cm   30 cm   45 cm

↑ 20 × 3   ↑ 60 × $\dfrac{1}{4}$ ↑ 60 × $\dfrac{1}{2}$ ↑ 60 × $\dfrac{3}{4}$

1 원주의 일부분인 빨간색 선의 길이를 구하시오. (원주율: 3)

     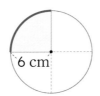   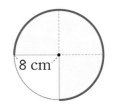

원주의 $\dfrac{1}{2}$ ➡ ☐ cm

↑ (원주) × $\dfrac{1}{2}$

원주의 ── ➡ ☐ cm

↑ (원주) × $\dfrac{1}{4}$

원주의 ── ➡ ☐ cm

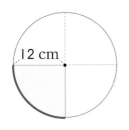   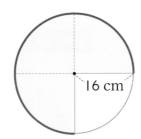   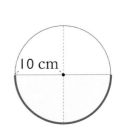

원주의 ── ➡ ☐ cm

원주의 ── ➡ ☐ cm

원주의 ── ➡ ☐ cm

보기

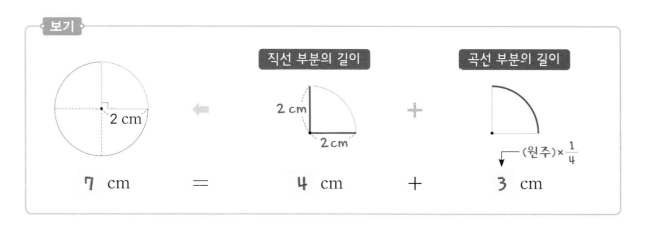

	직선 부분의 길이		곡선 부분의 길이

7 cm = 4 cm + 3 cm

	직선 부분의 길이		곡선 부분의 길이

cm = cm + cm

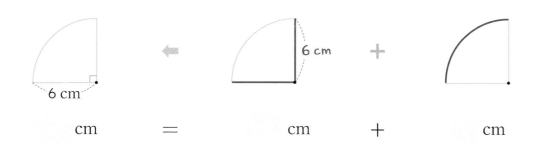

cm = cm + cm

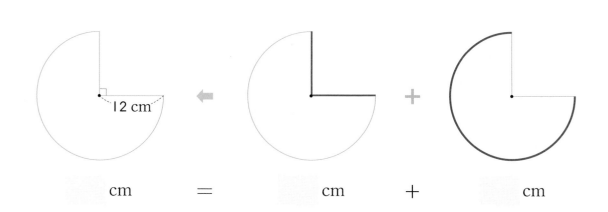

cm = cm + cm

직선 부분의 길이   곡선 부분의 길이

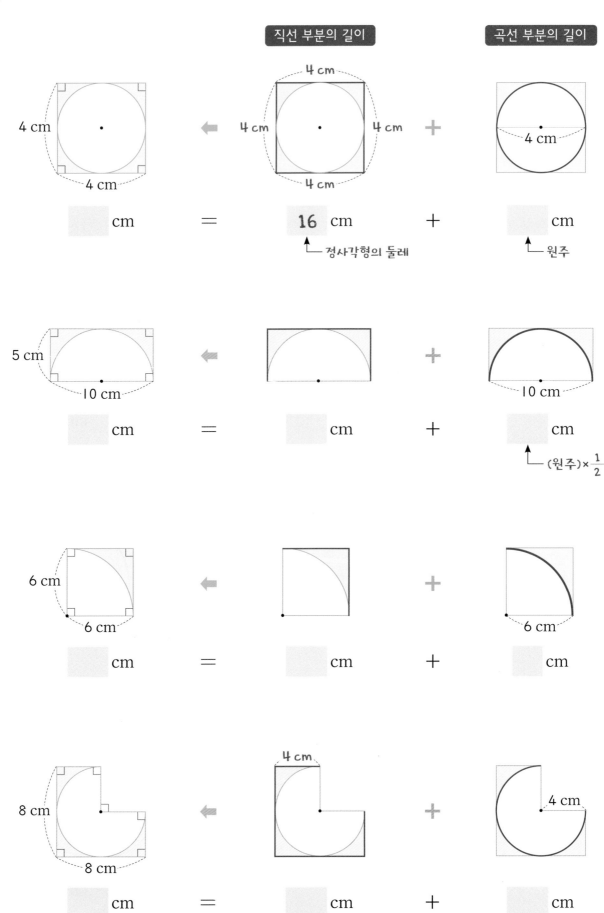

⌐ 정사각형의 둘레   ⌐ 원주

[ ] cm = **16** cm + [ ] cm

[ ] cm = [ ] cm + [ ] cm

⌐ (원주)×$\frac{1}{2}$

[ ] cm = [ ] cm + [ ] cm

[ ] cm = [ ] cm + [ ] cm

4

색칠한 부분의 둘레를 구하시오. (원주율: 3)

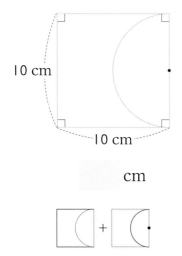

10 cm

10 cm

_____ cm

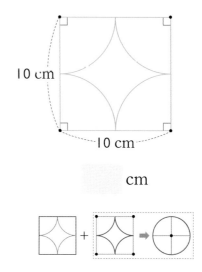

10 cm

10 cm

_____ cm

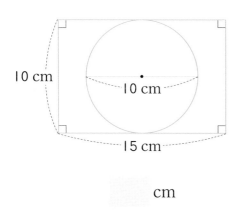

10 cm

10 cm

15 cm

_____ cm

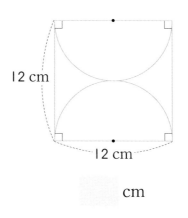

12 cm

12 cm

_____ cm

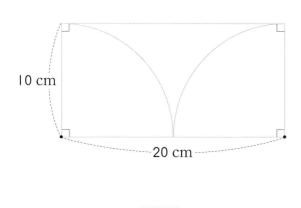

10 cm

20 cm

_____ cm

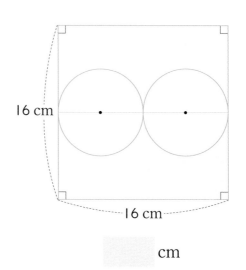

16 cm

16 cm

_____ cm

03 원의 넓이 구하기

정답 36쪽

● 원의 넓이 구하는 방법

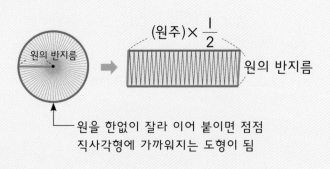

원을 한없이 잘라 이어 붙이면 점점 직사각형에 가까워지는 도형이 됨

(원의 넓이)

$= (원주) \times \dfrac{1}{2} \times (반지름)$

$= (원주율) \times (지름) \times \dfrac{1}{2} \times (반지름)$

$= (원주율) \times (반지름) \times (반지름)$

---

1 ☐ 안에 알맞게 써넣고, 원의 넓이를 구하시오. (원주율: 3)

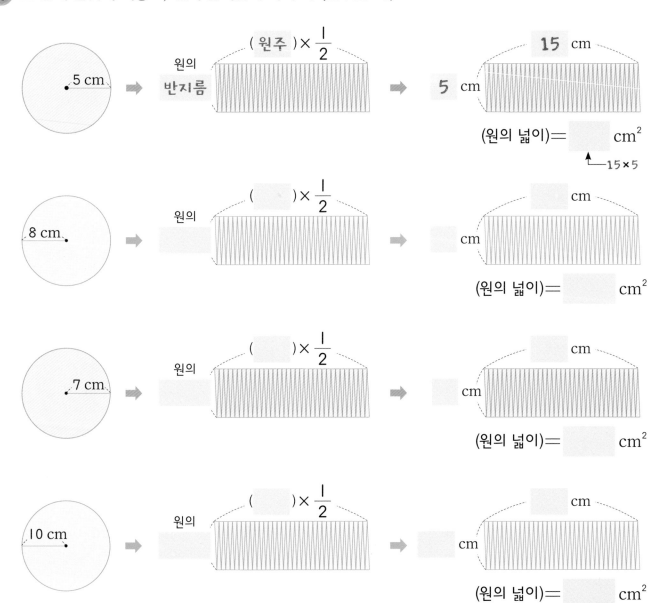

2 안에 알맞게 써넣고, 원의 넓이를 구하시오. (원주율: 3.14)

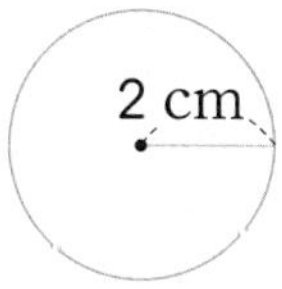

2 cm

공식 | (원의 넓이)=(원주율)×(반지름)×(반지름)

(원의 넓이)= 3.14 × 2 ×

= (cm²)

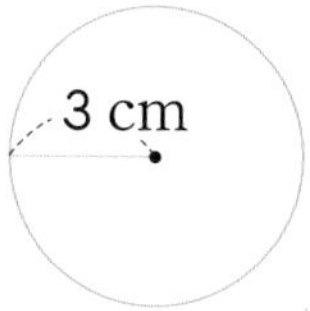

3 cm

공식 | (원의 넓이)=( )×( )×( )

(원의 넓이)= × ×

= (cm²)

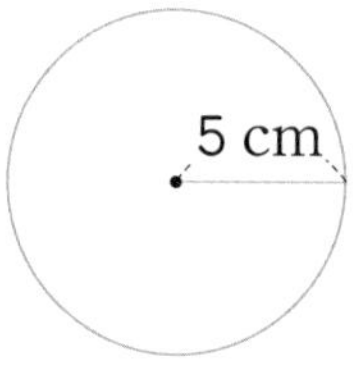

5 cm

공식 | (원의 넓이)=( )×( )×( )

(원의 넓이)= × ×

= (cm²)

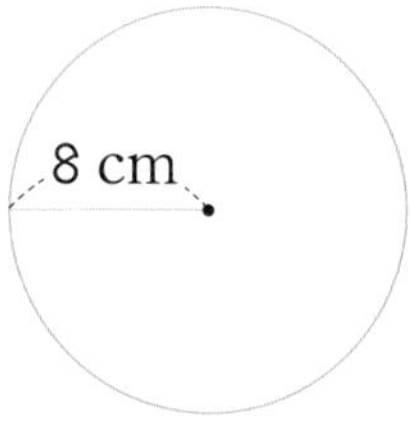

8 cm

공식 | (원의 넓이)=( )×( )×( )

(원의 넓이)= × ×

= (cm²)

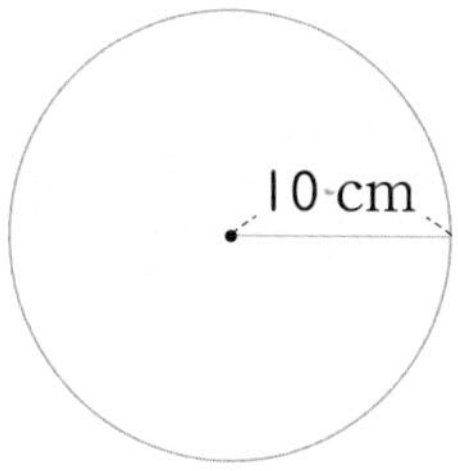

10 cm

공식 | (원의 넓이)=( )×( )×( )

(원의 넓이)= × ×

= (cm²)

보기

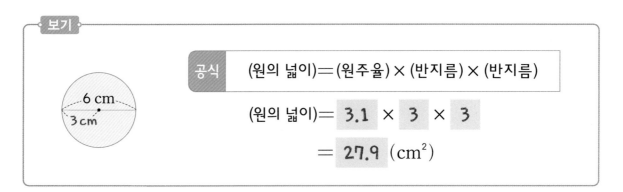

공식 (원의 넓이)＝(원주율)×(반지름)×(반지름)

(원의 넓이)＝ 3.1 × 3 × 3

= 27.9 (cm²)

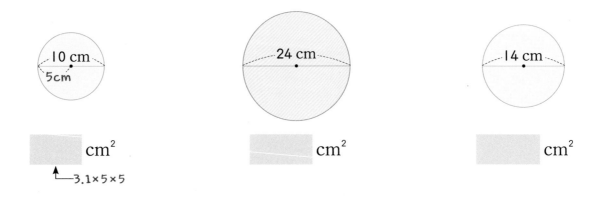

cm²

↑——3.1×5×5

cm²

cm²

cm²

cm²

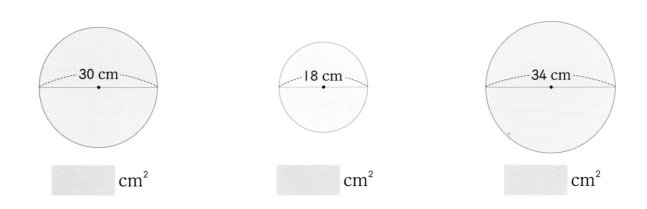

cm²

cm²

cm²

4 원의 넓이를 구하시오. (원주율: 3)

| | 지름 구하기 | 원의 넓이 구하기 |

원주: 12 cm

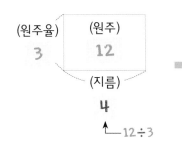
(원주율) 3 (원주) 12 (지름) 4 ←12÷3

(원주율) (반지름) (반지름)
(원의 넓이) = 3 × 2 × 2
= ☐ (cm²)

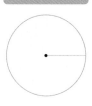
원주: 18 cm

(원주율) 3 (원주) 18 (지름)

(원주율) (반지름) (반지름)
(원의 넓이) = ☐ × ☐ × ☐
= ☐ (cm²)

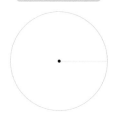
원주: 36 cm

(원주율) (원주) (지름)

(원의 넓이) = ☐ × ☐ × ☐
= ☐ (cm²)

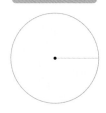
원주: 30 cm

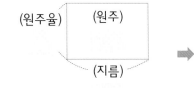
(원주율) (원주) (지름)

(원의 넓이) = ☐ × ☐ × ☐
= ☐ (cm²)

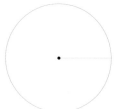
원주: 42 cm

(원주율) (원주) (지름)

(원의 넓이) = ☐ × ☐ × ☐
= ☐ (cm²)

04 여러 가지 원의 넓이 구하기

정답 37쪽

● 원의 일부분인 넓이 구하기 (원주율: 3)

원의 넓이	원의 넓이의 $\frac{1}{4}$	원의 넓이의 $\frac{1}{2}$	원의 넓이의 $\frac{3}{4}$

48 cm²	12 cm²	24 cm²	36 cm²
$3 \times 4 \times 4$	$48 \times \frac{1}{4}$	$48 \times \frac{1}{2}$	$48 \times \frac{3}{4}$

1 원의 일부분의 넓이를 구하시오. (원주율: 3)

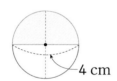

원의 넓이의 $\frac{1}{2}$

➡ ☐ cm²
└─ (원의 넓이)$\times \frac{1}{2}$

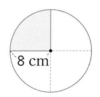

원의 넓이의 $\dfrac{\ }{\ }$

➡ ☐ cm²
└─ (원의 넓이)$\times \frac{1}{4}$

원의 넓이의 $\dfrac{\ }{\ }$

➡ ☐ cm²

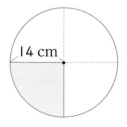

원의 넓이의 $\dfrac{\ }{\ }$

➡ ☐ cm²

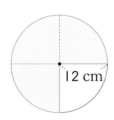

원의 넓이의 $\dfrac{\ }{\ }$

➡ ☐ cm²

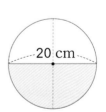

원의 넓이의 $\dfrac{\ }{\ }$

➡ ☐ cm²

② 색칠한 부분의 넓이를 구하시오. (원주율: 3)

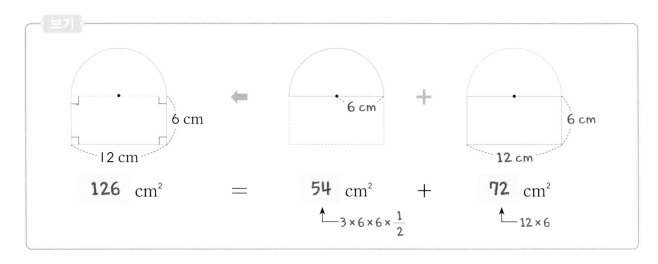

보기

126 cm² $=$ 54 cm² $+$ 72 cm²

$3 \times 6 \times 6 \times \frac{1}{2}$ 12×6

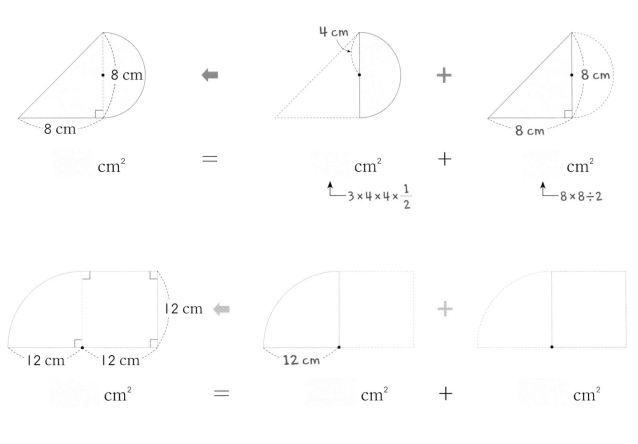

cm² $=$ cm² $+$ cm²

$3 \times 4 \times 4 \times \frac{1}{2}$ $8 \times 8 \div 2$

cm² $=$ cm² $+$ cm²

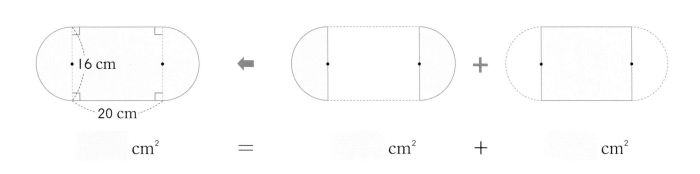

cm² $=$ cm² $+$ cm²

보기

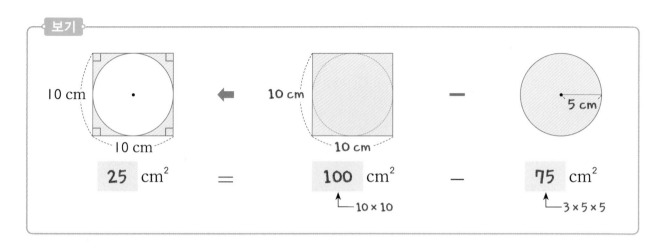

$$\boxed{25} \ cm^2 \ = \ \boxed{100} \ cm^2 \ - \ \boxed{75} \ cm^2$$

10 × 10   3 × 5 × 5

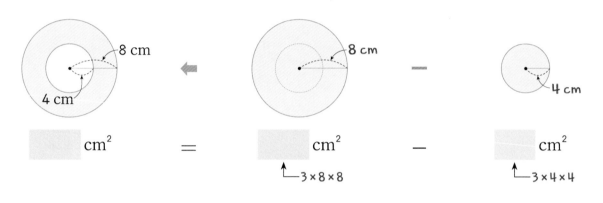

$$\boxed{} \ cm^2 \ = \ \boxed{} \ cm^2 \ - \ \boxed{} \ cm^2$$

3 × 8 × 8   3 × 4 × 4

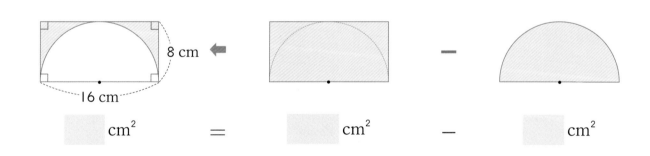

$$\boxed{} \ cm^2 \ = \ \boxed{} \ cm^2 \ - \ \boxed{} \ cm^2$$

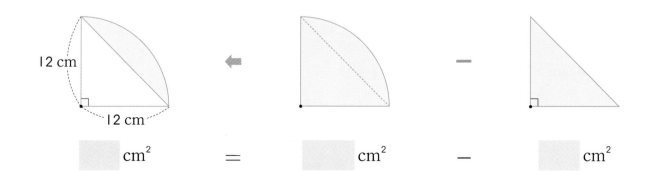

$$\boxed{} \ cm^2 \ = \ \boxed{} \ cm^2 \ - \ \boxed{} \ cm^2$$

4 색칠한 부분의 넓이를 구하시오.(원주율: 3)

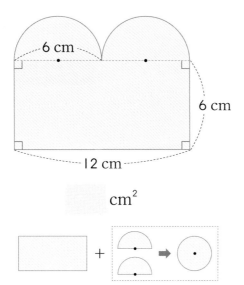

cm²

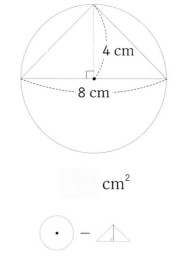

cm²

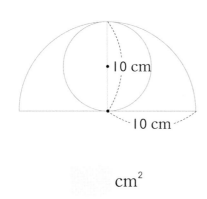

cm²

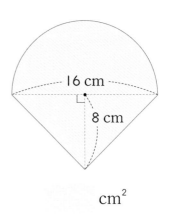

cm²

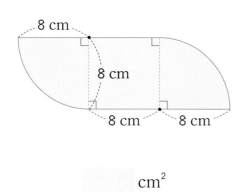

cm²

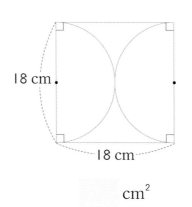

cm²

도전! 응용문제

정답 38쪽

💡 빨간색 선의 길이 구하기 (원주율: 3)

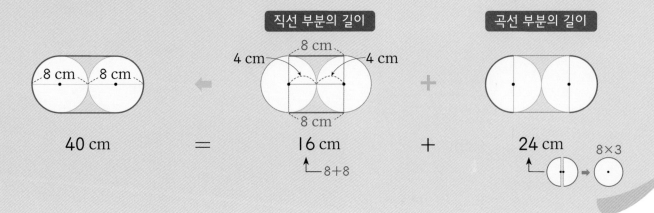

응용 ① 지름이 8 cm인 원을 그림과 같이 놓았습니다. 빨간색 선의 길이를 구하시오. (원주율: 3)

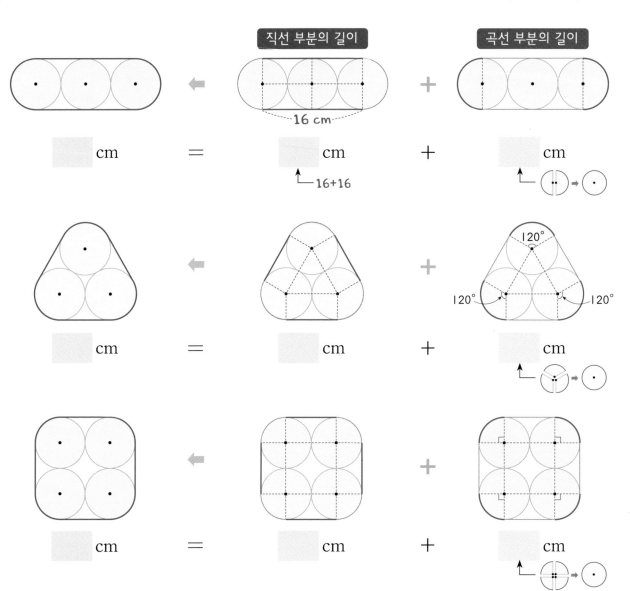

응용 ② 지름이 10 cm인 원을 그림과 같이 놓았습니다. 빨간색 선의 길이를 구하시오. (원주율: 3)

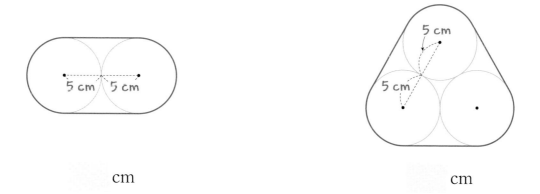

cm

cm

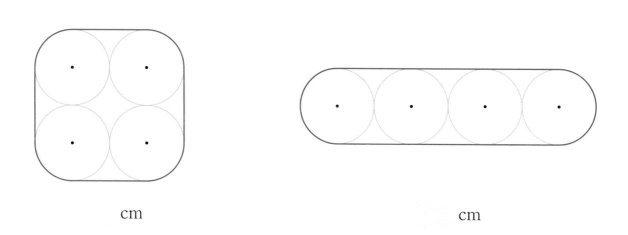

cm

cm

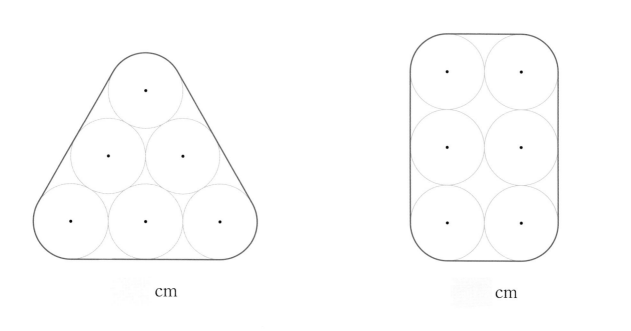

cm

cm

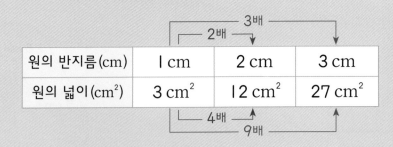

원의 반지름과 원의 넓이의 관계 (원주율: 3)

원의 반지름(cm)	1 cm	2 cm	3 cm
원의 넓이(cm²)	3 cm²	12 cm²	27 cm²

응용 ③ 원의 반지름과 원의 넓이의 관계를 알아보시오. (원주율: 3)

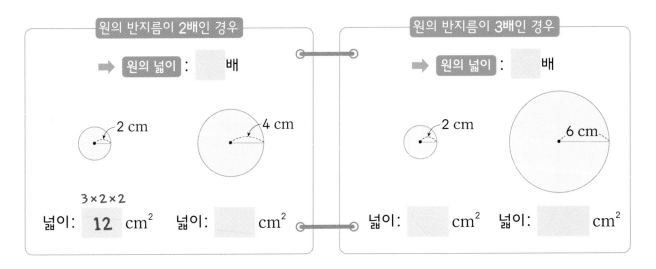

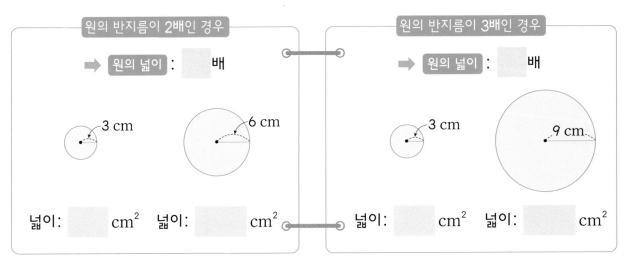

알 수 있는 사실

원의 반지름이 2배가 되면 원의 넓이는 ☐ 배가 되고,

원의 반지름이 3배가 되면 원의 넓이는 ☐ 배가 됩니다.

응용 ④ 안에 알맞은 넓이를 써넣으시오. (원주율: 3)

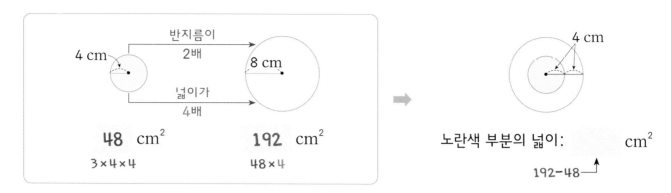

노란색 부분의 넓이: cm²

192-48

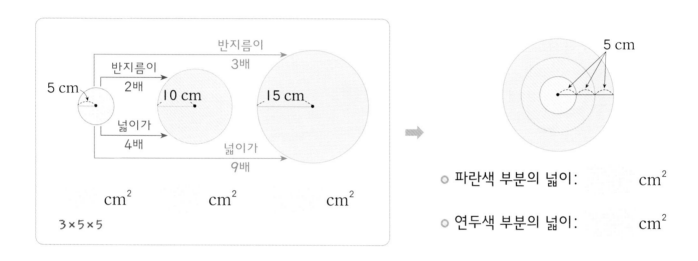

○ 파란색 부분의 넓이: cm²

○ 연두색 부분의 넓이: cm²

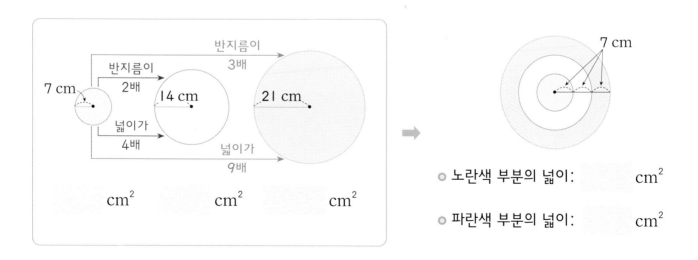

○ 노란색 부분의 넓이: cm²

○ 파란색 부분의 넓이: cm²

형성평가

걸린 시간: 분
정답 39쪽   점 수: 점

01 원주율을 반올림하여 소수 둘째 자리까지 나타내시오.

원주: 25.13 cm

8 cm

원주율:

02 원주를 구하시오. (원주율: 3.1)

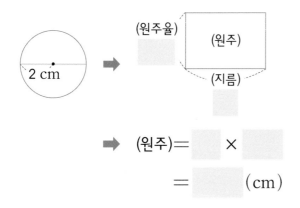

2 cm

(원주율)   (원주)

(지름)

➡ (원주)=   ×

=   (cm)

03 지름을 구하시오. (원주율: 3.14)

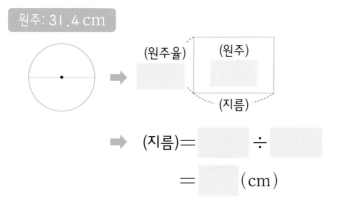

원주: 31.4 cm

(원주율) (원주)

(지름)

➡ (지름)=   ÷

=   (cm)

04 원주를 구하시오. (원주율: 3)

(1)  지름: 9 cm

원주: cm

(2) 반지름: 4 cm

원주: cm

05 지름 또는 반지름을 구하시오.
(원주율: 3.1)

(1)  원주: 21.7 cm

지름: cm

(2) 원주: 37.2 cm

반지름: cm

06 원주의 일부분인 빨간색 선의 길이를 구하시오. (원주율: 3)

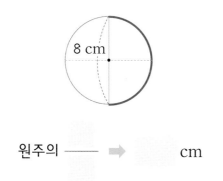

원주의 ―― ➡   cm

[07~08] 색칠한 부분의 둘레를 구하시오.

(원주율: 3.1)

07

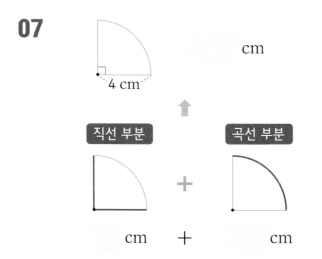

cm

직선 부분   곡선 부분

cm   +   cm

08

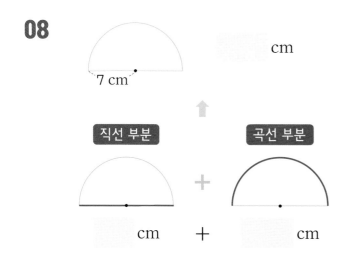

cm

직선 부분   곡선 부분

cm   +   cm

09 색칠한 부분의 둘레를 구하시오.

(원주율: 3)

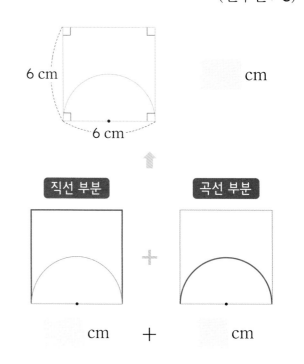

cm

직선 부분   곡선 부분

cm   +   cm

10 색칠한 부분의 둘레를 구하시오.

(원주율: 3)

(1)

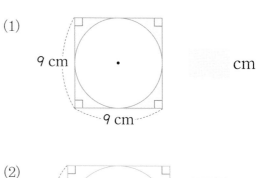

cm

(2)

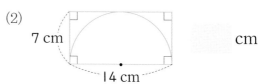

cm

11 　안에 알맞게 써넣고, 원의 넓이를 구하시오. (원주율: 3)

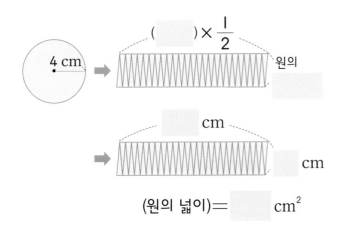

$($　　$) \times \dfrac{1}{2}$

원의

　　 cm

　　 cm

(원의 넓이)＝ 　　 cm²

12 　안에 알맞게 써넣고, 원의 넓이를 구하시오. (원주율: 3.14)

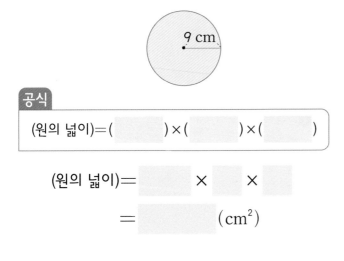

공식

(원의 넓이)＝(　　)×(　　)×(　　)

(원의 넓이)＝ 　　 × 　　 × 　　

＝ 　　 （cm²）

13 원의 넓이를 구하시오. (원주율: 3.1)

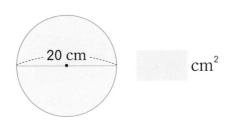

　　 cm²

[14~15] 원의 넓이를 구하시오. (원주율: 3)

14

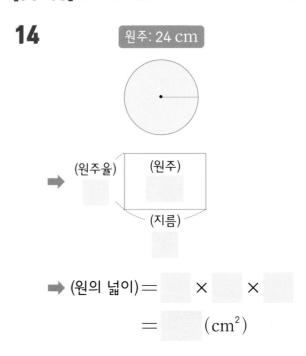

원주: 24 cm

(원주율)　(원주)

(지름)

➡ (원의 넓이)＝ 　　 × 　　 × 　　

＝ 　　 （cm²）

15

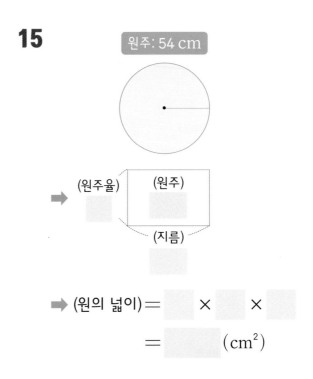

원주: 54 cm

(원주율)　(원주)

(지름)

➡ (원의 넓이)＝ 　　 × 　　 × 　　

＝ 　　 （cm²）

16 원의 일부분의 넓이를 구하시오.

(원주율: 3)

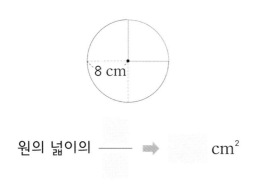

원의 넓이의 ────   ➡   　 cm²

[17~18] 색칠한 부분의 넓이를 구하시오.

(원주율: 3)

17

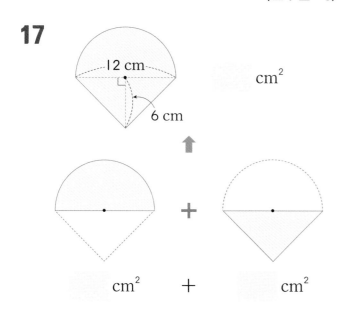

　 cm²   ＋   　 cm²

18

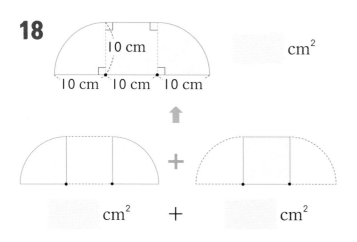

　 cm²   ＋   　 cm²

19 색칠한 부분의 넓이를 구하시오. (원주율: 3)

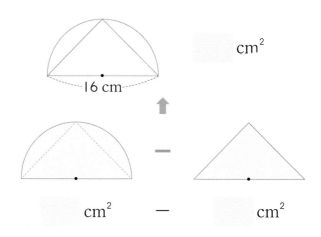

　 cm²

　 cm²   －   　 cm²

20 색칠한 부분의 넓이를 구하시오. (원주율: 3)

(1)

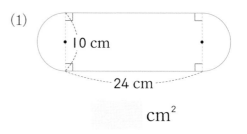

　 cm²

(2)

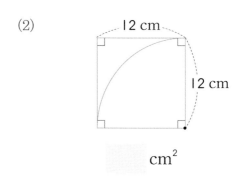

　 cm²

정답 40쪽

1 다음 설명 중 옳지 <u>않은</u> 것은 어느 것입니까? (   )

① 원의 둘레를 원주라고 합니다.
② (원주율)＝(원주)÷(지름)
③ (원주)＝(지름)×(원주율)
④ 반지름이 길어지면 원주율도 커집니다.
⑤ 원주와 지름의 비율을 원주율이라고 합니다.

2 원주가 가장 긴 것을 찾아 기호를 쓰시오.

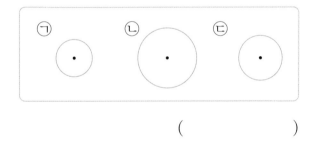

(   )

3 두 원의 원주율을 비교하여 ⬤ 안에 ＞, ＝, ＜를 알맞게 써넣으시오.

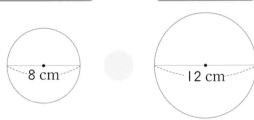

원주: 25.12 cm   원주: 37.68 cm

4 지름이 100 cm인 원 모양의 식탁이 있습니다. 이 식탁의 둘레를 재어 보니 314 cm 였습니다. 물음에 답하시오.

(1) 식탁의 둘레는 반지름의 몇 배입니까?

(   )배

(2) 식탁의 둘레는 지름의 몇 배입니까?

(   )배

5 원주를 구하시오. (원주율: 3.1)

(1)

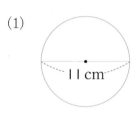

11 cm

(   )cm

(2)

7 cm

(   )cm

6 두 원 ㉮, ㉯가 있습니다. 원 ㉮의 원주는 원 ㉯의 원주의 몇 배입니까?

(원주율: 3.14)

㉮ 지름이 18 cm인 원

㉯ 반지름이 3 cm인 원

(   )배

7 　안에 알맞은 수를 써넣으시오.

(원주율: 3.1)

(1) 원주: 27.9 cm

지름: cm

(2) 원주: 49.6 cm

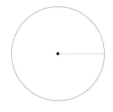

반지름: cm

8 길이가 4 m인 밧줄을 이용하여 운동장에 가장 큰 원을 그렸습니다. 그려진 원의 원주는 몇 m입니까? (원주율: 3)

(   )m

9 원 안에 있는 마름모의 넓이와 원 밖에 있는 정사각형의 넓이를 구하여 원의 넓이를 어림하려고 합니다. 　안에 알맞은 수를 써넣으시오.

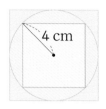

원 안에 있는 마름모의 넓이: cm^2

원 밖에 있는 정사각형의 넓이: cm^2

➡   cm^2 < (원의 넓이)

(원의 넓이) <   cm^2

10 반지름이 5 cm인 원을 잘게 잘라서 다음과 같이 이어 붙였습니다. 　안에 알맞은 수를 써넣고 원의 넓이를 구하시오.

(원주율: 3.14)

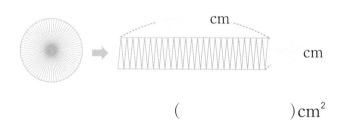

(   )cm^2

11 원의 넓이를 구하시오. (원주율: 3.1)

(1)
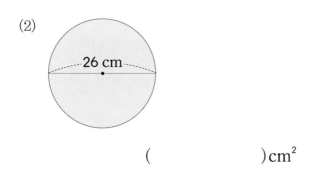
7 cm

(　　　　　) cm²

(2)
26 cm

(　　　　　) cm²

12 원의 넓이를 구하시오. (원주율: 3)

(1) 원주: 6 cm
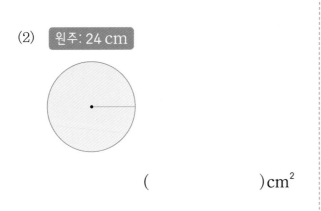

(　　　　　) cm²

(2) 원주: 24 cm

(　　　　　) cm²

13 반원의 넓이를 구하시오. (원주율: 3)

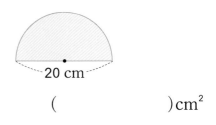
20 cm

(　　　　　) cm²

14 길이가 다음과 같은 철사 ㉠, ㉡이 있습니다. 철사 ㉠, ㉡의 길이를 각각 반지름으로 하는 원을 만들었습니다. 두 원의 넓이의 차는 몇 cm²입니까? (원주율: 3)

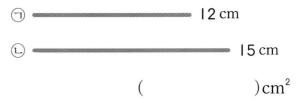
㉠　　　　　　　　12 cm
㉡　　　　　　　　　15 cm

(　　　　　) cm²

15 지름이 20 cm인 원 ㉮와 한 변의 길이가 20 cm인 정사각형 ㉯가 있습니다. 어느 도형의 넓이가 몇 cm² 더 넓습니까?

(원주율: 3.14)

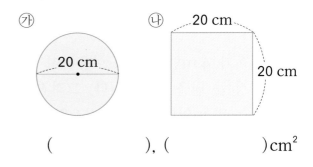
㉮　　　　㉯　 20 cm
20 cm　　　　　　20 cm

(　　　　), (　　　　) cm²

16 색칠한 부분의 둘레를 구하시오.

(원주율: 3)

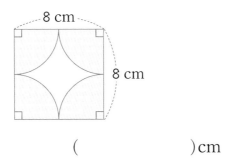

8 cm

8 cm

(   )cm

17 색칠한 부분의 넓이를 구하시오.

(원주율: 3)

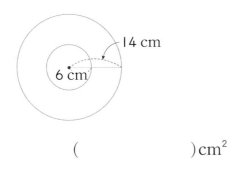

14 cm

6 cm

(   )cm²

18 지름이 12 cm인 원 안에 두 대각선이 모두 12 cm인 마름모를 그렸습니다. 색칠한 부분의 넓이는 몇 cm²입니까?

(원주율: 3)

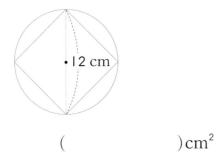

•12 cm

(   )cm²

19 진서가 지름이 80 cm인 훌라후프를 4바퀴 굴렸습니다. 훌라후프가 굴러간 거리는 몇 cm인지 풀이 과정을 쓰고 답을 구하시오. (원수율: 3.1)

풀이

답

20 길이가 84 cm인 끈을 남김없이 사용하여 한 개의 원을 만들었습니다. 만든 원의 넓이는 몇 cm²인지 풀이 과정을 쓰고 답을 구하시오. (원주율: 3)

풀이

답

memo

FACTO school

단원별 계산력 수학

6-2

초등 수학
팩토

6 단원

원기둥, 원뿔, 구

매스티안

6 원기둥, 원뿔, 구

Teaching Guide

이 단원에서 학습하는 원기둥, 원뿔, 구에 대한 개념은 이후 중학교에서 배우는 입체도형의 성질에서 회전체와 입체도형의 겉넓이, 부피 학습과 직접적으로 연계됩니다. 따라서 학생들이 원기둥, 원뿔, 구의 개념 및 성질과 원기둥의 전개도에 대한 정확한 이해를 바탕으로 원기둥, 원뿔, 구의 공통점과 차이점을 파악하고 표현할 수 있도록 지도합니다. 이 단원에서 원기둥의 전개도는 간단한 형태만 다루고 원뿔의 전개도는 다루지 않습니다. 원기둥의 겉넓이는 밑면의 반지름과 높이만 알 수 있으면 구할 수 있습니다. 원기둥의 겉넓이에서 밑면의 넓이보다는 옆면의 넓이를 구할 때 아이들이 힘들어 합니다. 이때, 옆면의 가로의 길이가 밑면의 둘레(원주)라는 것을 이해할 수 있도록 지도합니다.

6. 원기둥, 원뿔, 구

· 원기둥, 원뿔, 구
· 원기둥의 전개도

6-2

입체도형의 겉넓이와 부피

중학
1-2

중학
1-2

다면체와 회전체

6-2

3. 공간과 입체
· 쌓은 모양과 쌓기나무의 개수
· 쌓기나무로 여러 가지
　모양 만들기

공부한 날짜

①일차 원기둥　　월　　일

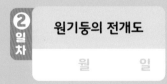
②일차 원기둥의 전개도　　월　　일

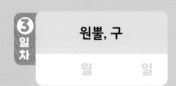
③일차 원뿔, 구　　월　　일

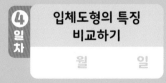
④일차 입체도형의 특징 비교하기　　월　　일

⑤일차 응용 문제　　월　　일

⑥일차 형성 평가　　월　　일

⑦일차 단원 평가　　월　　일

01 원기둥

● **원기둥**: 두 밑면은 원이고, 서로 평행하고 합동인 입체도형

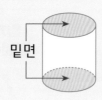

밑면

밑면

1 그림에 대한 설명이 맞으면 ○표, 틀리면 ✕표 하고, 알맞은 말에 ⬭표 하시오.

● 두 밑면이 원입니다. (○)

● 두 밑면이 서로 평행하고 합동입니다. ( )

원기둥이 (맞습니다 , 아닙니다).

● 두 밑면이 원입니다. ( )

● 두 밑면이 서로 평행하고 합동입니다. ( )

원기둥이 (맞습니다 , 아닙니다).

● 두 밑면이 원입니다. ( )

● 두 밑면이 서로 평행하고 합동입니다. ( )

원기둥이 (맞습니다 , 아닙니다).

● 두 밑면이 원입니다. ( )

● 두 밑면이 서로 평행하고 합동입니다. ( )

원기둥이 (맞습니다 , 아닙니다).

2 원기둥인 것에 ◯표, 원기둥이 아닌 것에 ✕표 하시오.

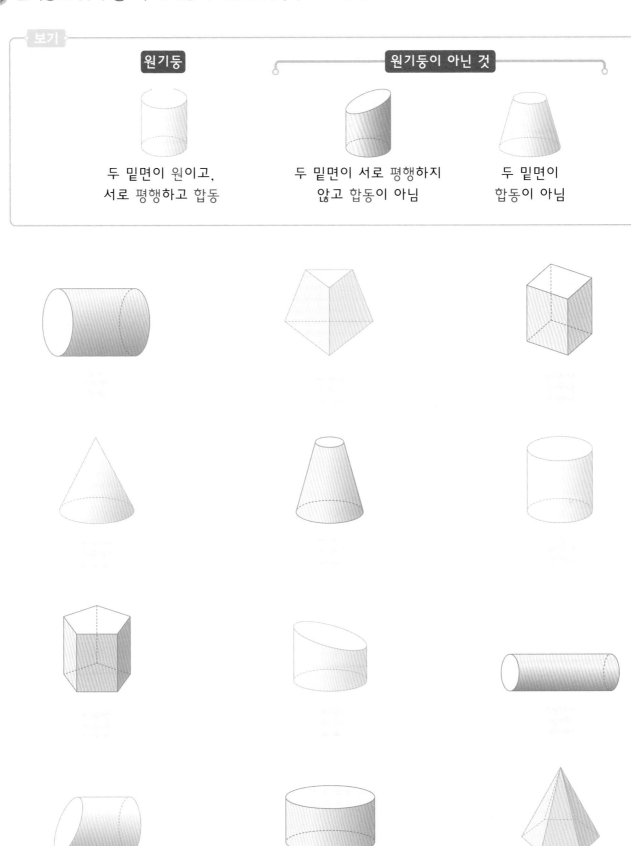

보기

원기둥

두 밑면이 원이고,
서로 평행하고 합동

원기둥이 아닌 것

두 밑면이 서로 평행하지
않고 합동이 아님

두 밑면이
합동이 아님

● 원기둥의 옆면과 높이

옆면: 두 밑면과 만나는 면

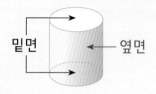

밑면 ← 옆면

높이: 두 밑면에 수직인 선분의 길이

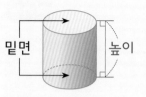

밑면 높이

3 원기둥에서 밑면의 지름과 높이를 구하시오.

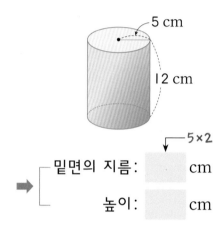

5 cm
12 cm

5×2

➡️ 밑면의 지름: ☐ cm

높이: ☐ cm

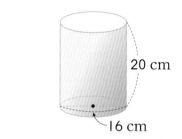

20 cm
16 cm

➡️ 밑면의 지름: ☐ cm

높이: ☐ cm

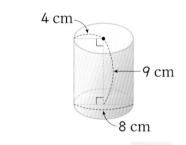

4 cm
9 cm
8 cm

➡️ 밑면의 지름: ☐ cm

높이: ☐ cm

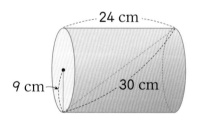

24 cm
9 cm
30 cm

➡️ 밑면의 지름: ☐ cm

높이: ☐ cm

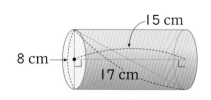

15 cm
8 cm
17 cm

➡️ 밑면의 지름: ☐ cm

높이: ☐ cm

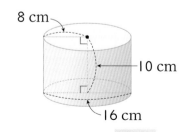

8 cm
10 cm
16 cm

➡️ 밑면의 지름: ☐ cm

높이: ☐ cm

4 직사각형의 한 변을 기준으로 돌려 만든 원기둥의 밑면의 지름과 높이를 구하시오.

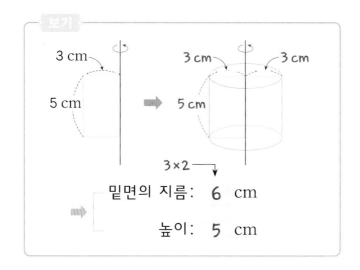

밑면의 지름: **6** cm

높이: **5** cm

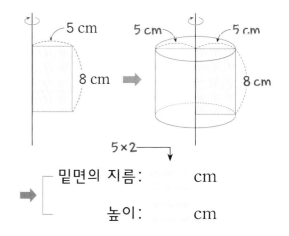

밑면의 지름: cm

높이: cm

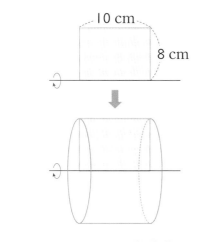

밑면의 지름: cm

높이: cm

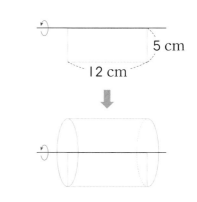

밑면의 지름: cm

높이: cm

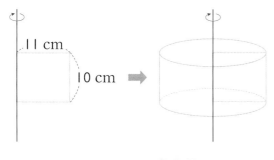

밑면의 지름: cm

높이: cm

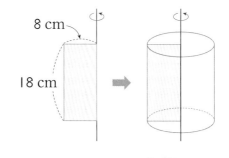

밑면의 지름: cm

높이: cm

02 원기둥의 전개도

정답 42쪽

● **원기둥의 전개도**: 원기둥을 잘라서 펼쳐 놓은 그림

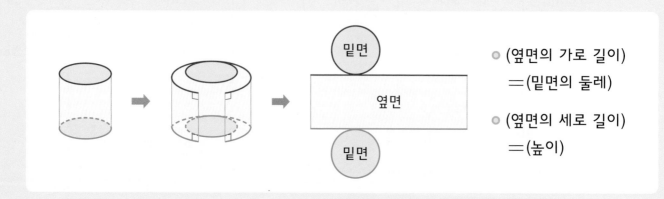

- (옆면의 가로 길이)
  =(밑면의 둘레)
- (옆면의 세로 길이)
  =(높이)

1 원기둥을 만들 수 있는 전개도를 찾아 ◯표 하고, 그 전개도에 조건에 맞게 표시하시오.

조건
원기둥의 **밑면**을 모두 색칠하기

조건
원기둥의 **옆면**을 색칠하기

조건
옆면에서 원기둥의 **밑면의 둘레**와 길이가 같은 선분 표시하기

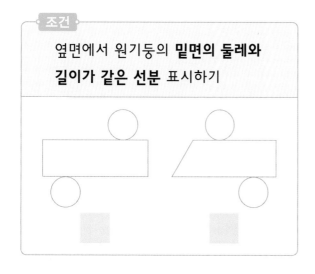

조건
옆면에서 원기둥의 **높이**와 길이가 같은 선분 표시하기

2 원기둥과 원기둥의 전개도를 보고, ☐ 안에 알맞은 수를 써넣으시오. (원주율: 3.1)

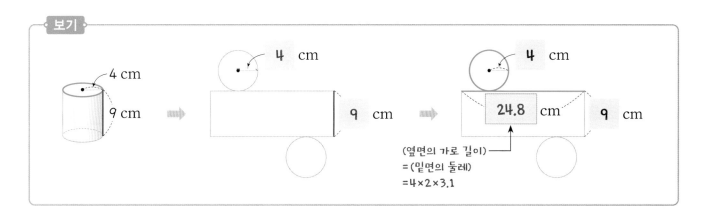

4 cm

4 cm

9 cm

9 cm

24.8 cm

9 cm

(옆면의 가로 길이)
=(밑면의 둘레)
=4×2×3.1

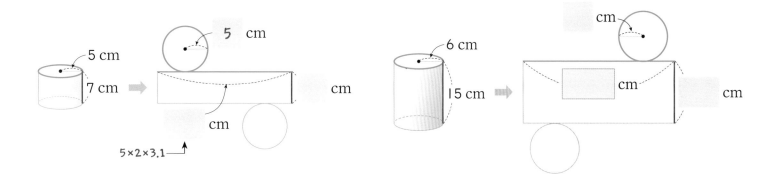

5 cm

5 cm

7 cm

cm

cm

5×2×3.1

6 cm

cm

15 cm

cm

cm

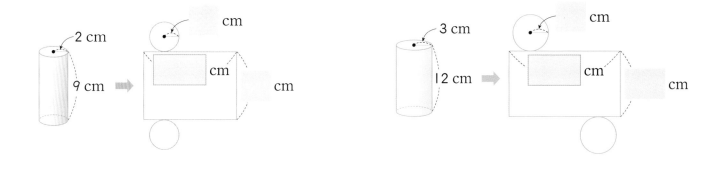

2 cm

cm

9 cm

cm

cm

3 cm

cm

12 cm

cm

cm

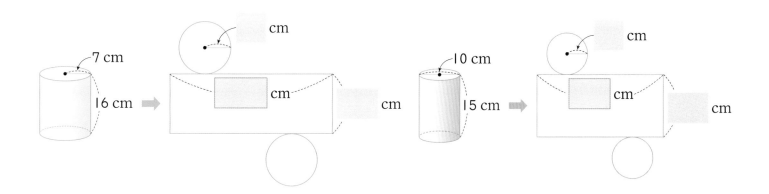

7 cm

cm

16 cm

cm

cm

10 cm

cm

15 cm

cm

cm

보기

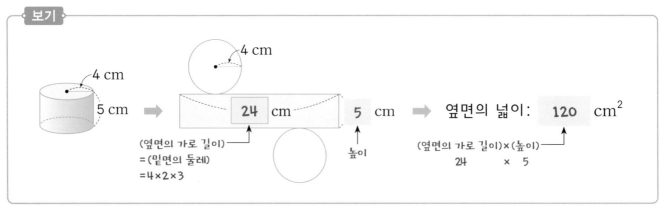

옆면의 넓이: 120 cm²

(옆면의 가로 길이)×(높이)
24   × 5

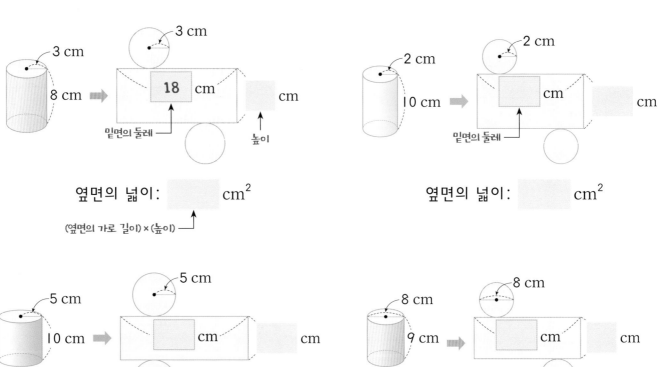

옆면의 넓이:　　　 cm²

(옆면의 가로 길이)×(높이)

옆면의 넓이:　　　 cm²

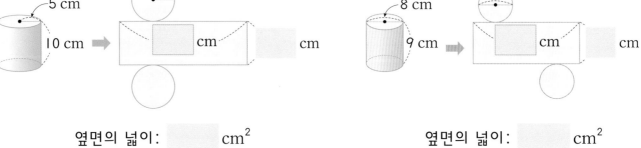

옆면의 넓이:　　　 cm²

옆면의 넓이:　　　 cm²

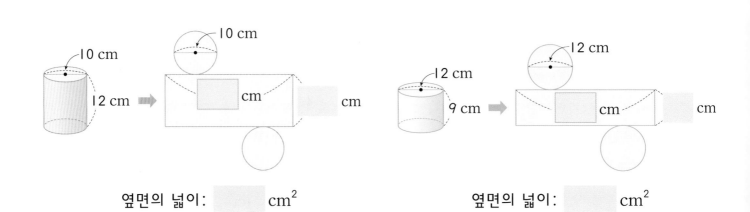

옆면의 넓이:　　　 cm²

옆면의 넓이:　　　 cm²

④ 원기둥의 겉넓이를 구하시오. (원주율: 3)

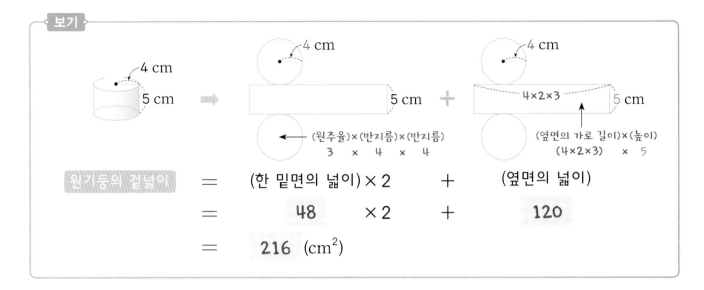

원기둥의 겉넓이
= (한 밑면의 넓이) × 2 + (옆면의 넓이)
= 48 × 2 + 120
= 216 (cm²)

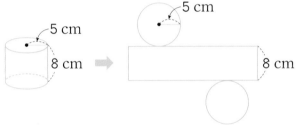

원기둥의 겉넓이
= (한 밑면의 넓이) × 2 + (옆면의 넓이)
= ☐ × 2 + ☐
= ☐ (cm²)

3×5×5   (5×2×3)×8

원기둥의 겉넓이
= (한 밑면의 넓이) × 2 + (옆면의 넓이)
= ☐ × 2 + ☐
= ☐ (cm²)

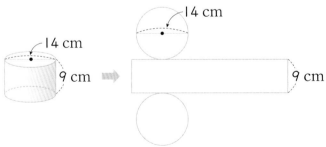

원기둥의 겉넓이
= (한 밑면의 넓이) × 2 + (옆면의 넓이)
= ☐ × 2 + ☐
= ☐ (cm²)

원기둥의 겉넓이
= (한 밑면의 넓이) × 2 + (옆면의 넓이)
= ☐ × 2 + ☐
= ☐ (cm²)

● **원뿔**: 밑면은 원이고, 뿔 모양의 입체도형

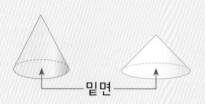

밑면

● **구**: 공 모양의 입체도형

1 그림에 대한 설명이 맞으면 ○표, 틀리면 ✕표 하고, 알맞은 말에 ◯표 하시오.

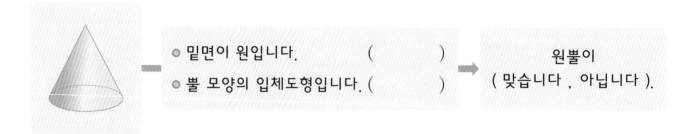

● 밑면이 원입니다.   (   )
● 뿔 모양의 입체도형입니다. (   )

➡ 원뿔이
(맞습니다 , 아닙니다).

● 밑면이 원입니다.   (   )
● 뿔 모양의 입체도형입니다. (   )

➡ 원뿔이
(맞습니다 , 아닙니다).

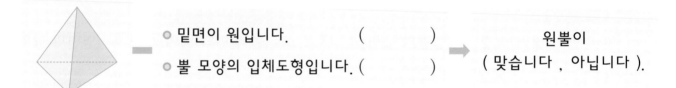

공 모양의 입체도형입니다.   (   )

➡ 구가
(맞습니다 , 아닙니다).

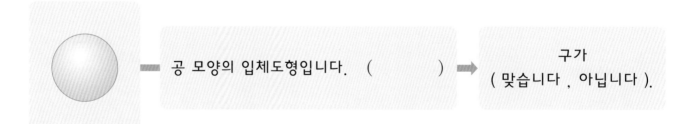

공 모양의 입체도형입니다.   (   )

➡ 구가
(맞습니다 , 아닙니다).

2 원뿔인 것에 △표, 구인 것에 ○표, 원뿔과 구가 아닌 것에 ✕표 하시오.

보기

원뿔	원뿔이 아닌 것	구	구가 아닌 것

밑면이 원이고, 뿔 모양   밑면이 원이 아님   공 모양   공 모양이 아님

● 원뿔의 구성 요소

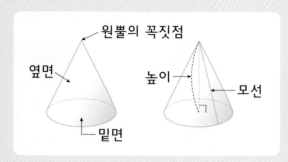

● 구의 구성 요소

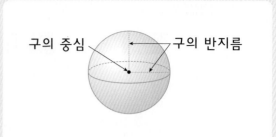

3 그림을 보고 ▨ 안에 알맞은 수를 써넣으시오.

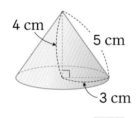

➡ ⎡ 밑면의 반지름: ▨ cm

⎣ 높이: ▨ cm

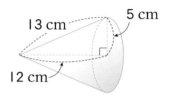

➡ ⎡ 밑면의 반지름: ▨ cm

⎣ 모선의 길이: ▨ cm

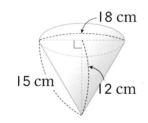

➡ ⎡ 밑면의 반지름: ▨ cm

⎣ 모선의 길이: ▨ cm

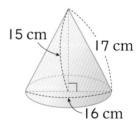

➡ ⎡ 높이: ▨ cm

⎣ 모선의 길이: ▨ cm

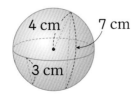

➡ 구의 반지름: ▨ cm

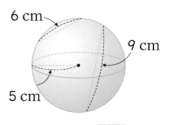

➡ 구의 반지름: ▨ cm

4 그림과 같은 도형을 한 바퀴 돌려 입체도형을 만들었습니다. ☐ 안에 알맞은 수를 써넣으시오.

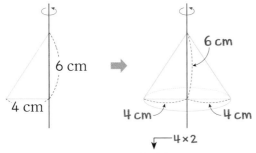

➡ 밑면의 지름: ☐ cm

높이: ☐ cm

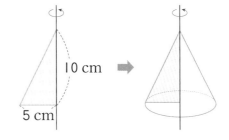

➡ 밑면의 지름: ☐ cm

높이: ☐ cm

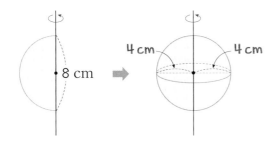

➡ 구의 반지름: ☐ cm

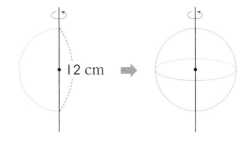

➡ 구의 반지름: ☐ cm

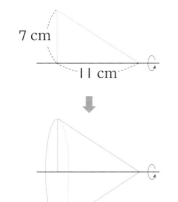

➡ 밑면의 지름: ☐ cm

높이: ☐ cm

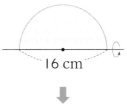
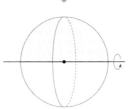

➡ 구의 반지름: ☐ cm

04 입체도형의 특징 비교하기

정답 44쪽

● 입체도형을 위, 앞, 옆에서 본 모양

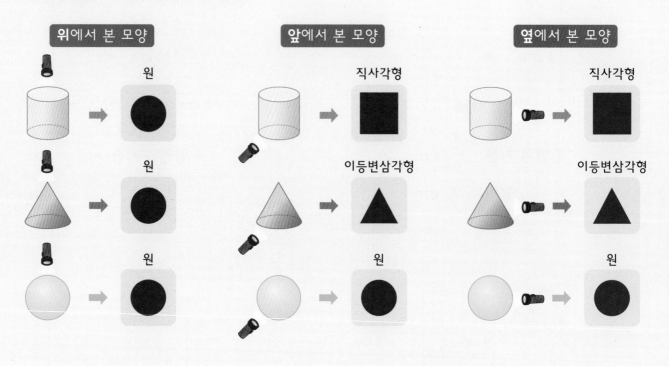

1 다음 입체도형을 위, 앞, 옆에서 본 모양을 각각 그려 보시오.

위 에서 본 모양	앞 에서 본 모양	옆 에서 본 모양

위 에서 본 모양	앞 에서 본 모양	옆 에서 본 모양

위 에서 본 모양	앞 에서 본 모양	옆 에서 본 모양

② 입체도형을 보고 알맞게 써넣은 후 바르게 설명한 것에 ◯표, 잘못 설명한 것에 ✕표 하시오.

입체도형	위 ↓ ← 옆 ↗ 앞	위 ↓ ← 옆 ↗ 앞
밑면의 모양		원
밑면의 수(개)	2	
모서리의 수(개)		없습니다.
꼭짓점의 수(개)		
위 에서 본 모양		
앞 에서 본 모양		
옆 에서 본 모양	직사각형	

각기둥과 원기둥의 공통점

◦ 각기둥과 원기둥은 모두 평면도형입니다. ·· (   )

◦ 각기둥과 원기둥은 모두 밑면이 2개입니다. ······································ (   )

◦ 각기둥과 원기둥은 모두 옆면이 굽은 면입니다. ······························· (   )

◦ 각기둥과 원기둥은 모두 밑면이 서로 평행합니다. ··························· (   )

◦ 각기둥과 원기둥은 모두 밑면이 합동인 다각형입니다. ···················· (   )

◦ 각기둥과 원기둥은 모두 옆에서 본 모양이 직사각형입니다. ············· (   )

3 입체도형을 보고 알맞게 써넣은 후 바르게 설명한 것에 ○표, 잘못 설명한 것에 ✕표 하시오.

입체도형	위 ← 옆 앞	위 ← 옆 앞
밑면의 모양		원
밑면의 수(개)		
모서리의 수(개)	8	
꼭짓점의 수(개)		
위 에서 본 모양		
앞 에서 본 모양		이등변삼각형
옆 에서 본 모양	삼각형	

각뿔과 원뿔의 공통점

◦ 각뿔과 원뿔은 모두 뿔 모양의 입체도형입니다. ·································· (   )

◦ 각뿔과 원뿔은 모두 밑면이 l 개입니다. ······································· (   )

◦ 각뿔과 원뿔은 모두 옆면이 l 개입니다. ······································· (   )

◦ 각뿔과 원뿔은 모두 옆면이 밑면에 수직입니다. ······························· (   )

◦ 각뿔과 원뿔은 모두 위에서 본 모양이 삼각형입니다. ······················· (   )

◦ 각뿔의 밑면의 모양은 다각형이고, 원뿔의 밑면의 모양은 원입니다. ·········· (   )

4 입체도형을 보고 알맞게 써넣은 후 바르게 설명한 것에 ○표, 잘못 설명한 것에 ✕표 하시오.

입체도형	위 ↓ 옆 ← 앞 ↗	위 ↓ 옆 ← 앞 ↗	위 ↓ 옆 ← 앞 ↗
입체도형의 모양	기둥		공
밑면의 모양			
밑면의 수(개)	2		
꼭짓점의 수(개)			
위 에서 본 모양			
앞 에서 본 모양		이등변삼각형	
옆 에서 본 모양			

원기둥, 원뿔, 구의 공통점

○ 원기둥, 원뿔, 구는 모두 위에서 본 모양이 원입니다. ························ (   )

○ 원기둥과 원뿔은 밑면이 l개입니다. ··· (   )

○ 원기둥, 원뿔, 구는 모두 굽은 면으로 둘러싸여 있습니다. ····················· (   )

○ 원기둥과 원뿔은 높이를 잴 수 있는 선분이 l개입니다. ····························· (   )

○ 원기둥과 구는 꼭짓점이 없습니다. ··· (   )

○ 원기둥과 구는 뾰족한 부분이 있지만 원뿔은 뾰족한 부분이 없습니다. ········ (   )

💡 원기둥의 밑면의 반지름 구하기 (원주율: 3)

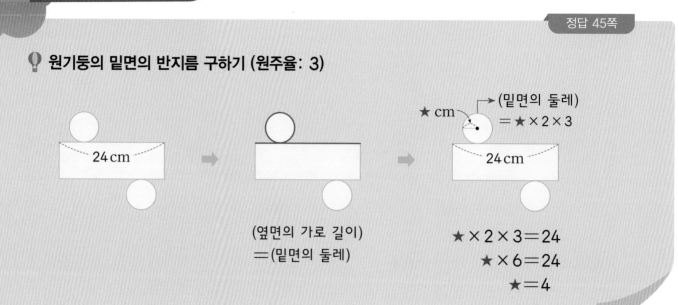

(옆면의 가로 길이)
＝(밑면의 둘레)

★ cm
(밑면의 둘레)
＝★×2×3

★×2×3＝24
★×6＝24
★＝4

응용 ① 원기둥의 전개도를 보고 밑면의 반지름을 구하시오. (원주율: 3)

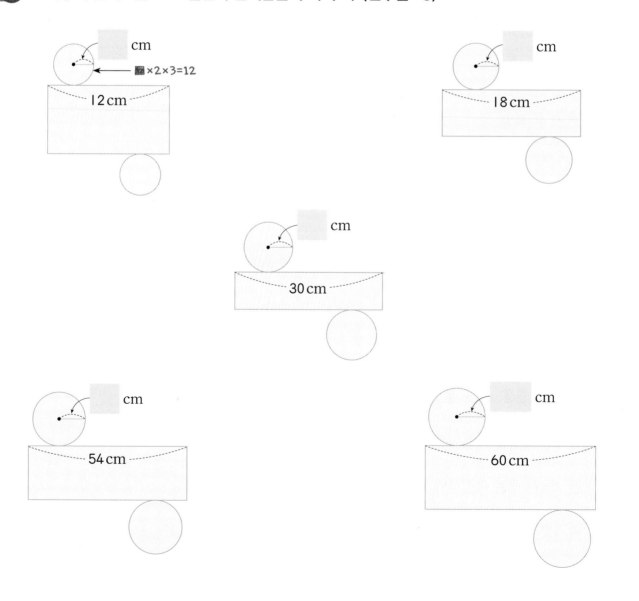

응용 ② 원기둥의 옆면의 넓이가 다음과 같을 때, 밑면의 반지름을 구하시오. (원주율: 3)

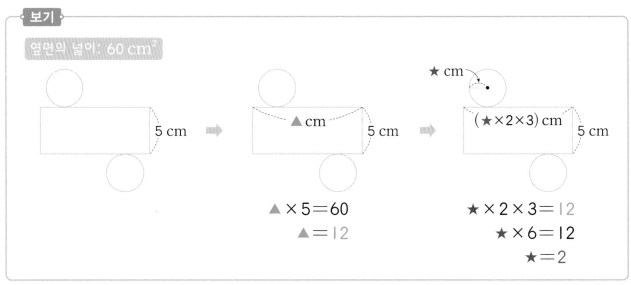

보기

옆면의 넓이: 60 cm²

▲×5=60
▲=12

★×2×3=12
★×6=12
★=2

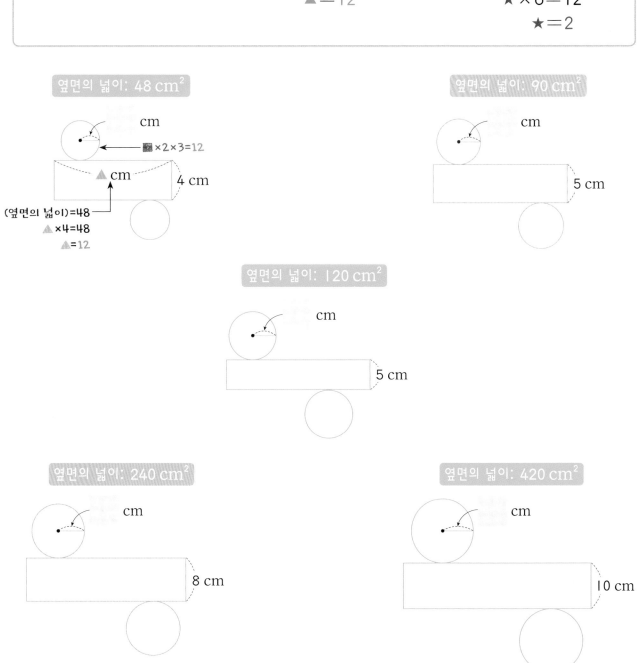

옆면의 넓이: 48 cm²

cm

■×2×3=12

▲ cm

4 cm

(옆면의 넓이)=48
▲×4=48
▲=12

옆면의 넓이: 90 cm²

cm

5 cm

옆면의 넓이: 120 cm²

cm

5 cm

옆면의 넓이: 240 cm²

cm

8 cm

옆면의 넓이: 420 cm²

cm

10 cm

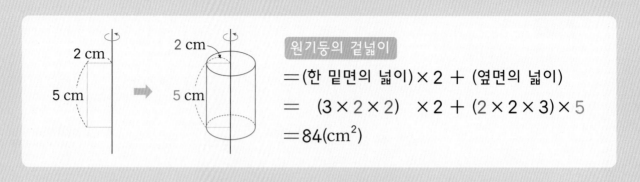

직사각형의 한 변을 기준으로 돌려 만든 원기둥의 겉넓이 구하기 (원주율: 3)

원기둥의 겉넓이
= (한 밑면의 넓이) × 2 + (옆면의 넓이)
= (3 × 2 × 2) × 2 + (2 × 2 × 3) × 5
= 84(cm²)

응용 **3** 직사각형의 한 변을 기준으로 돌려 만든 원기둥의 밑면의 반지름과 높이를 구하시오.

보기

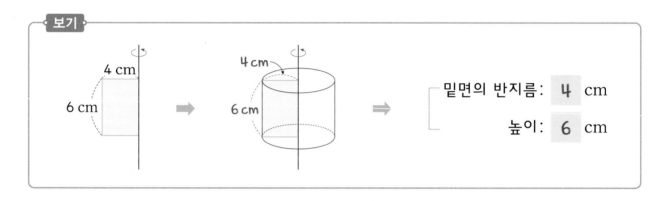

밑면의 반지름: **4** cm
높이: **6** cm

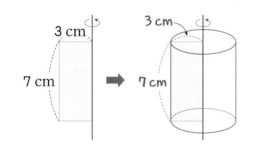

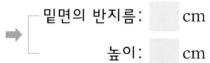

밑면의 반지름:　　　cm
높이:　　　cm

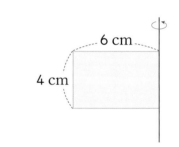

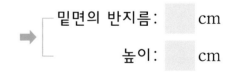

밑면의 반지름:　　　cm
높이:　　　cm

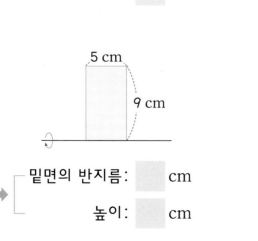

밑면의 반지름:　　　cm
높이:　　　cm

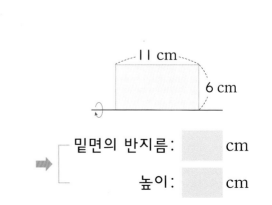

밑면의 반지름:　　　cm
높이:　　　cm

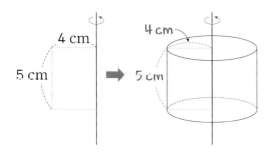

원기둥의 겉넓이

= (한 밑면의 넓이) × 2 + (옆면의 넓이)

=   × 2 +

=   (cm²)

3×4×4   (4×2×3)×5

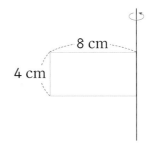

원기둥의 겉넓이

= (한 밑면의 넓이) × 2 + (옆면의 넓이)

=   × 2 +

=   (cm²)

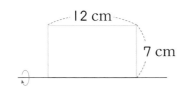

원기둥의 겉넓이

= (한 밑면의 넓이) × 2 + (옆면의 넓이)

=   × 2 +

=   (cm²)

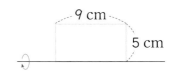

원기둥의 겉넓이

= (한 밑면의 넓이) × 2 + (옆면의 넓이)

=   × 2 +

=   (cm²)

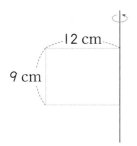

원기둥의 겉넓이

= (한 밑면의 넓이) × 2 + (옆면의 넓이)

=   × 2 +

=   (cm²)

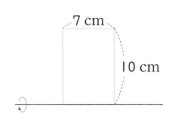

원기둥의 겉넓이

= (한 밑면의 넓이) × 2 + (옆면의 넓이)

=   × 2 +

=   (cm²)

01 그림에 대한 설명이 맞으면 ◯표, 틀리면
✕표 하고, 알맞은 말에 ◯표 하시오.

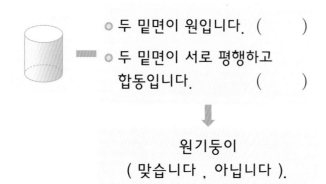

○ 두 밑면이 원입니다. (   )

○ 두 밑면이 서로 평행하고
합동입니다. (   )

⬇

원기둥이
(맞습니다 , 아닙니다).

02 원기둥인 것에 ◯표, 원기둥이 아닌 것에
✕표 하시오.

03 원기둥에서 밑면의 지름과 높이를 구하시
오.

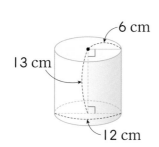

밑면의 지름: cm

높이: cm

[04~05] 직사각형의 한 변을 기준으로 돌려 만
든 원기둥의 밑면의 지름과 높이를 구
하시오.

04

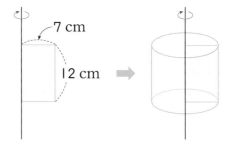

밑면의 지름: cm

높이: cm

05

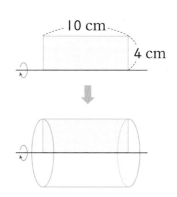

밑면의 지름: cm

높이: cm

06 원기둥의 전개도를 찾아 ◯표 하고, 그 전개도에 조건에 맞게 표시하시오.

> **조건**
> 원기둥의 **옆면**을 색칠하기

07 원기둥과 원기둥의 전개도를 보고, ◻ 안에 알맞은 수를 써넣으시오. (원주율: 3.1)

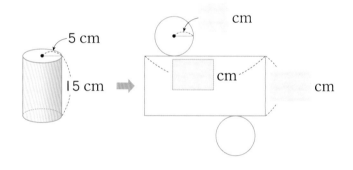

08 원기둥의 옆면의 넓이를 구하시오.
(원주율: 3)

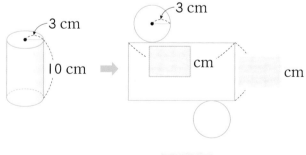

옆면의 넓이: cm²

09 원기둥의 겉넓이를 구하시오. (원주율: 3)

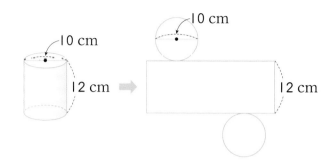

> **원기둥의 겉넓이**
> =(한 밑면의 넓이)×2＋(옆면의 넓이)
> =   ×2＋
> =   (cm²)

10 그림에 대한 설명이 맞으면 ◯표, 틀리면 ✕표 하고, 알맞은 말에 ◯표 하시오.

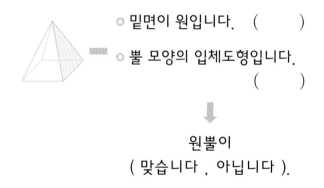

◦ 밑면이 원입니다.   (   )
◦ 뿔 모양의 입체도형입니다.
                (   )

⬇

원뿔이
(맞습니다 , 아닙니다).

11 그림에 대한 설명이 맞으면 ◯표, 틀리면 ✕표 하고, 알맞은 말에 ◯표 하시오.

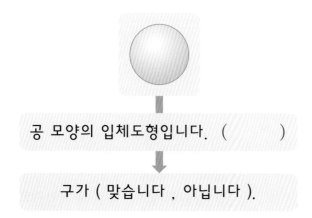

공 모양의 입체도형입니다. (   )

구가 (맞습니다 , 아닙니다).

12 원뿔인 것에 △표, 구인 것에 ◯표, 원뿔과 구가 <u>아닌</u> 것에 ✕표 하시오.

13 그림을 보고   안에 알맞은 수를 써넣으시오.

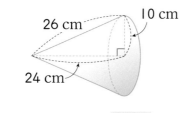

밑면의 반지름: cm

높이: cm

모선의 길이: cm

14 그림을 보고   안에 알맞은 수를 써넣으시오.

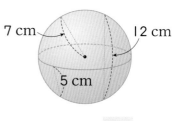

구의 반지름: cm

[15~16] 그림과 같은 도형을 한 바퀴 돌려 입체도형을 만들었습니다.   안에 알맞은 수를 써넣으시오.

15

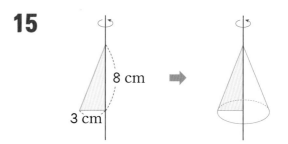

밑면의 지름: cm

높이: cm

16

 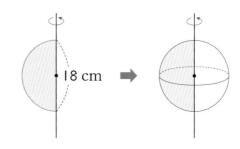

구의 반지름: cm

17 다음 입체도형을 위, 앞, 옆에서 본 모양을 각각 그려 보시오.

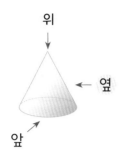

위 에서 본 모양	앞 에서 본 모양	옆 에서 본 모양

18 바르게 설명한 것에 ◯표, 잘못 설명한 것에 ✕표 하시오.

> 각기둥과 원기둥의 공통점

  ○ 각기둥과 원기둥은 모두 밑면이 다각형입니다. ················ (   )

  ○ 각기둥과 원기둥은 모두 밑면이 서로 합동입니다. ·········· (   )

  ○ 각기둥과 원기둥은 모두 옆면이 사각형입니다. ·············· (   )

  ○ 각기둥과 원기둥은 모두 밑면이 2개입니다. ················ (   )

19 바르게 설명한 것에 ◯표, 잘못 설명한 것에 ✕표 하시오.

> 각뿔과 원뿔의 공통점

  ○ 각뿔과 원뿔은 모두 밑면이 1개입니다. ················ (   )

  ○ 각뿔과 원뿔은 모두 옆면이 굽은 면입니다. ················ (   )

  ○ 각뿔과 원뿔은 모두 옆면이 밑면과 평행합니다. ·············· (   )

  ○ 각뿔과 원뿔은 모두 앞에서 본 모양이 삼각형입니다. ·············· (   )

20 바르게 설명한 것에 ◯표, 잘못 설명한 것에 ✕표 하시오.

> 원기둥, 원뿔, 구의 공통점

  ○ 원기둥, 원뿔, 구는 모두 앞에서 본 모양이 원입니다. ············· (   )

  ○ 원기둥과 원뿔은 밑면의 모양이 원입니다. ················ (   )

  ○ 원기둥, 원뿔, 구는 모두 다각형으로 둘러싸여 있습니다. ········ (   )

  ○ 원기둥, 원뿔, 구 중 꼭짓점이 있는 것은 원뿔입니다. ············· (   )

정답 47쪽

1 그림과 같은 입체도형을 무엇이라고 합니까?

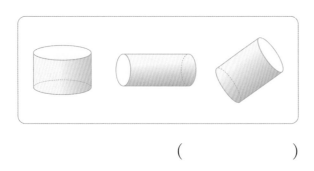

(   )

2 원기둥에서 각 부분의 이름을 ▨ 안에 써넣으시오.

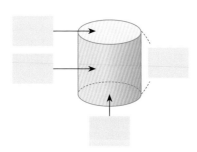

3 원기둥의 높이는 몇 cm입니까?

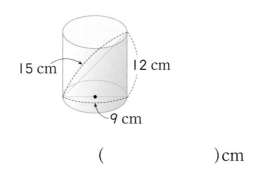

(   )cm

4 원기둥의 전개도는 어느 것입니까?

(   )

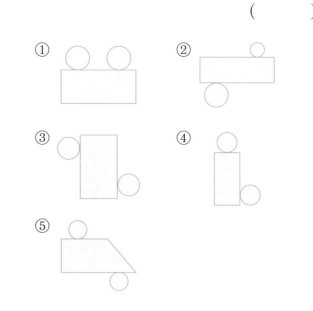

5 원기둥의 전개도를 보고 물음에 답하시오.

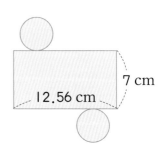

(1) 전개도를 접었을 때 만들어지는 원기둥의 높이는 몇 cm입니까?

(   )cm

(2) 전개도를 접었을 때 만들어지는 원기둥의 밑면의 둘레는 몇 cm입니까?

(   )cm

6 원뿔을 찾아 기호를 쓰시오.

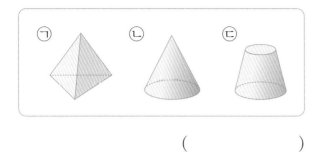

( )

7 원뿔을 옆에서 본 모양을 그려 보시오.

8 원뿔의 무엇을 재는 것인지 알맞게 선으로 이으시오.

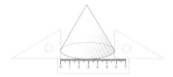 •   • 높이

  •   • 밑면의 지름

 •   • 모선의 길이

9 원뿔에서 모선의 길이, 밑면의 지름, 높이는 각각 몇 cm인지 구하시오.

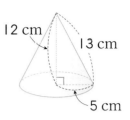

모선의 길이 ( )cm

밑면의 지름 ( )cm

높이 ( )cm

10 지름을 기준으로 반원 모양의 종이를 한 바퀴 돌려 만든 입체도형의 이름을 쓰시오.

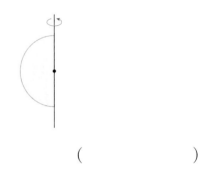

( )

11 구의 반지름은 몇 cm인지 구하시오.

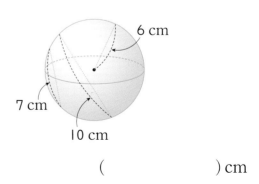

( ) cm

12 평면도형을 한 바퀴 돌려 만들어지는 입체도형을 찾아 선으로 이으시오.

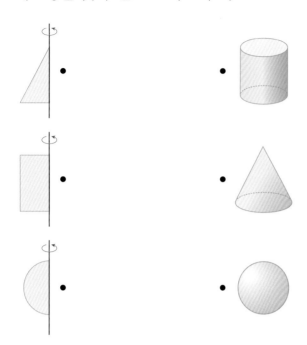

13 원기둥과 원기둥의 전개도를 보고, ▨ 안에 알맞은 수를 써넣으시오. (원주율: 3.1)

(1)

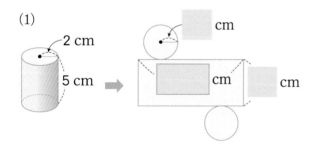

(2)

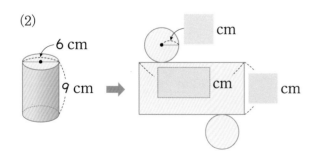

14 반원의 지름을 중심으로 하여 한 바퀴 돌려 만든 입체도형의 반지름의 길이는 몇 cm입니까?

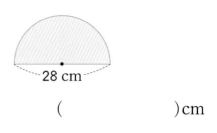

(   ) cm

15 원기둥과 원뿔의 높이의 합은 몇 cm입니까?

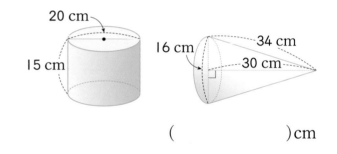

(   ) cm

16 원기둥과 각기둥의 공통점을 찾아 기호를 쓰시오.

㉠ 옆면이 굽은 면입니다.

㉡ 밑면의 모양이 원입니다.

㉢ 두 밑면이 서로 평행합니다.

(   )

17 원기둥과 원뿔의 공통점을 모두 찾아 기호를 쓰시오.

> ㉠ 밑면이 1개입니다.
> ㉡ 옆면이 굽은 면입니다.
> ㉢ 밑면의 모양이 원입니다.
> ㉣ 높이를 잴 수 있는 선분은 1개입니다.

(   )

18 한 변을 기준으로 직사각형 모양의 종이를 한 바퀴 돌려 만든 원기둥의 밑면의 지름과 높이는 각각 몇 cm인지 구하시오.

(1)

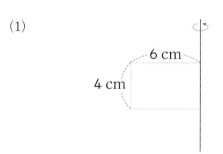

밑면의 지름: cm

높이: cm

(2)

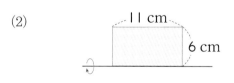

밑면의 지름: cm

높이: cm

19 원기둥의 겉넓이를 구하시오. (원주율: 3)

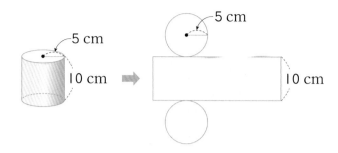

원기둥의 겉넓이

$=$ (한 밑면의 넓이) $\times 2 +$ (옆면의 넓이)

$=$ $\times 2 +$

$=$ (cm^2)

20 원기둥의 전개도에서 옆면의 둘레는 몇 cm인지 풀이 과정을 쓰고 답을 구하시오.

(원주율: 3)

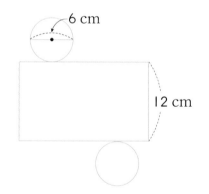

풀이 _____

_____

_____

_____

답 _____

memo

FACTO school

매스티안

6-2

초등 수학
팩토

단원별 계산력 수학

정답

매스티안

01 분모가 같은 (분수)÷(분수)

초등 6·2

① 분수의 나눗셈

● 분자끼리 나누어떨어지는 분모가 같은 (분수)÷(분수)

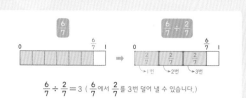

$$\frac{6}{7} \div \frac{2}{7} = 3 \quad (\frac{6}{7} \text{에서 } \frac{2}{7} \text{를 3번 덜어 낼 수 있습니다.})$$

1 ☐ 안에 알맞은 수를 써넣으시오.

보기

$$\frac{8}{9} \div \frac{4}{9} = \frac{8}{9} \div \frac{4}{9} = 8 \div 4 = 2$$
분모가 같습니다. ($\frac{1}{9}$이 8개) ($\frac{1}{9}$이 4개)

$$\frac{2}{3} \div \frac{1}{3} = 2 \div 1 = 2$$

$$\frac{4}{5} \div \frac{2}{5} = 4 \div 2 = 2$$

$$\frac{5}{7} \div \frac{1}{7} = 5 \div 1 = 5$$

$$\frac{6}{7} \div \frac{3}{7} = 6 \div 3 = 2$$

$$\frac{8}{9} \div \frac{2}{9} = 8 \div 2 = 4$$

$$\frac{8}{9} \div \frac{4}{9} = 8 \div 4 = 2$$

$$\frac{9}{10} \div \frac{3}{10} = 9 \div 3 = 3$$

$$\frac{10}{11} \div \frac{5}{11} = 10 \div 5 = 2$$

$$\frac{12}{13} \div \frac{2}{13} = 12 \div 2 = 6$$

2 분수의 나눗셈을 하시오.

보기

$$\frac{4}{5} \div \frac{2}{5} = 2 \quad \overset{4 \div 2}{}$$
분모가 같습니다.

$$\frac{6}{7} \div \frac{2}{7} = 3 \quad \overset{6 \div 2}{}$$

$$\frac{8}{9} \div \frac{4}{9} = 2 \quad \overset{8 \div 4}{}$$

$$\frac{6}{7} \div \frac{3}{7} = 2 \quad \overset{6 \div 3}{}$$

$$\frac{4}{5} \div \frac{1}{5} = 4 \quad \overset{4 \div 1}{}$$

$$\frac{10}{11} \div \frac{2}{11} = 5 \quad \overset{10 \div 2}{}$$

$$\frac{5}{6} \div \frac{1}{6} = 5$$

$$\frac{7}{8} \div \frac{1}{8} = 7$$

$$\frac{9}{10} \div \frac{3}{10} = 3$$

$$\frac{8}{11} \div \frac{2}{11} = 4$$

$$\frac{12}{13} \div \frac{6}{13} = 2$$

$$\frac{3}{5} \div \frac{1}{5} = 3$$

$$\frac{4}{7} \div \frac{2}{7} = 2$$

$$\frac{5}{8} \div \frac{1}{8} = 5$$

$$\frac{9}{11} \div \frac{3}{11} = 3$$

$$\frac{7}{12} \div \frac{1}{12} = 7$$

$$\frac{8}{15} \div \frac{4}{15} = 2$$

$$\frac{20}{21} \div \frac{5}{21} = 4$$

$$\frac{18}{25} \div \frac{6}{25} = 3$$

$$\frac{16}{17} \div \frac{2}{17} = 8$$

$$\frac{15}{31} \div \frac{3}{31} = 5$$

● 분자끼리 나누어떨어지지 않는 분모가 같은 (분수)÷(분수)

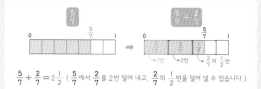

$$\frac{5}{7} \div \frac{2}{7} = 2\frac{1}{2} \quad (\frac{5}{7} \text{에서 } \frac{2}{7} \text{를 2번 덜어 내고, } \frac{2}{7} \text{의 } \frac{1}{2} \text{번을 덜어 낼 수 있습니다.})$$

3 ☐ 안에 알맞은 수를 써넣으시오.

보기

$$\frac{4}{5} \div \frac{3}{5} = \frac{4}{5} \div \frac{3}{5} = 4 \div 3 = \frac{4}{3} = 1\frac{1}{3}$$
분모가 같습니다.

$$\frac{2}{7} \div \frac{3}{7} = \frac{2}{3}$$

$$\frac{5}{8} \div \frac{7}{8} = \frac{5}{7}$$

$$\frac{7}{9} \div \frac{8}{9} = \frac{7}{8}$$

$$\frac{3}{11} \div \frac{10}{11} = \frac{3}{10}$$

$$\frac{5}{9} \div \frac{4}{9} = \frac{5}{4} = 1\frac{1}{4}$$

$$\frac{9}{10} \div \frac{7}{10} = \frac{9}{7} = 1\frac{2}{7}$$

$$\frac{5}{7} \div \frac{2}{7} = \frac{5}{2} = 2\frac{1}{2}$$

$$\frac{7}{8} \div \frac{3}{8} = \frac{7}{3} = 2\frac{1}{3}$$

$$\frac{8}{11} \div \frac{5}{11} = \frac{8}{5} = 1\frac{3}{5}$$

$$\frac{7}{12} \div \frac{5}{12} = \frac{7}{5} = 1\frac{2}{5}$$

4 분수의 나눗셈을 하시오.

보기

$\div$ →		
$\frac{5}{6}$	$\frac{1}{6}$	5

$$\frac{5}{6} \div \frac{1}{6} = 5 \div 1$$

$\div$ →		
$\frac{4}{5}$	$\frac{2}{5}$	2

$\div$ →		
$\frac{6}{7}$	$\frac{2}{7}$	3

$\div$ →		
$\frac{8}{9}$	$\frac{4}{9}$	2

$\div$ →		
$\frac{9}{10}$	$\frac{3}{10}$	3

$\div$ →		
$\frac{8}{11}$	$\frac{2}{11}$	4

$\div$ →		
$\frac{2}{5}$	$\frac{3}{5}$	$\frac{2}{3}$

$\div$ →		
$\frac{5}{7}$	$\frac{4}{7}$	$1\frac{1}{4}$

$\div$ →		
$\frac{3}{8}$	$\frac{5}{8}$	$\frac{3}{5}$

$\div$ →		
$\frac{8}{9}$	$\frac{7}{9}$	$1\frac{1}{7}$

$\div$ →		
$\frac{3}{10}$	$\frac{7}{10}$	$\frac{3}{7}$

$\div$ →		
$\frac{10}{11}$	$\frac{9}{11}$	$1\frac{1}{9}$

$\div$ →		
$\frac{5}{12}$	$\frac{7}{12}$	$\frac{5}{7}$

$\div$ →		
$\frac{12}{13}$	$\frac{11}{13}$	$1\frac{1}{11}$

$\div$ →		
$\frac{2}{15}$	$\frac{13}{15}$	$\frac{2}{13}$

02 분모가 다른 (분수)÷(분수)

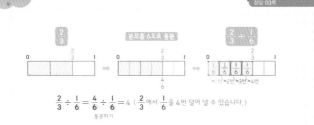

$$\frac{2}{3} \div \frac{1}{6} = \frac{4}{6} \div \frac{1}{6} = 4 \quad (\text{2/3에서 } \frac{1}{6} \text{을 4번 덜어 낼 수 있습니다.})$$
통분하기

1 두 분수를 통분하시오.

방법 ① 분모의 곱을 공통분모로 하기
$$\left(\frac{1}{3}, \frac{2}{5}\right) \Rightarrow \left(\frac{5}{15}, \frac{6}{15}\right) \quad 3 \times 5 = 15$$

방법 ② 분모의 최소공배수를 공통분모로 하기
$$\left(\frac{5}{9}, \frac{1}{6}\right) \Rightarrow \left(\frac{10}{18}, \frac{3}{18}\right) \quad \text{최소공배수: } 18$$

$$\left(\frac{4}{5}, \frac{1}{4}\right) \Rightarrow \left(\frac{16}{20}, \frac{5}{20}\right)$$
$$\left(\frac{3}{8}, \frac{5}{6}\right) \Rightarrow \left(\frac{9}{24}, \frac{20}{24}\right) \text{(예)}$$
$$\left(\frac{2}{7}, \frac{3}{4}\right) \Rightarrow \left(\frac{8}{28}, \frac{21}{28}\right)$$
$$\left(\frac{5}{9}, \frac{2}{3}\right) \Rightarrow \left(\frac{5}{9}, \frac{6}{9}\right) \text{(예)}$$
$$\left(\frac{1}{2}, \frac{7}{13}\right) \Rightarrow \left(\frac{13}{26}, \frac{14}{26}\right)$$
$$\left(\frac{7}{10}, \frac{3}{4}\right) \Rightarrow \left(\frac{14}{20}, \frac{15}{20}\right) \text{(예)}$$

2 안에 알맞은 수를 써넣으시오.

보기
$$\frac{1}{2} \div \frac{2}{3} = \frac{3}{6} \div \frac{4}{6} = \frac{3}{4} \qquad \frac{1}{4} \div \frac{1}{8} = \frac{2}{8} \div \frac{1}{8} = 2$$
통분하기

$$\frac{1}{3} \div \frac{1}{12} = \frac{4}{12} \div \frac{1}{12} = 4 \text{(예)}$$
$$\frac{4}{7} \div \frac{2}{21} = \frac{12}{21} \div \frac{2}{21} = 6 \text{(예)}$$
$$\frac{1}{6} \div \frac{3}{4} = \frac{2}{12} \div \frac{9}{12} = \frac{2}{9} \text{(예)}$$
$$\frac{3}{5} \div \frac{2}{3} = \frac{9}{15} \div \frac{10}{15} = \frac{9}{10}$$
$$\frac{2}{9} \div \frac{5}{6} = \frac{4}{18} \div \frac{15}{18} = \frac{4}{15} \text{(예)}$$
$$\frac{1}{4} \div \frac{2}{5} = \frac{5}{20} \div \frac{8}{20} = \frac{5}{8}$$
$$\frac{10}{3} \div \frac{5}{6} = \frac{20}{6} \div \frac{5}{6} = \frac{20}{5} = 4 \text{(예)}$$
$$\frac{15}{4} \div \frac{3}{8} = \frac{30}{8} \div \frac{3}{8} = \frac{30}{3} = 10 \text{(예)}$$
$$\frac{7}{2} \div \frac{1}{5} = \frac{35}{10} \div \frac{2}{10} = \frac{35}{2} = 17\frac{1}{2}$$
$$\frac{7}{5} \div \frac{4}{9} = \frac{63}{45} \div \frac{20}{45} = \frac{63}{20} = 3\frac{3}{20}$$
$$\frac{9}{7} \div \frac{5}{8} = \frac{72}{56} \div \frac{35}{56} = \frac{72}{35} = 2\frac{2}{35}$$
$$\frac{17}{10} \div \frac{3}{4} = \frac{34}{20} \div \frac{15}{20} = \frac{34}{15} = 2\frac{4}{15} \text{(예)}$$

3 안에 알맞게 써넣으시오.

보기
대분수↔가분수 통분하기 계산하기
$$2\frac{1}{4} \div \frac{2}{3} = \frac{9}{4} \div \frac{2}{3} = \frac{27}{12} \div \frac{8}{12} = \frac{27}{8} = 3\frac{3}{8}$$

대분수↔가분수	통분하기	계산하기

$$1\frac{2}{3} \div \frac{3}{5} = \frac{5}{3} \div \frac{3}{5} = \frac{25}{15} \div \frac{9}{15} = \frac{25}{9} = 2\frac{7}{9}$$
$$4\frac{1}{2} \div \frac{4}{5} = \frac{9}{2} \div \frac{4}{5} = \frac{45}{10} \div \frac{8}{10} = \frac{45}{8} = 5\frac{5}{8}$$
$$2\frac{1}{3} \div \frac{4}{7} = \frac{7}{3} \div \frac{4}{7} = \frac{49}{21} \div \frac{12}{21} = \frac{49}{12} = 4\frac{1}{12}$$
$$3\frac{1}{5} \div \frac{1}{6} = \frac{16}{5} \div \frac{1}{6} = \frac{96}{30} \div \frac{5}{30} = \frac{96}{5} = 19\frac{1}{5}$$
$$1\frac{5}{8} \div \frac{2}{3} = \frac{13}{8} \div \frac{2}{3} = \frac{39}{24} \div \frac{16}{24} = \frac{39}{16} = 2\frac{7}{16}$$
$$2\frac{2}{3} \div \frac{3}{11} = \frac{8}{3} \div \frac{3}{11} = \frac{88}{33} \div \frac{9}{33} = \frac{88}{9} = 9\frac{7}{9}$$
$$4\frac{1}{5} \div \frac{1}{3} = \frac{21}{5} \div \frac{1}{3} = \frac{63}{15} \div \frac{5}{15} = \frac{63}{5} = 12\frac{3}{5}$$

4 분수의 나눗셈 실력을 점검해 보시오.

실력평가   맞힌 개수 [ ]개   제한 시간 10분

1. $\frac{5}{6} \div \frac{1}{6} = 5$
2. $\frac{8}{9} \div \frac{1}{9} = 8$
3. $\frac{10}{11} \div \frac{1}{11} = 10$

4. $\frac{6}{7} \div \frac{2}{7} = 3$
5. $\frac{9}{10} \div \frac{3}{10} = 3$
6. $\frac{12}{13} \div \frac{3}{13} = 4$

7. $\frac{2}{5} \div \frac{3}{5} = \frac{2}{3}$
8. $\frac{3}{8} \div \frac{7}{8} = \frac{3}{7}$
9. $\frac{11}{17} \div \frac{8}{17} = 1\frac{3}{8}$

10. $\frac{3}{4} \div \frac{3}{8} = 2$
11. $\frac{3}{7} \div \frac{1}{21} = 9$
12. $\frac{5}{6} \div \frac{3}{4} = 1\frac{1}{9}$

13. $\frac{18}{5} \div \frac{9}{10} = 4$
14. $\frac{7}{3} \div \frac{5}{6} = 2\frac{4}{5}$
15. $\frac{11}{10} \div \frac{7}{8} = 1\frac{9}{35}$

16. $1\frac{3}{5} \div \frac{5}{7} = 2\frac{6}{25}$
17. $3\frac{1}{2} \div \frac{6}{11} = 6\frac{5}{12}$ 수고하셨습니다!

03 (자연수)÷(분수)

정답 04쪽

● 자연수를 분수로 나타내어 계산하기

$$6 \div \frac{2}{3}$$

$$6 \div \frac{2}{3} = \frac{18}{3} \div \frac{2}{3} = 18 \div 2 = 9$$

분모가 3인 분수로

1 자연수를 크기가 같은 분수로 나타내어 보시오.

보기

$$2 = \frac{2}{1} \xrightarrow{\times 3} \frac{6}{3}$$
　　　　　　 $\times 3$

$$4 = \frac{8}{2} \; (\times 2)$$

$$5 = \frac{20}{4} \; (\times 4)$$

$$3 = \frac{18}{6}$$

$$6 = \frac{30}{5}$$

$$9 = \frac{18}{2}$$

$$8 = \frac{24}{3}$$

$$7 = \frac{28}{4}$$

$$10 = \frac{30}{3}$$

$$12 = \frac{48}{4}$$

$$11 = \frac{33}{3}$$

$$15 = \frac{30}{2}$$

$$13 = \frac{65}{5}$$

$$14 = \frac{28}{2}$$

$$20 = \frac{80}{4}$$

2 자연수를 분수로 나타내어 계산해 보시오.

보기

$$3 \div \frac{3}{5} = \frac{15}{5} \div \frac{3}{5} = 15 \div 3 = 5$$
분모가 5인 분수로

$$4 \div \frac{2}{5} = \frac{20}{5} \div \frac{2}{5} = 10 \quad \text{(20÷2)}$$
분모가 5인 분수로

$$6 \div \frac{3}{4} = \frac{24}{4} \div \frac{3}{4} = 8$$
분모가 4인 분수로

$$8 \div \frac{4}{5} = \frac{40}{5} \div \frac{4}{5} = 10$$

$$5 \div \frac{1}{7} = \frac{35}{7} \div \frac{1}{7} = 35$$

$$6 \div \frac{2}{5} = \frac{30}{5} \div \frac{2}{5} = 15$$

$$9 \div \frac{3}{4} = \frac{36}{4} \div \frac{3}{4} = 12$$

$$5 \div \frac{5}{8} = \frac{40}{8} \div \frac{5}{8} = 8$$

$$7 \div \frac{7}{8} = \frac{56}{8} \div \frac{7}{8} = 8$$

$$6 \div \frac{3}{8} = \frac{48}{8} \div \frac{3}{8} = 16$$

$$10 \div \frac{2}{5} = \frac{50}{5} \div \frac{2}{5} = 25$$

$$20 \div \frac{2}{3} = \frac{60}{3} \div \frac{2}{3} = 30$$

$$15 \div \frac{3}{4} = \frac{60}{4} \div \frac{3}{4} = 20$$

$$12 \div \frac{3}{7} = \frac{84}{7} \div \frac{3}{7} = 28$$

● 분수를 자연수로 나타내어 계산하기

$$6 \div 2$$

| 구슬 6개를 2접시에 나누기 | 접시 1개의 구슬 수 |

$$6 \div 2 = 3$$

$$6 \div \frac{2}{3}$$

| 구슬 6개를 $\frac{2}{3}$접시에 나누기 | 접시 1개의 구슬 수 |

$$6 \div \frac{2}{3} = 9$$

→ ($\frac{1}{3}$접시의 구슬 수)　($\frac{1}{3}$접시의 구슬 수)의 3배
　　6÷2　　　　　　　　(6÷2)×3=9

3 그림을 완성하고, 　안에 알맞은 수를 써넣으시오.

| 구슬 4개를 $\frac{2}{3}$접시에 나누기 | 접시 1개의 구슬 수 |

$$4 \div \frac{2}{3} = 6$$

→ 4÷2　　　4÷2×3

| 구슬 9개를 $\frac{3}{4}$접시에 나누기 | 접시 1개의 구슬 수 |

$$9 \div \frac{3}{4} = 12$$

→ 9÷3

| 구슬 6개를 $\frac{3}{5}$접시에 나누기 | 접시 1개의 구슬 수 |

$$6 \div \frac{3}{5} = 10$$

| 구슬 10개를 $\frac{5}{6}$접시에 나누기 | 접시 1개의 구슬 수 |

$$10 \div \frac{5}{6} = 12$$

4 분수를 자연수로 나타내어 계산해 보시오.

보기

$$4 \div \frac{2}{5} = (4 \div 2) \times 5 = 10$$

$$6 \div \frac{3}{5} = (6 \div 3) \times 5 = 10$$

$$5 \div \frac{5}{7} = (5 \div 5) \times 7 = 7$$

$$8 \div \frac{4}{5} = (8 \div 4) \times 5 = 10$$

$$7 \div \frac{7}{9} = (7 \div 7) \times 9 = 9$$

$$4 \div \frac{2}{9} = (4 \div 2) \times 9 = 18$$

$$9 \div \frac{3}{5} = (9 \div 3) \times 5 = 15$$

$$10 \div \frac{2}{3} = (10 \div 2) \times 3 = 15$$

$$8 \div \frac{2}{7} = (8 \div 2) \times 7 = 28$$

$$12 \div \frac{3}{4} = (12 \div 3) \times 4 = 16$$

$$6 \div \frac{3}{8} = (6 \div 3) \times 8 = 16$$

$$15 \div \frac{5}{9} = (15 \div 5) \times 9 = 27$$

$$21 \div \frac{7}{8} = (21 \div 7) \times 8 = 24$$

$$20 \div \frac{4}{7} = (20 \div 4) \times 7 = 35$$

04 (분수)÷(분수)를 (분수)×(분수)로 나타내기

정답 05쪽

$$9 ÷ \frac{3}{4} = (9÷3)×4 = (9×\frac{1}{3})×4 = 9×\frac{4}{3}$$

곱셈으로 나타내기
$$\Rightarrow 9 ÷ \frac{3}{4} = 9×\frac{4}{3}$$
분모와 분자 바꾸기

1 보기와 같이 계산해 보시오.

보기
| (자연수)÷(분수) | (자연수)×(분수) | 계산하기 |

곱셈으로 나타내기
$$5 ÷ \frac{2}{3} = 5×\frac{3}{2} = \frac{15}{2} = 7\frac{1}{2}$$
분모와 분자 바꾸기

| (자연수)÷(분수) | (자연수)×(분수) | 계산하기 |

$$3 ÷ \frac{5}{7} = 3×\frac{7}{5} = \frac{21}{5} = 4\frac{1}{5}$$

$$4 ÷ \frac{3}{5} = 4×\frac{5}{3} = \frac{20}{3} = 6\frac{2}{3}$$

$$6 ÷ \frac{5}{6} = 6×\frac{6}{5} = \frac{36}{5} = 7\frac{1}{5}$$

$$7 ÷ \frac{4}{5} = 7×\frac{5}{4} = \frac{35}{4} = 8\frac{3}{4}$$

$$8 ÷ \frac{7}{9} = 8×\frac{9}{7} = \frac{72}{7} = 10\frac{2}{7}$$

$$9 ÷ \frac{2}{3} = 9×\frac{3}{2} = \frac{27}{2} = 13\frac{1}{2}$$

$$10 ÷ \frac{7}{9} = 10×\frac{9}{7} = \frac{90}{7} = 12\frac{6}{7}$$

$$12 ÷ \frac{5}{6} = 12×\frac{6}{5} = \frac{72}{5} = 14\frac{2}{5}$$

$$15 ÷ \frac{2}{3} = 15×\frac{3}{2} = \frac{45}{2} = 22\frac{1}{2}$$

16

2 보기와 같이 계산해 보시오.

보기
| (분수)×(분수)로 계산하기 |

곱셈으로 나타내기
$$\frac{6}{7} ÷ \frac{3}{8} = \frac{6}{7} × \frac{8}{3}$$
분모와 분자 바꾸기
$$= \frac{16}{7} = 2\frac{2}{7}$$

| (분수)×(분수)로 계산하기 |

$$\frac{5}{7} ÷ \frac{2}{3} = \frac{5}{7} × \frac{3}{2} = \frac{15}{14} = 1\frac{1}{14}$$

| (분수)×(분수)로 계산하기 |

$$\frac{5}{6} ÷ \frac{3}{4} = \frac{5}{6} × \frac{4}{3} = \frac{10}{9} = 1\frac{1}{9}$$

| (분수)×(분수)로 계산하기 |

$$\frac{3}{4} ÷ \frac{5}{8} = \frac{3}{4} × \frac{8}{5} = \frac{6}{5} = 1\frac{1}{5}$$

| (분수)×(분수)로 계산하기 |

$$\frac{7}{10} ÷ \frac{3}{5} = \frac{7}{10} × \frac{5}{3} = \frac{7}{6} = 1\frac{1}{6}$$

| (분수)×(분수)로 계산하기 |

$$\frac{2}{5} ÷ \frac{3}{8} = \frac{2}{5} × \frac{8}{3} = \frac{16}{15} = 1\frac{1}{15}$$

| (분수)×(분수)로 계산하기 |

$$\frac{9}{5} ÷ \frac{3}{4} = \frac{9}{5} × \frac{4}{3} = \frac{12}{5} = 2\frac{2}{5}$$

| (분수)×(분수)로 계산하기 |

$$\frac{8}{3} ÷ \frac{5}{7} = \frac{8}{3} × \frac{7}{5} = \frac{56}{15} = 3\frac{11}{15}$$

| (분수)×(분수)로 계산하기 |

$$\frac{5}{4} ÷ \frac{2}{9} = \frac{5}{4} × \frac{9}{2} = \frac{45}{8} = 5\frac{5}{8}$$

17

3 보기와 같이 계산해 보시오.

보기
| (대분수→가분수) | (분수)×(분수) | 계산하기 |

곱셈으로 나타내기
$$1\frac{3}{4} ÷ \frac{2}{3} = \frac{7}{4} ÷ \frac{2}{3} = \frac{7}{4} × \frac{3}{2} = \frac{21}{8} = 2\frac{5}{8}$$
대분수→가분수　　분모와 분자 바꾸기

| (대분수→가분수) | (분수)×(분수) | 계산하기 |

$$1\frac{2}{5} ÷ \frac{3}{7} = \frac{7}{5} ÷ \frac{3}{7} = \frac{7}{5} × \frac{7}{3} = \frac{49}{15} = 3\frac{4}{15}$$

$$3\frac{3}{4} ÷ \frac{2}{3} = \frac{15}{4} ÷ \frac{2}{3} = \frac{15}{4} × \frac{3}{2} = \frac{45}{8} = 5\frac{5}{8}$$

$$1\frac{4}{9} ÷ \frac{5}{6} = \frac{13}{9} ÷ \frac{5}{6} = \frac{13}{9} × \frac{6}{5} = \frac{26}{15} = 1\frac{11}{15}$$

$$5\frac{1}{3} ÷ \frac{8}{9} = \frac{16}{3} ÷ \frac{8}{9} = \frac{16}{3} × \frac{9}{8} = 6$$

$$4\frac{1}{2} ÷ \frac{9}{10} = \frac{9}{2} ÷ \frac{9}{10} = \frac{9}{2} × \frac{10}{9} = 5$$

$$1\frac{3}{7} ÷ 1\frac{2}{5} = \frac{10}{7} ÷ \frac{7}{5} = \frac{10}{7} × \frac{5}{7} = \frac{50}{49} = 1\frac{1}{49}$$

$$2\frac{2}{3} ÷ 1\frac{3}{5} = \frac{8}{3} ÷ \frac{8}{5} = \frac{8}{3} × \frac{5}{8} = \frac{5}{3} = 1\frac{2}{3}$$

18

4 분수의 나눗셈 실력을 점검해 보시오.

실력평가　맞힌 개수 ／ 제한 시간 10

1. $3 ÷ \frac{2}{5} = 7\frac{1}{2}$　　2. $5 ÷ \frac{4}{7} = 8\frac{3}{4}$　　3. $4 ÷ \frac{3}{4} = 5\frac{1}{3}$

4. $6 ÷ \frac{5}{8} = 9\frac{3}{5}$　　5. $9 ÷ \frac{2}{5} = 22\frac{1}{2}$　　6. $\frac{3}{5} ÷ \frac{2}{3} = \frac{9}{10}$

7. $\frac{3}{7} ÷ \frac{4}{5} = \frac{15}{28}$　　8. $\frac{5}{6} ÷ \frac{7}{8} = \frac{20}{21}$　　9. $\frac{8}{9} ÷ \frac{4}{7} = 1\frac{5}{9}$

10. $\frac{9}{10} ÷ \frac{6}{11} = 1\frac{13}{20}$　　11. $\frac{7}{3} ÷ \frac{2}{5} = 5\frac{5}{6}$　　12. $\frac{11}{4} ÷ \frac{3}{8} = 7\frac{1}{3}$

13. $\frac{9}{5} ÷ \frac{3}{7} = 4\frac{1}{5}$　　14. $1\frac{1}{4} ÷ \frac{2}{9} = 5\frac{5}{8}$　　15. $2\frac{1}{10} ÷ \frac{3}{5} = 3\frac{1}{2}$

16. $1\frac{3}{7} ÷ \frac{2}{5} = 3\frac{4}{7}$　　17. $6\frac{2}{5} ÷ 2\frac{1}{5} = 2\frac{6}{7}$　수고하셨습니다!

19

05

05 　분수의 나눗셈 연습

정답 06쪽

1 분수의 나눗셈을 하시오.

보기

$\dfrac{\frac{3}{4}}{\boxed{\dfrac{4}{5} \div \dfrac{2}{5}}}\,2$ ← $\frac{4}{5}÷\frac{2}{5}$

$\dfrac{3}{4}÷\dfrac{1}{4}$ 3

$\dfrac{\frac{6}{7}}{\boxed{\dfrac{2}{3} \div \dfrac{1}{3}}}\,2$
$\dfrac{2}{7}$ 3

$\dfrac{\frac{5}{6}}{\boxed{\dfrac{8}{9} \div \dfrac{4}{9}}}\,2$
$\dfrac{1}{6}$ 5

$\dfrac{\frac{4}{7}}{\boxed{\dfrac{10}{11} \div \dfrac{2}{11}}}\,5$
$\dfrac{2}{7}$ 2

$\dfrac{\frac{9}{10}}{\boxed{\dfrac{6}{7} \div \dfrac{3}{7}}}\,2$
$\dfrac{3}{10}$ 3

$\dfrac{\frac{8}{9}}{\boxed{\dfrac{10}{13} \div \dfrac{5}{13}}}\,2$
$\dfrac{2}{9}$ 4

$\dfrac{\frac{2}{5}}{\boxed{\dfrac{4}{7} \div \dfrac{5}{7}}}\,\dfrac{4}{5}$
$\dfrac{3}{5}$ $\dfrac{2}{3}$

$\dfrac{\frac{3}{8}}{\boxed{\dfrac{2}{9} \div \dfrac{7}{9}}}\,\dfrac{2}{7}$
$\dfrac{5}{9}$ $\dfrac{3}{5}$

$\dfrac{\frac{7}{10}}{\boxed{\dfrac{6}{11} \div \dfrac{7}{11}}}\,\dfrac{6}{7}$
$\dfrac{9}{10}$ $\dfrac{7}{9}$

2 계산 결과와 같은 칸을 모두 색칠하여 나타나는 숫자 암호를 구하시오.

$6 ÷ \dfrac{3}{5} = 10$　　$8 ÷ \dfrac{2}{3} = 12$　　$4 ÷ \dfrac{1}{2} = 8$

$5 ÷ \dfrac{5}{6} = 6$　　$9 ÷ \dfrac{3}{5} = 15$　　$3 ÷ \dfrac{3}{7} = 7$

$7 ÷ \dfrac{7}{9} = 9$　　$10 ÷ \dfrac{5}{7} = 14$　　$12 ÷ \dfrac{2}{3} = 18$

$8 ÷ \dfrac{4}{11} = 22$　　$6 ÷ \dfrac{2}{7} = 21$　　$15 ÷ \dfrac{3}{4} = 20$

10	15	8
7	11	16
20	9	6
21	17	20
14	22	18

나타나는 숫자 암호 ⇒ 6

3 계산 결과가 같은 칸에 글자를 넣어 속담을 완성하시오.

두　$\dfrac{3}{4} ÷ \dfrac{3}{8} = 2$

$\dfrac{3}{5} ÷ \dfrac{1}{10} = 6$　겨

리　$\dfrac{3}{5} ÷ \dfrac{3}{20} = 4$

$\dfrac{1}{3} ÷ \dfrac{1}{7} = 2\dfrac{1}{3}$　돌

보　$\dfrac{5}{6} ÷ \dfrac{2}{3} = 1\dfrac{1}{4}$

$\dfrac{9}{14} ÷ \dfrac{2}{7} = 2\dfrac{1}{4}$　너

다　$\dfrac{8}{5} ÷ \dfrac{3}{4} = 2\dfrac{2}{15}$

$\dfrac{7}{6} ÷ \dfrac{4}{9} = 2\dfrac{5}{8}$　고

건　$2\dfrac{3}{4} ÷ \dfrac{5}{6} = 3\dfrac{3}{10}$

$1\dfrac{2}{3} ÷ \dfrac{3}{8} = 3\dfrac{3}{7}$　도

들　$1\dfrac{2}{3} ÷ \dfrac{3}{4} = 2\dfrac{2}{9}$

$5\dfrac{2}{3} ÷ 1\dfrac{1}{3} = 4\dfrac{1}{4}$　라

| $2\dfrac{1}{3}$ | $2\dfrac{2}{15}$ | 4 | $3\dfrac{3}{7}$ | 2 | $2\dfrac{2}{9}$ | 6 | $1\dfrac{1}{4}$ | $2\dfrac{5}{8}$ | $3\dfrac{3}{10}$ | $2\dfrac{1}{4}$ | $4\dfrac{1}{4}$ |
| 돌 | 다 | 리 | 도 | 두 | 들 | 겨 | 보 | 고 | 건 | 너 | 라 |

＊ 속담의 뜻: 단단한 돌다리라 해도 안전한지 두들겨 봐야 하듯이 잘 아는 일이라도 꼼꼼하게
　　　　　확인하고 조심해서 하라.

4 분수의 나눗셈 실력을 점검해 보시오.

실력 평가

맞힌 개수 □ 개　제한 시간 10 분

1. $\dfrac{4}{5} ÷ \dfrac{2}{5} = 2$　　2. $\dfrac{8}{9} ÷ \dfrac{4}{9} = 2$　　3. $\dfrac{2}{7} ÷ \dfrac{5}{7} = \dfrac{2}{5}$

4. $6 ÷ \dfrac{2}{3} = 9$　　5. $8 ÷ \dfrac{4}{5} = 10$　　6. $10 ÷ \dfrac{2}{9} = 45$

7. $\dfrac{6}{7} ÷ \dfrac{2}{21} = 9$　　8. $\dfrac{7}{9} ÷ \dfrac{2}{3} = 1\dfrac{1}{6}$　　9. $\dfrac{3}{4} ÷ \dfrac{1}{6} = 4\dfrac{1}{2}$

10. $5 ÷ \dfrac{3}{4} = 6\dfrac{2}{3}$　　11. $9 ÷ \dfrac{4}{5} = 11\dfrac{1}{4}$　　12. $15 ÷ \dfrac{3}{7} = 35$

13. $\dfrac{9}{4} ÷ \dfrac{5}{7} = 3\dfrac{3}{20}$　　14. $\dfrac{8}{3} ÷ \dfrac{5}{8} = 4\dfrac{4}{15}$　　15. $\dfrac{13}{6} ÷ \dfrac{4}{5} = 2\dfrac{17}{24}$

16. $3\dfrac{1}{4} ÷ \dfrac{5}{9} = 5\dfrac{17}{20}$　　17. $4\dfrac{4}{5} ÷ 1\dfrac{1}{2} = 3\dfrac{1}{5}$　수고하셨습니다!

정답 07쪽

통나무 $\frac{7}{8}$ m의 무게가 14kg입니다. 통나무 1 m의 무게는 몇 kg입니까?

그림 그려 해결하기

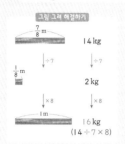

식 세워 해결하기

통나무 $\frac{7}{8}$ m의 무게가 14 kg입니다.

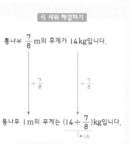

통나무 1 m의 무게는 $(14 \div \frac{7}{8})$ kg입니다.

응용 1 그림을 보고 해결해 보시오.

나무막대 $\frac{3}{4}$ m의 무게가 3kg입니다.
나무막대 1 m의 무게는 몇 kg입니까?

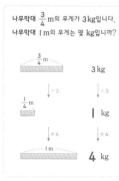

쇠막대 $\frac{2}{5}$ m의 무게가 8kg입니다.
쇠막대 1 m의 무게는 몇 kg입니까?

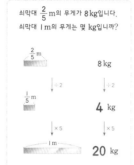

응용 2 다음을 읽고 식을 세워 해결해 보시오.

보기

고무관 $\frac{3}{4}$ m의 무게가 $1\frac{4}{5}$ kg입니다.
고무관 1 m의 무게는 몇 kg입니까?

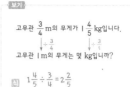

식 $1\frac{4}{5} \div \frac{3}{4} = 2\frac{2}{5}$

답 $2\frac{2}{5}$ kg

유리관 $\frac{9}{10}$ m의 무게가 $\frac{3}{7}$ kg입니다.
유리관 1 m의 무게는 몇 kg입니까?

식 $\frac{3}{7} \div \frac{9}{10} = \frac{10}{21}$

답 $\frac{10}{21}$ kg

$\frac{8}{11}$ km를 가는 데 $\frac{1}{4}$ 시간이 걸립니다.
1시간 동안 몇 km를 갈 수 있습니까?

식 $\frac{8}{11} \div \frac{1}{4} = 2\frac{10}{11}$

답 $2\frac{10}{11}$ km

$\frac{7}{9}$ cm를 기어가는 데 $\frac{1}{12}$ 분이 걸립니다.
1분 동안 몇 cm를 기어갈 수 있습니까?

식 $\frac{7}{9} \div \frac{1}{12} = 9\frac{1}{3}$

답 $9\frac{1}{3}$ cm

음료수 $\frac{4}{5}$ L의 가격이 4000원입니다.
음료수 1 L의 가격은 얼마입니까?

식 $4000 \div \frac{4}{5} = 5000$

답 5000원

우유 $\frac{9}{10}$ L의 가격이 2700원입니다.
우유 1 L의 가격은 얼마입니까?

식 $2700 \div \frac{9}{10} = 3000$

답 3000원

응용 3 다음을 읽고 식을 세워 해결해 보시오.

보기

검은 돌 수는 흰 돌 수의 몇 배입니까?
➡ 3 은 1 의 몇 배입니까?
➡ 식 $3 \div 1 = 3$ 답 3 배

검은 돌 수는 흰 돌 수의 몇 배입니까?
➡ 6 은 2 의 몇 배입니까?
➡ 식 $6 \div 2 = 3$ 답 3 배

검은 돌 수는 흰 돌 수의 몇 배입니까?
➡ 8 은 2 의 몇 배입니까?
➡ 식 $8 \div 2 = 4$ 답 4 배

검은 돌 수는 흰 돌 수의 몇 배입니까?
➡ 8 은 4 의 몇 배입니까?
➡ 식 $8 \div 4 = 2$ 답 2 배

검은 돌 수는 흰 돌 수의 몇 배입니까?
➡ 10 은 2 의 몇 배입니까?
➡ 식 $10 \div 2 = 5$ 답 5 배

응용 4 다음을 읽고 식을 세워 해결해 보시오.

승호가 마신 물은 $\frac{3}{5}$ L이고, 주아가 마신 물은 $\frac{4}{5}$ L입니다.
승호가 마신 물의 양은 주아가 마신 물의 양의 몇 배입니까?

식 $\frac{3}{5} \div \frac{4}{5} = \frac{3}{4}$

답 $\frac{3}{4}$ 배

냉장고에 콜라는 $\frac{2}{3}$ L 있고, 사이다는 $\frac{1}{9}$ L 있습니다.
콜라의 양은 사이다의 양의 몇 배입니까?

식 $\frac{2}{3} \div \frac{1}{9} = 6$

답 6배

케이크 한 개 중 진호는 $\frac{1}{4}$ 을 먹었고, 수빈이는 $\frac{2}{5}$ 를 먹었습니다.
진호가 먹은 케이크 양은 수빈이가 먹은 케이크 양의 몇 배입니까?

식 $\frac{1}{4} \div \frac{2}{5} = \frac{5}{8}$

답 $\frac{5}{8}$ 배

노란색 테이프의 길이는 $1\frac{1}{5}$ m이고, 초록색 테이프의 길이는 $\frac{2}{3}$ m입니다.
노란색 테이프의 길이는 초록색 테이프의 길이의 몇 배입니까?

식 $1\frac{1}{5} \div \frac{2}{3} = 1\frac{4}{5}$

답 $1\frac{4}{5}$ 배

강아지의 무게는 $3\frac{1}{8}$ kg이고, 고양이의 무게는 $2\frac{1}{2}$ kg입니다.
강아지의 무게는 고양이의 무게의 몇 배입니까?

식 $3\frac{1}{8} \div 2\frac{1}{2} = 1\frac{1}{4}$

답 $1\frac{1}{4}$ 배

형성평가

걸린 시간
정답 08쪽

초등 6-2
① 분수의 나눗셈

01 안에 알맞은 수를 써넣으시오.

(1) $\frac{4}{7} \div \frac{2}{7} = 4 \div 2 = 2$

(2) $\frac{9}{11} \div \frac{3}{11} = 9 \div 3 = 3$

02 분수의 나눗셈을 하시오.

(1) $\frac{8}{9} \div \frac{2}{9} = 4$

(2) $\frac{15}{17} \div \frac{5}{17} = 3$

03 안에 알맞은 수를 써넣으시오.

(1) $\frac{3}{7} \div \frac{5}{7} = \frac{3}{5}$

(2) $\frac{5}{12} \div \frac{11}{12} = \frac{5}{11}$

04 안에 알맞은 수를 써넣으시오.

(1) $\frac{7}{8} \div \frac{5}{8} = \frac{7}{5} = 1\frac{2}{5}$

(2) $\frac{8}{9} \div \frac{7}{9} = \frac{8}{7} = 1\frac{1}{7}$

(3) $\frac{7}{11} \div \frac{3}{11} = \frac{7}{3} = 2\frac{1}{3}$

(4) $\frac{13}{15} \div \frac{8}{15} = \frac{13}{8} = 1\frac{5}{8}$

(5) $\frac{11}{20} \div \frac{9}{20} = \frac{11}{9} = 1\frac{2}{9}$

05 분수의 나눗셈을 하시오.

(1) ÷

| $\frac{7}{12}$ | $\frac{11}{12}$ | $\frac{7}{11}$ |

(2) ÷

| $\frac{17}{18}$ | $\frac{5}{18}$ | $3\frac{2}{5}$ |

06 두 분수를 통분하시오.

(1) $\left(\frac{2}{3}, \frac{1}{4} \right)$ ⇒ $\left(\frac{8}{12}, \frac{3}{12} \right)$

(2) $\left(\frac{3}{5}, \frac{4}{7} \right)$ ⇒ $\left(\frac{21}{35}, \frac{20}{35} \right)$

07 두 분수를 통분하시오.

(1) $\left(\frac{5}{8}, \frac{7}{10} \right)$ ⇒ 예 $\left(\frac{25}{40}, \frac{28}{40} \right)$

(2) $\left(\frac{5}{6}, \frac{4}{9} \right)$ ⇒ 예 $\left(\frac{15}{18}, \frac{8}{18} \right)$

08 안에 알맞은 수를 써넣으시오.

(1) $\frac{1}{3} \div \frac{3}{5} = \frac{5}{15} \div \frac{9}{15} = \frac{5}{9}$

(2) $\frac{1}{4} \div \frac{3}{10} =$ 예 $\frac{5}{20} \div \frac{6}{20} = \frac{5}{6}$

09 안에 알맞은 수를 써넣으시오.

(1) $\frac{8}{7} \div \frac{5}{9} = \frac{72}{63} \div \frac{35}{63}$
$= \frac{72}{35} = 2\frac{2}{35}$

(2) $\frac{11}{8} \div \frac{5}{6} =$ 예 $\frac{33}{24} \div \frac{20}{24}$
$= \frac{33}{20} = 1\frac{13}{20}$

10 안에 알맞게 써넣으시오.

(1) $1\frac{2}{3} \div \frac{2}{5} = \frac{5}{3} \div \frac{2}{5}$
$= \frac{25}{15} \div \frac{6}{15}$
$= \frac{25}{6} = 4\frac{1}{6}$

(2) $1\frac{5}{8} \div \frac{7}{10} = \frac{13}{8} \div \frac{7}{10}$
$=$ 예 $\frac{65}{40} \div \frac{28}{40}$
$= \frac{65}{28} = 2\frac{9}{28}$

11 자연수를 크기가 같은 분수로 나타내어 보시오.

(1) $3 = \frac{21}{7}$ (2) $5 = \frac{45}{9}$

12 자연수를 분수로 나타내어 계산해 보시오.

(1) $4 \div \frac{4}{5} = \frac{20}{5} \div \frac{4}{5} = 5$

(2) $12 \div \frac{6}{7} = \frac{84}{7} \div \frac{6}{7} = 14$

13 그림을 완성하고, 안에 알맞은 수를 써넣으시오.

| 구슬 8개를 $\frac{4}{5}$접시에 나누기 | 접시 1개의 구슬 수 |

$8 \div \frac{4}{5}$ = 10

14 분수를 자연수로 나타내어 계산해 보시오.

(1) $6 \div \frac{3}{4} = (6 \div 3) \times 4$
$= 8$

(2) $18 \div \frac{6}{7} = (18 \div 6) \times 7$
$= 21$

15 곱셈으로 나타내어 계산해 보시오.

(1) $5 \div \frac{3}{4} = 5 \times \frac{4}{3}$
$= \frac{20}{3} = 6\frac{2}{3}$

(2) $14 \div \frac{5}{6} = 14 \times \frac{6}{5}$
$= \frac{84}{5} = 16\frac{4}{5}$

[16~17] 계산해 보시오.

16 (분수)×(분수)로 계산하기

$\frac{4}{9} \div \frac{5}{13} = \frac{4}{9} \times \frac{13}{5}$
$= \frac{52}{45}$
$= 1\frac{7}{45}$

17 (분수)×(분수)로 계산하기

$\frac{7}{5} \div \frac{6}{7} = \frac{7}{5} \times \frac{7}{6}$
$= \frac{49}{30}$
$= 1\frac{19}{30}$

18 계산해 보시오.

$2\frac{2}{7} \div 1\frac{2}{5} = \frac{16}{7} \div \frac{7}{5}$
$= \frac{16}{7} \times \frac{5}{7}$
$= \frac{80}{49} = 1\frac{31}{49}$

19 계산해 보시오.

(1) $3 \div \frac{4}{5} = 3\frac{3}{4}$

(2) $\frac{4}{5} \div \frac{2}{3} = 1\frac{1}{5}$

(3) $\frac{11}{4} \div \frac{5}{8} = 4\frac{2}{5}$

(4) $1\frac{5}{9} \div \frac{6}{7} = 1\frac{22}{27}$

(5) $4\frac{9}{10} \div 2\frac{4}{5} = 1\frac{3}{4}$

20 분수의 나눗셈을 하시오.

	$\frac{7}{8}$	
$\frac{11}{12}$	÷	$\frac{5}{6}$	$1\frac{1}{10}$
	$\frac{4}{5}$	

$1\frac{3}{32}$

 **단원 평가** 　1. 분수의 나눗셈

정답 09쪽

1 그림을 보고 　안에 알맞은 수를 써넣으시오.

0 　$\frac{1}{6}$ 　2 　3 　4 　5 　1

$$\frac{5}{6} \div \frac{1}{6} = 5 \div 1 = 5$$

2 　안에 알맞은 수를 써넣으시오.

$$\frac{5}{9} \div \frac{7}{9} = 5 \div 7 = \frac{5}{7}$$

3 계산을 하시오.

(1) $\frac{1}{4} \div \frac{5}{6} = \frac{3}{10}$

(2) $\frac{2}{5} \div \frac{2}{3} = \frac{3}{5}$

4 계산을 하시오.

(1) $\frac{4}{5} \div \frac{1}{3} = 2\frac{2}{5}$

(2) $\frac{2}{3} \div \frac{3}{7} = 1\frac{5}{9}$

5 빈 곳에 알맞은 수를 써넣으시오.

(1)

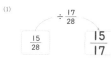

$\div \frac{17}{28}$

$\frac{15}{28}$ 　$\frac{15}{17}$

(2)

$\div \frac{8}{11}$

$\frac{2}{7}$ 　$\frac{11}{28}$

6 계산 결과가 나머지와 다른 것은 어느 것입니까? (③)

① $\frac{4}{7} \div \frac{2}{7} = 2$ 　② $\frac{8}{11} \div \frac{4}{11} = 2$

③ $\frac{9}{13} \div \frac{3}{13} = 3$ 　④ $\frac{2}{9} \div \frac{1}{9} = 2$

⑤ $\frac{14}{15} \div \frac{7}{15} = 2$

7 ㉠÷㉡의 몫을 구하시오.

㉠ $\frac{1}{6}$ 이 5개인 수

㉡ $\frac{1}{9}$ 이 8개인 수

($\frac{15}{16}$)

➡ ㉠÷㉡ $= \frac{5}{6} \div \frac{8}{9} = \frac{15}{16}$

8 큰 수를 작은 수로 나눈 몫을 빈 곳에 써넣으시오.

$\frac{5}{14}$ 　$\frac{5}{9}$

$1\frac{5}{9}$

$$\frac{5}{9} \div \frac{5}{14} = 1\frac{5}{9}$$

9 빈 곳에 알맞은 수를 써넣으시오.

$\div \frac{3}{5}$ → 30

18 　$\div \frac{9}{10}$ → 20

$\div \frac{6}{7}$ → 21

10 계산 결과가 자연수인 것은 어느 것입니까? (⑤)

① $7 \div \frac{6}{13}$ 　② $3 \div \frac{4}{9}$

③ $6 \div \frac{9}{10}$ 　④ $20 \div \frac{8}{11}$

⑤ $32 \div \frac{8}{13}$

① $15\frac{1}{6}$ 　② $6\frac{3}{4}$

③ $6\frac{2}{3}$ 　④ $27\frac{1}{2}$

⑤ 52

---

11 다음은 분수의 나눗셈을 잘못 계산한 것입니다. 잘못 계산한 이유를 쓰고 바르게 계산하시오.

$2\frac{1}{4} \div \frac{5}{6} = \frac{9}{4} \div \frac{5}{6} = \frac{9}{4} \times \frac{5}{6}^{3}$

$\quad = \frac{15}{8} = 1\frac{7}{8}$

예 이유 나눗셈을 곱셈으로 바꾼 후 나누는 분수의 분모와 분자를 바른 계산 바꾸어 계산하지 않았습니다.

$2\frac{1}{4} \div \frac{5}{6} = \frac{9}{4} \div \frac{5}{6}$

$= \frac{9}{\underset{2}{4}} \times \frac{\overset{3}{6}}{5} = \frac{27}{10} = 2\frac{7}{10}$

12 관계있는 것끼리 선으로 이으시오.

$1\frac{2}{5} \div \frac{2}{3}$ 　　$\frac{8}{45}$

$\frac{2}{9} \div 1\frac{1}{4}$ 　　$\frac{26}{33}$

$8\frac{1}{4} \div 3\frac{2}{3}$ 　　$2\frac{1}{4}$

$1\frac{4}{9} \div 1\frac{5}{6}$ 　　$2\frac{1}{10}$

13 계산 결과가 단위분수인 것은 어느 것입니까? (④)

① $1\frac{1}{4} \div 2\frac{1}{7}$ 　② $2\frac{4}{5} \div \frac{7}{10}$

③ $6\frac{3}{4} \div 1\frac{1}{8}$ 　④ $\frac{8}{15} \div 6\frac{2}{5}$

⑤ $\frac{5}{12} \div 1\frac{3}{20}$

① $\frac{7}{12}$ 　② 4

③ 6 　④ $\frac{1}{12}$

⑤ $\frac{25}{69}$

14 　안에 >, =, <를 알맞게 써넣으시오.

(1) $\frac{8}{5} \div \frac{4}{5}$ > $\frac{13}{6} \div \frac{5}{6}$

$= 3\frac{3}{5}$ 　　$= 2\frac{3}{5}$

(2) $2\frac{3}{8} \div 4\frac{2}{5}$ = $1\frac{3}{8} \div 2\frac{1}{5}$

$= \frac{5}{8}$ 　　$= \frac{5}{8}$

15 빨간색 리본의 길이는 $\frac{15}{4}$ m이고, 파란색 리본의 길이는 $\frac{5}{8}$ m입니다. 빨간색 리본의 길이는 파란색 리본의 길이의 몇 배입니까?

(6)배

$\frac{15}{4} \div \frac{5}{8} = \frac{\overset{3}{15}}{\underset{1}{4}} \times \frac{\overset{2}{8}}{5} = 6$

16 계산 결과가 가장 큰 것부터 차례로 기호를 쓰시오.

㉠ $\frac{5}{7} \div \frac{3}{5}$ 　㉡ $5 \div 1\frac{3}{7}$ 　㉢ $1\frac{5}{8} \div 2\frac{1}{4}$

(㉡, ㉠, ㉢)

㉠ $1\frac{4}{21}$ 　㉡ $3\frac{1}{2}$ 　㉢ $\frac{13}{18}$

17 　안에 알맞은 수를 써넣으시오.

(1) $6\frac{1}{4} \times 1\frac{3}{5} = 10$

(2) $2\frac{2}{5} \times \frac{2}{9} = \frac{8}{15}$

(1) $10 \div 6\frac{1}{4} = 1\frac{3}{5}$

(2) $\frac{8}{15} \div 2\frac{2}{5} = \frac{2}{9}$

18 $\frac{5}{6}$ 에 어떤 수를 곱하였더니 20이 되었습니다. 어떤 수를 구하시오.

(24)

$\frac{5}{6} \times \square = 20$

➡ $\square = 20 \div \frac{5}{6} = 24$

19 가장 큰 수를 가장 작은 수로 나눈 몫을 구하시오.

$2\frac{1}{5}$ 　$\frac{14}{5}$ 　$1\frac{8}{9}$ 　$\frac{19}{10}$

($1\frac{41}{85}$)

$\frac{14}{5} > 2\frac{1}{5} > \frac{19}{10} > 1\frac{8}{9}$

$(=2\frac{4}{5})$ 　$(=1\frac{9}{10})$

➡ $\frac{14}{5} \div 1\frac{8}{9} = 1\frac{41}{85}$

20 넓이가 $13\frac{4}{5}$ cm²이고 가로가 $5\frac{3}{4}$ cm인 직사각형이 있습니다. 이 직사각형의 세로는 몇 cm인지 풀이 과정을 쓰고 답을 구하시오.

예 풀이 (세로) $= 13\frac{4}{5} \div 5\frac{3}{4}$

$= \frac{69}{5} \div \frac{23}{4} = \frac{\overset{3}{69}}{5} \times \frac{4}{\underset{1}{23}}$

$= \frac{12}{5} = 2\frac{2}{5}$ (cm)

답 $2\frac{2}{5}$ cm

01 (소수)÷(소수)의 기본

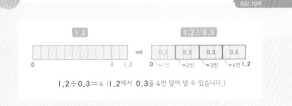

1.2÷0.3=4 (1.2에서 0.3을 4번 덜어 낼 수 있습니다.)

1 〈보기〉와 같이 그림을 완성하고, 빈칸에 알맞은 수를 써넣으시오.

0.6÷0.2= 3
→ 0.6에서 0.2를 3 번 덜어 낼 수 있습니다.

0.6÷0.3= 2
→ 0.6에서 0.3을 2 번 덜어 낼 수 있습니다.

0.8÷0.4= 2
→ 0.8에서 0.4를 2 번 덜어 낼 수 있습니다.

0.8÷0.2= 4
→ 0.8에서 0.2를 4 번 덜어 낼 수 있습니다.

1.2÷0.6= 2
→ 1.2에서 0.6을 2 번 덜어 낼 수 있습니다.

1.2÷0.4= 3
→ 1.2에서 0.4를 3 번 덜어 낼 수 있습니다.

2 빈칸에 알맞은 수를 써넣으시오.

	(소수)÷(소수)	(자연수)÷(자연수)
1cm=10mm 24.6cm= 246 mm 0.6cm= 6 mm	24.6÷0.6 =	246 ÷ 6 = 41
1cm=10mm 32.8cm= 328 mm 0.4cm= 4 mm	32.8÷0.4 =	328 ÷ 4 = 82
1cm=10mm 27.9cm= 279 mm 0.3cm= 3 mm	27.9÷0.3 =	279 ÷ 3 = 93
1m=100cm 4.28m= 428 cm 0.04m= 4 cm	4.28÷0.04 =	428 ÷ 4 = 107
1m=100cm 5.25m= 525 cm 0.05m= 5 cm	5.25÷0.05 =	525 ÷ 5 = 105

3개 → 1명
6개 → 2명
9개 → 3명

1명 몫 3 ÷ 1 = 3

3 ÷ 1 = 3
×2 ↓ ×2 ↓
6 ÷ 2 = 3

3 ÷ 1 = 3
×3 ↓ ×3 ↓
9 ÷ 3 = 3

〈나누어지는 수〉÷〈나누는 수〉=〈몫〉

나누어지는 수와 나누는 수가 똑같이 2배, 3배 되면 1명의 몫은 변하지 않습니다.
(컵케이크의 수) (사람 수)

3 안에 알맞은 수를 써넣고, 알맞은 말에 ○표 하시오.

나누어지는 수	나누는 수	몫
0.6 ÷ 0.3 =	2
10배 ↓	10배 ↓	
6 ÷ 3 =	2

나누어지는 수	나누는 수	몫
1.2 ÷ 0.4 =	3
10배 ↓	10배 ↓	
12 ÷ 4 =	3

➡ 나누어지는 수와 나누는 수를 똑같이 10배 하면 몫은 (변합니다 , (변하지 않습니다)).

나누어지는 수	나누는 수	몫
0.08 ÷ 0.02 =	4
100배 ↓	100배 ↓	
8 ÷ 2 =	4

나누어지는 수	나누는 수	몫
0.96 ÷ 0.12 =	8
100배 ↓	100배 ↓	
96 ÷ 12 =	8

➡ 나누어지는 수와 나누는 수를 똑같이 100배 하면 몫은 (변합니다 , (변하지 않습니다)).

4 자연수의 나눗셈을 이용하여 소수의 나눗셈을 하시오.

〈보기〉
4.36 ÷ 0.04 = 109
100배 ↓ 100배 ↓
436 ÷ 4 = 109

5.4 ÷ 0.9 = 6
10배 ↓ 10배 ↓
54 ÷ 9 = 6

7.2 ÷ 0.8 = 9
10배 ↓ 10배 ↓
72 ÷ 8 = 9

2.42 ÷ 0.02 = 121
100배 ↓ 100배 ↓
242 ÷ 2 = 121

6.3 ÷ 0.7 = 9
10배 ↓ 10배 ↓
63 ÷ 7 = 9

3.96 ÷ 0.03 = 132
100배 ↓ 100배 ↓
396 ÷ 3 = 132

5.1 ÷ 0.3 = 17
10배 ↓ 10배 ↓
51 ÷ 3 = 17

0.72 ÷ 0.06 = 12
100배 ↓ 100배 ↓
72 ÷ 6 = 12

7.6 ÷ 0.4 = 19
10배 ↓ 10배 ↓
76 ÷ 4 = 19

4.55 ÷ 0.05 = 91
100배 ↓ 100배 ↓
455 ÷ 5 = 91

11.2 ÷ 0.7 = 16
10배 ↓ 10배 ↓
112 ÷ 7 = 16

1.44 ÷ 0.12 = 12
100배 ↓ 100배 ↓
144 ÷ 12 = 12

02 자연수의 나눗셈을 이용하여 계산하기

정답 11쪽

● 나누는 수를 자연수로 만들어 계산하기

(소수)÷(소수)	나누는 수를 자연수로 만들기	(어떤 수)÷(자연수)
나누어지는 수 / 나누는 수		
6.67 ÷ 2.3	→ 6.67÷2.3 (10배/10배) →	66.7 ÷ 23

1 나누는 수를 자연수로 만들어 소수의 나눗셈의 몫과 같도록 나눗셈식을 완성하시오.

(소수)÷(소수)	(어떤 수)÷(자연수)	(소수)÷(소수)	(어떤 수)÷(자연수)
6.4÷0.4 →	64 ÷ 4	5.94÷0.11 →	594÷11
0.72÷0.6 →	7.2÷6	5.7÷0.3 →	57÷3
1.68÷0.24 →	168÷24	4.88÷0.8 →	48.8÷8
8.4÷0.6 →	84÷6	2.52÷0.12 →	252÷12
9.96÷1.2 →	99.6÷12	17.28÷2.7 →	172.8 ÷ 27

2 나누는 수를 자연수로 만들어 소수의 나눗셈의 몫과 같도록 나눗셈식을 완성하시오.

보기

(자연수)÷(소수)	나누는 수를 자연수로 만들기	(어떤 수)÷(자연수)
나누어지는 수 / 나누는 수		
8 ÷ 0.25	→ 8÷0.25 (100배/100배) →	800 ÷ 25

(자연수)÷(소수)	(어떤 수)÷(자연수)	(자연수)÷(소수)	(어떤 수)÷(자연수)
7÷1.4 →	70 ÷ 14	1÷0.25 →	100 ÷ 25
6÷1.5 →	60 ÷ 15	9÷0.36 →	900 ÷ 36
9÷1.8 →	90 ÷ 18	6÷0.24 →	600 ÷ 24
12÷2.4 →	120 ÷ 24	29÷1.45 →	2900÷145
15÷2.5 →	150 ÷ 25	36÷0.48 →	3600÷48
59÷11.8 →	590÷118	65÷3.25 →	6500÷325

3 나누는 수를 자연수로 만들어 계산해 보시오.

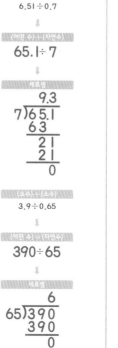

4 소수의 나눗셈 실력을 점검해 보시오.

실력 평가 　　10분

1. 1.8÷0.2=9　　2. 2.4÷0.4=6　　3. 1.12÷0.08=14

4. 4.51÷0.11=41　　5. 5.16÷0.6=8.6　　6. 6.12÷0.9=6.8

7. 20.25÷1.5 =13.5　　8. 27÷5.4=5　　9. 30÷7.5=4

10. 117÷4.5=26　　11. 9÷2.25=4　　12. 18÷0.75=24

수고하셨습니다!

03 분수의 나눗셈을 이용하여 계산하기

정답 12쪽

$$1.2 \div 0.5 = \frac{12}{10} \div \frac{5}{10} = 12 \div 5 = 2.4$$

(소수)÷(소수) (분수)÷(분수) 계산하기

① 소수를 분수로 고쳐서 계산해 보시오.

[보기]

$$1.8 \div 0.2 = \frac{18}{10} \div \frac{2}{10} = 18 \div 2 = 9$$

$$4.8 \div 0.6 = \frac{48}{10} \div \frac{6}{10} = 48 \div 6 = 8$$

$$3.84 \div 0.08 = \frac{384}{100} \div \frac{8}{100} = 384 \div 8 = 48$$

$$5.6 \div 1.4 = \frac{56}{10} \div \frac{14}{10} = 56 \div 14 = 4$$

$$2.16 \div 0.12 = \frac{216}{100} \div \frac{12}{100} = 216 \div 12 = 18$$

$$72.9 \div 0.9 = \frac{729}{10} \div \frac{9}{10} = 729 \div 9 = 81$$

$$1.69 \div 0.13 = \frac{169}{100} \div \frac{13}{100} = 169 \div 13 = 13$$

② 보기와 같은 방법으로 계산해 보시오.

[보기]

$$8 \div 0.25 = \frac{800}{100} \div \frac{25}{100} = 800 \div 25 = 32$$

$$6 \div 0.2 = \frac{60}{10} \div \frac{2}{10} = 60 \div 2 = 30$$

$$9 \div 0.36 = \frac{900}{100} \div \frac{36}{100} = 900 \div 36 = 25$$

$$56 \div 0.8 = \frac{560}{10} \div \frac{8}{10} = 560 \div 8 = 70$$

$$4 \div 0.25 = \frac{400}{100} \div \frac{25}{100} = 400 \div 25 = 16$$

$$27 \div 4.5 = \frac{270}{10} \div \frac{45}{10} = 270 \div 45 = 6$$

$$90 \div 3.75 = \frac{9000}{100} \div \frac{375}{100} = 9000 \div 375 = 24$$

(소수)÷(소수) (분수)÷(분수) (분수)×(분수) 계산하기

$$2.96 \div 0.8 = \frac{296}{100} \div \frac{8}{10} = \frac{296}{100} \times \frac{10}{8} = \frac{37}{100} \times \frac{10}{8} = \frac{37}{10} = 3.7$$

③ 소수를 분수로 고쳐서 계산해 보시오.

$$2.52 \div 0.9 = \frac{252}{100} \div \frac{9}{10} = \frac{252}{100} \times \frac{10}{9} = \frac{28}{10} = 2.8$$

$$0.9 \div 0.15 = \frac{9}{10} \div \frac{15}{100} = \frac{9}{10} \times \frac{100}{15} = 6$$

$$1.56 \div 1.2 = \frac{156}{100} \div \frac{12}{10} = \frac{156}{100} \times \frac{10}{12} = \frac{13}{10} = 1.3$$

$$5.1 \div 1.02 = \frac{51}{10} \div \frac{102}{100} = \frac{51}{10} \times \frac{100}{102} = 5$$

$$4.68 \div 2.6 = \frac{468}{100} \div \frac{26}{10} = \frac{468}{100} \times \frac{10}{26} = \frac{18}{10} = 1.8$$

④ 소수의 나눗셈 실력을 점검해 보시오.

실력평가 맞힌 개수 [ ]개 제한 시간 10분

1. $4.2 \div 0.6 = 7$ 2. $6.5 \div 0.5 = 13$ 3. $1.02 \div 0.17 = 6$

4. $3.12 \div 0.13 = 24$ 5. $6.88 \div 1.6 = 4.3$ 6. $9.52 \div 3.4 = 2.8$

7. $3.4 \div 0.85 = 4$ 8. $6.2 \div 1.24 = 5$ 9. $12 \div 1.5 = 8$

10. $36 \div 2.4 = 15$ 11. $29 \div 1.16 = 25$ 12. $42 \div 1.75 = 24$

수고하셨습니다!

04 세로셈으로 계산하기

정답 13쪽

● 나누는 수를 자연수로 만들어 (소수)÷(소수) 계산하기

(소수)÷(소수)	나누는 수를 자연수로 만들기	(어떤 수)÷(자연수)
$0.2)\overline{3.62}$ ↑나누는 수 ↑나누어지는 수	$0.2)\overline{3.62}$ (10배) → $0.2)\overline{3.62}$ (10배)(10배) →	$2)\overline{36.2}$

1 나누는 수를 자연수로 만들어 소수의 나눗셈의 몫과 같도록 나눗셈식을 완성하시오.

(소수)÷(소수)	(어떤 수)÷(자연수)	(소수)÷(소수)	(어떤 수)÷(자연수)
$0.3)\overline{2.7}$ (10배)(10배) →	$3)\overline{27}$	$0.25)\overline{1.25}$ (100배)(100배) →	$25)\overline{125}$
$0.8)\overline{1.44}$ →	$8)\overline{14.4}$	$1.7)\overline{8.5}$ →	$17)\overline{85}$
$0.43)\overline{2.15}$ →	$43)\overline{215}$	$2.9)\overline{6.38}$ →	$29)\overline{63.8}$
$1.8)\overline{21.6}$ →	$18)\overline{216}$	$0.38)\overline{2.28}$ →	$38)\overline{228}$
$3.3)\overline{9.57}$ →	$33)\overline{95.7}$	$3.4)\overline{8.84}$ →	$34)\overline{88.4}$

16

2 나누는 수를 자연수로 만들어 계산해 보시오.

보기
나누는 수를 자연수로 만들기	계산 하기
$1.5)\overline{3.75}$	$15)\overline{37.5}$ 에서 $\begin{array}{r} 2 \\ 15)\overline{375} \\ \underline{30} \\ 75 \end{array}$ → $\begin{array}{r} 2.5 \\ 15)\overline{37.5} \\ \underline{30} \\ 75 \\ \underline{75} \\ 0 \end{array}$

$\begin{array}{r} 17 \\ 0.4)\overline{6.8_\wedge} \\ \underline{4} \\ 28 \\ \underline{28} \\ 0 \end{array}$ $\begin{array}{r} 12 \\ 0.26)\overline{3.12_\wedge} \\ \underline{26} \\ 52 \\ \underline{52} \\ 0 \end{array}$ $\begin{array}{r} 1.8 \\ 1.2)\overline{2.1_\wedge6} \\ \underline{12} \\ 96 \\ \underline{96} \\ 0 \end{array}$

$\begin{array}{r} 7 \\ 3.2)\overline{22.4_\wedge} \\ \underline{224} \\ 0 \end{array}$ $\begin{array}{r} 14 \\ 0.57)\overline{7.9_\wedge8} \\ \underline{57} \\ 228 \\ \underline{228} \\ 0 \end{array}$ $\begin{array}{r} 1.4 \\ 2.3)\overline{3.2_\wedge2} \\ \underline{23} \\ 92 \\ \underline{92} \\ 0 \end{array}$

$\begin{array}{r} 17 \\ 4.8)\overline{81.6_\wedge} \\ \underline{48} \\ 336 \\ \underline{336} \\ 0 \end{array}$ $\begin{array}{r} 36 \\ 1.32)\overline{47.5_\wedge2} \\ \underline{396} \\ 792 \\ \underline{792} \\ 0 \end{array}$ $\begin{array}{r} 2.7 \\ 5.3)\overline{14.3_\wedge1} \\ \underline{106} \\ 371 \\ \underline{371} \\ 0 \end{array}$

17

● 나누는 수를 자연수로 만들어 (자연수)÷(소수) 계산하기

(자연수)÷(소수)	나누는 수를 자연수로 만들기	(어떤 수)÷(자연수)
$4.5)\overline{27}$ ↑나누는 수 ↑나누어지는 수	$4.5)\overline{27}$ (10배) → $4.5)\overline{27.0}$ (10배)(10배) →	$45)\overline{270}$

3 나누는 수를 자연수로 만들어 소수의 나눗셈의 몫과 같도록 나눗셈식을 완성하시오.

(자연수)÷(소수)	(어떤 수)÷(자연수)	(자연수)÷(소수)	(어떤 수)÷(자연수)
$0.5)\overline{8.0}$ (10배)(10배) →	$5)\overline{80}$	$1.25)\overline{40.0}$ (100배)(100배) →	$125)\overline{4000}$
$2.4)\overline{60.0}$ →	$24)\overline{600}$	$0.04)\overline{36.00}$ →	$4)\overline{3600}$
$1.6)\overline{40}$ →	$16)\overline{400}$	$3.25)\overline{78}$ →	$325)\overline{7800}$
$3.4)\overline{51}$ →	$34)\overline{510}$	$2.92)\overline{73}$ →	$292)\overline{7300}$
$7.2)\overline{252}$ →	$72)\overline{2520}$	$5.24)\overline{131}$ →	$524)\overline{13100}$

18

4 나누는 수를 자연수로 만들어 계산해 보시오.

보기
$0.12)\overline{9.6}$ (100배)(100배) →	$\begin{array}{r} 8 \\ 12)\overline{960} \\ \underline{96} \end{array}$ →	$\begin{array}{r} 80 \\ 12)\overline{960} \\ \underline{96} \\ 0 \end{array}$

$\begin{array}{r} 4 \\ 3.5)\overline{14_\wedge0} \\ \underline{140} \\ 0 \end{array}$ $\begin{array}{r} 75 \\ 0.16)\overline{12_\wedge00} \\ \underline{112} \\ 80 \\ \underline{80} \\ 0 \end{array}$ $\begin{array}{r} 60 \\ 0.07)\overline{4.2_\wedge0} \\ \underline{42} \\ 0 \end{array}$

$\begin{array}{r} 5 \\ 6.2)\overline{31_\wedge0} \\ \underline{310} \\ 0 \end{array}$ $\begin{array}{r} 25 \\ 1.92)\overline{48_\wedge00} \\ \underline{384} \\ 960 \\ \underline{960} \\ 0 \end{array}$ $\begin{array}{r} 6 \\ 0.25)\overline{1.5_\wedge0} \\ \underline{150} \\ 0 \end{array}$

$\begin{array}{r} 15 \\ 8.4)\overline{126_\wedge0} \\ \underline{84} \\ 420 \\ \underline{420} \\ 0 \end{array}$ $\begin{array}{r} 24 \\ 2.75)\overline{66_\wedge00} \\ \underline{550} \\ 1100 \\ \underline{1100} \\ 0 \end{array}$ $\begin{array}{r} 5 \\ 0.52)\overline{2.6_\wedge0} \\ \underline{260} \\ 0 \end{array}$

19

05 몫을 반올림하여 나타내기

● 11÷7의 몫을 반올림하여 나타내기

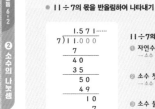

11÷7의 몫을 반올림하여
① 자연수로 나타내기: 11÷7=1.571······ ➡ 2
└ 소수 첫째 자리에서 반올림
② 소수 첫째 자리까지 나타내기: 11÷7=1.571······ ➡ 1.6
└ 소수 둘째 자리에서 반올림
③ 소수 둘째 자리까지 나타내기: 11÷7=1.571······ ➡ 1.57
└ 소수 셋째 자리에서 반올림

1 나눗셈의 몫을 조건 에 맞게 반올림하여 나타내시오.

조건 소수 첫째 자리에서 반올림하기
2÷3=0.666666······
➡ 1

조건 소수 둘째 자리에서 반올림하기
4÷7=0.571428······
➡ 0.6

조건 소수 셋째 자리에서 반올림하기
5÷9=0.555555······
➡ 0.56

조건 소수 첫째 자리에서 반올림하기
11÷9=1.222222······
➡ 1

조건 소수 둘째 자리에서 반올림하기
16÷7=2.285714······
➡ 2.3

조건 소수 셋째 자리에서 반올림하기
21÷9=2.333333······
➡ 2.33

2 나눗셈의 몫을 조건 에 맞게 반올림하여 나타내시오.

조건 반올림하여 자연수로 나타내기
소수 첫째 자리에서 반올림하기
12÷7=1.714285······
➡ 2

조건 반올림하여 소수 첫째 자리까지 나타내기
소수 둘째 자리에서 반올림하기
3÷11=0.272727······
➡ 0.3

조건 반올림하여 소수 둘째 자리까지 나타내기
소수 셋째 자리에서 반올림하기
7÷13=0.538461······
➡ 0.54

조건 반올림하여 자연수로 나타내기
소수 첫째 자리에서 반올림하기
7.6÷3=2.533333······
➡ 3

조건 반올림하여 소수 첫째 자리까지 나타내기
소수 둘째 자리에서 반올림하기
8.5÷6=1.416666······
➡ 1.4

조건 반올림하여 소수 둘째 자리까지 나타내기
소수 셋째 자리에서 반올림하기
9.6÷7=1.371428······
➡ 1.37

조건 반올림하여 소수 첫째 자리까지 나타내기
소수 둘째 자리에서 반올림하기
6.5÷0.7=9.285714······
➡ 9.3

조건 반올림하여 소수 둘째 자리까지 나타내기
소수 셋째 자리에서 반올림하기
13.5÷6.8=1.985294······
➡ 1.99

3 조건 에 맞게 나눗셈의 몫을 구해 보시오.

조건 반올림하여 소수 첫째 자리까지 나타내기
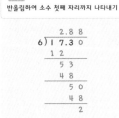
➡ 몫: 2.9

조건 반올림하여 소수 둘째 자리까지 나타내기
➡ 몫: 2.67

조건 반올림하여 소수 둘째 자리까지 나타내기
➡ 몫: 7.56

조건 반올림하여 소수 첫째 자리까지 나타내기
➡ 몫: 10.9

4 나눗셈의 몫을 자연수까지 구하고, 남는 수를 써넣으시오.

보기
```
    4
 2)8.6
   8
   0.6
```
➡ 몫은 4 이고,
0.6 남습니다.

➡ 몫은 4 이고,
2.3 남습니다.

➡ 몫은 6 이고,
4.7 남습니다.

➡ 몫은 5 이고,
1.7 남습니다.

➡ 몫은 7 이고,
1.7 남습니다.

➡ 몫은 8 이고,
2.4 남습니다.

➡ 몫은 19 이고,
0.5 남습니다.

➡ 몫은 15 이고,
2.7 남습니다.

➡ 몫은 13 이고,
3.4 남습니다.

유형 1

물 12.5 L가 있습니다. 물통 한 개에 물을 0.5 L씩 담는다면 필요한 물통은 몇 개입니까?

■▶ 주어진 수에 ○표 하고, 구하는 것에 밑줄 치기
물의 양: 12.5 L, 물통 한 개에 담는 물의 양: 0.5 L

■▶ 문제 해결하기
전체 물의 양을 물통 한 개에 담는 물의 양으로 (뺍니다 , 나눕니다).

■▶ 문제 풀기
(필요한 물통의 수)＝12.5÷0.5＝125÷5＝25 (개)

■▶ 답 쓰기
필요한 물통은 25 개입니다.

유형+ 1

집에서 학교까지의 거리는 2.34 km이고, 집에서 도서관까지의 거리는 1.8 km입니다. 집에서 학교까지의 거리는 집에서 도서관까지의 거리의 몇 배입니까?

■▶ 주어진 수에 ○표 하고, 구하는 것에 밑줄 치기
집에서 학교까지의 거리: 2.34 km, 집에서 도서관까지의 거리: 1.8 km

■▶ 문제 해결하기
집에서 학교까지의 거리를 집에서 도서관까지의 거리로 (뺍니다 , 나눕니다).

■▶ 문제 풀기
(집에서 학교까지의 거리)÷(집에서 도서관까지의 거리)
＝2.34÷1.8＝23.4÷18＝1.3 (배)

■▶ 답 쓰기
집에서 학교까지의 거리는 집에서 도서관까지의 거리의 1.3 배입니다.

유형 2

길이가 66 m인 철사가 있습니다. 이 철사를 2.75 m씩 자르면 몇 도막으로 자를 수 있습니까?

■▶ 주어진 수에 ○표 하고, 구하는 것에 밑줄 치기
철사의 길이: 66 m, 자르는 한 도막의 길이: 2.75 m

■▶ 문제 해결하기
전체 철사의 길이를 자르는 한 도막의 길이로 (뺍니다 , 나눕니다).

■▶ 문제 풀기
(도막의 수)＝66÷2.75＝24 (도막)

■▶ 답 쓰기
철사는 24 도막으로 자를 수 있습니다.

유형+ 2

밀가루 56.1 kg을 한 봉지에 6 kg씩 나누어 담으려고 합니다. 나누어 담을 수 있는 봉지 수와 남는 밀가루는 몇 kg입니까?

■▶ 주어진 수에 ○표 하고, 구하는 것에 밑줄 치기
밀가루의 양: 56.1 kg, 한 봉지에 나누어 담는 양: 6 kg

■▶ 문제 해결하기
몫을 (자연수 부분 , 소수 첫째 자리) 까지 구하고, 남는 수를 알아봅니다.

■▶ 문제 풀기

$$56.1÷6 ⇒ \begin{array}{r} 9 \\ 6\overline{\smash{)}5\,6.1} \\ \underline{54} \\ 2.1 \end{array}$$

몫: 9
남는 수: 2.1

■▶ 답 쓰기
나누어 담을 수 있는 봉지는 9 봉지이고, 남는 밀가루는 2.1 kg입니다.

● 안에 알맞은 수를 써넣고, 답을 구하시오.

1 Drill
주스 14.4 L가 있습니다. 병 한 개에 주스를 0.9 L씩 담는다면 필요한 병은 몇 개입니까?

풀이 (필요한 병의 수)
＝14.4÷0.9 ⇒ $\begin{array}{r} 16 \\ 0.9\overline{\smash{)}1\,4.4} \end{array}$

답 16 개

2 Drill
원 모양의 연못의 둘레는 8.1 m입니다. 이 연못의 둘레에 0.45 m 간격으로 깃대를 꽂으려고 합니다. 필요한 깃대는 모두 몇 개입니까?

풀이 (필요한 깃대의 수)
＝8.1÷0.45 ⇒ $\begin{array}{r} 18 \\ 0.45\overline{\smash{)}8.1} \end{array}$

답 18 개

3 Drill
빵 1개를 만드는 데 소금 3.8 g이 필요합니다. 소금 57 g으로 빵을 몇 개 만들 수 있습니까?

풀이 (만들 수 있는 빵의 수)
＝57÷3.8 ⇒ $\begin{array}{r} 15 \\ 3.8\overline{\smash{)}5\,7} \end{array}$

답 15 개

4 Drill
감자 37.5 kg을 한 사람당 4 kg씩 나누어 주려고 합니다. 나누어 줄 수 있는 사람 수와 남는 감자는 몇 kg입니까?

풀이 (전체 감자의 양)
÷(한 사람당 나누어 주는 양)
＝37.5÷4 ⇒ $\begin{array}{r} 9 \\ 4\overline{\smash{)}3\,7.5} \\ \underline{36} \\ 1.5 \end{array}$

답 9 명, 1.5 kg

● 서술형 문제를 읽고 풀이 과정과 답을 쓰시오.

도전 1
찰흙이 3.25 kg 있습니다. 찰흙을 한 사람에게 0.65 kg씩 나누어 준다면 몇 명에게 나누어 줄 수 있습니까?

예 풀이 (나누어 줄 수 있는 사람 수)
＝3.25÷0.65＝5 (명)

답 5 명

도전 2
일정한 빠르기로 1분 동안 1.2 km를 가는 자동차가 있습니다. 이 자동차가 같은 빠르기로 3.24 km를 가는 데 몇 분이 걸리겠습니까?

예 풀이 (가는 데 걸리는 시간)
＝3.24÷1.2＝2.7 (분)

답 2.7 분

도전 3
서진이네 목장에서 오늘 짠 우유 30 L를 한 통에 1.25 L씩 나누어 담으려고 합니다. 필요한 통은 몇 개입니까?

예 풀이 (필요한 통의 수)
＝30÷1.25＝24 (개)

답 24 개

도전 4
리본 2 m로 상자 1개를 묶을 수 있습니다. 리본 13.4 m로 똑같은 크기의 상자를 묶을 때, 묶을 수 있는 상자 수와 남는 리본은 몇 m입니까?

예 풀이 (전체 리본의 길이)÷(상자 1개를 묶는 데 필요한 리본의 길이)
＝13.4÷2＝6…1.4

답 6개, 1.4 m

 형성평가

초등6·2
② 소수의 나눗셈

01 보기와 같이 그림을 완성하고, 빈칸에 알맞은 수를 써넣으시오.

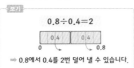
보기
$0.8 \div 0.4 = 2$

➡ 0.8에서 0.4를 2번 덜어 낼 수 있습니다.

$0.9 \div 0.3 = \boxed{3}$

| 0.3 | 0.3 | 0.3 |

➡ 0.9에서 0.3을 **3**번 덜어 낼 수 있습니다.

[02~03] 빈칸에 알맞은 수를 써넣으시오.

02
1cm=10mm
┌ 17.5cm = **175** mm
└ 0.7cm = **7** mm

➡ $17.5 \div 0.7 = 175 \div 7 = 25$

03
1m=100cm
┌ 2.88m = **288** cm
└ 0.09m = **9** cm

➡ $2.88 \div 0.09 = 288 \div 9 = 32$

04 안에 알맞은 수를 써넣고, 알맞은 말에 ○표 하시오.

나누어지는 수	나누는 수	몫
0.06 ÷ 0.02		3
↓100배	↓100배	
6 ÷ 2		**3**

나누어지는 수	나누는 수	몫
0.84 ÷ 0.14		6
↓100배	↓100배	
84 ÷ 14		**6**

➡ 나누어지는 수와 나누는 수를 똑같이 100배 하면 몫은
(변합니다 , (변하지 않습니다)).

05 자연수의 나눗셈을 이용하여 소수의 나눗셈을 하시오.

(1)
$11.7 \div 0.9 = \boxed{13}$
10배↓　　10배↓　　↑
$117 \div 9 = \boxed{13}$

(2)
$3.15 \div 0.35 = \boxed{9}$
100배↓　　100배↓
$315 \div 35 = \boxed{9}$

06 나누는 수를 자연수로 만들어 소수의 나눗셈의 몫과 같도록 나눗셈을 완성하시오.

(1) $2.16 \div 0.18$ ➡ $216 \div 18$

(2) $4.32 \div 1.6$ ➡ $43.2 \div 16$

07 나누는 수를 자연수로 만들어 소수의 나눗셈의 몫과 같도록 나눗셈식을 완성하시오.

(1) $12 \div 1.5$ ➡ $120 \div 15$

(2) $60 \div 3.75$ ➡ $6000 \div 375$

08 나누는 수를 자연수로 만들어 계산해 보시오.

(소수)÷(소수)
$16.2 \div 0.9$
↓
(어떤 수)÷(자연수)
$162 \div 9$
↓
세로셈

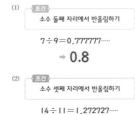

09 소수의 나눗셈을 하시오.

(1) $2.1 \div 0.3 = $ **7**

(2) $1.44 \div 0.24 = $ **6**

(3) $4.32 \div 3.6 = $ **1.2**

(4) $9 \div 0.5 = $ **18**

(5) $10 \div 1.25 = $ **8**

10 소수를 분수로 고쳐서 계산해 보시오.

(1) $5.6 \div 0.8 = \dfrac{56}{10} \div \dfrac{8}{10}$
$= 56 \div 8 = 7$

(2) $2.24 \div 0.56 = \dfrac{224}{100} \div \dfrac{56}{100}$
$= 224 \div 56$
$= 4$

11 분수로 고쳐서 계산해 보시오.

(1) $6 \div 0.4 = \dfrac{60}{10} \div \dfrac{4}{10}$
$= 60 \div 4 = 15$

(2) $33 \div 2.75 = \dfrac{3300}{100} \div \dfrac{275}{100}$
$= 3300 \div 275$
$= 12$

12 소수를 분수로 고쳐서 계산해 보시오.

$3.92 \div 2.8 = \dfrac{392}{100} \div \dfrac{28}{10}$
$= \dfrac{392}{100} \times \dfrac{10}{28}$
$= \dfrac{14}{10} = 1.4$

13 나누는 수를 자연수로 만들어 소수의 나눗셈의 몫과 같도록 나눗셈식을 완성하시오.

(1) $0.4\overline{)3.6}$ ➡ $4\overline{)36}$

(2) $4.2\overline{)4.62}$ ➡ $42\overline{)46.2}$

14 나누는 수를 자연수로 만들어 계산해 보시오.

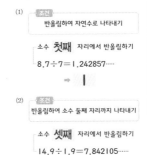

15 나누는 수를 자연수로 만들어 소수의 나눗셈의 몫과 같도록 나눗셈식을 완성하시오.

(1) $0.5\overline{)6}$ ➡ $5\overline{)60}$

(2) $3.24\overline{)81}$ ➡ $324\overline{)8100}$

16 나누는 수를 자연수로 만들어 계산해 보시오.

$2.16\overline{)32.40}$
몫 15
216
1080
1080
0

17 나눗셈의 몫을 조건에 맞게 반올림하여 나타내시오.

(1)
조건
소수 둘째 자리에서 반올림하기

$7 \div 9 = 0.777777\cdots$
➡ **0.8**

(2)
조건
소수 셋째 자리에서 반올림하기

$14 \div 11 = 1.272727\cdots$
➡ **1.27**

18 나눗셈의 몫을 조건에 맞게 반올림하여 나타내시오.

(1)
조건
반올림하여 자연수로 나타내기

소수 **첫째** 자리에서 반올림하기
$8.7 \div 7 = 1.242857\cdots$
➡ **1**

(2)
조건
반올림하여 소수 둘째 자리까지 나타내기

소수 **셋째** 자리에서 반올림하기
$14.9 \div 1.9 = 7.842105\cdots$
➡ **7.84**

19 조건에 맞게 나눗셈의 몫을 구해 보시오.

조건
반올림하여 소수 첫째 자리까지 나타내기

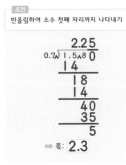

➡ 몫: **2.3**

20 나눗셈의 몫을 자연수까지 구하고, 남는 수를 써넣으시오.

$6\overline{)25.8}$
몫 4
24
1.8

➡ 몫은 **4** 이고,
1.8 남습니다.

단원 평가   2. 소수의 나눗셈

정답 17쪽

1 안에 알맞은 수를 써넣으시오.

$$3.6 \div 0.4 = 36 \div 4 = 9$$

2 소수를 분수로 고쳐서 계산해 보시오.

(1) $1.56 \div 1.2 = \dfrac{156}{100} \div \dfrac{12}{10}$

$$= \dfrac{156}{100} \times \dfrac{10}{12} = \dfrac{13}{10} = 1.3$$

(2) $8.84 \div 3.4 = \dfrac{884}{100} \div \dfrac{34}{10}$

$$= \dfrac{884}{100} \times \dfrac{10}{34} = \dfrac{26}{10} = 2.6$$

3 계산해 보시오.

$$\begin{array}{r} 8 \\ 1.6\,\overline{)\,1\,2.8} \\ 128 \\ \hline 0 \end{array}$$

4 빈 곳에 알맞은 수를 써넣으시오.

(1)
$$\xrightarrow{\div 1.3}$$
6.5 → 5

(2)
$$\xrightarrow{\div 0.93}$$
8.37 → 9

5 큰 수를 작은 수로 나눈 몫을 빈 곳에 써넣으시오.

(1)

70.2	2.6
27	

$70.2 \div 2.6 = 27$

(2)

1.25	13.75
11	

$13.75 \div 1.25 = 11$

6 계산 결과가 더 큰 것을 찾아 ○표 하시오.

$21.96 \div 1.22$ $24.05 \div 1.3$

(   )   (○)

$21.96 \div 1.22 = 18$
$24.05 \div 1.3 = 18.5$

7 계산 결과가 나머지와 다른 것을 찾아 기호를 쓰시오.

㉠ $1.92 \div 0.24$	㉡ $8.64 \div 0.72$
㉢ $18.48 \div 1.54$	㉣ $23.64 \div 1.97$

(㉠)

㉠ 8   ㉡ 12   ㉢ 12   ㉣ 12

8 안에 알맞은 수를 써넣으시오.

(1) $7.5 \div 2.5 = 75 \div 25 = 3$

(2) $34.56 \div 7.2$
$= 345.6 \div 72 = 4.8$

9 $8667 \div 321$과 몫이 같은 것은 어느 것입니까? (⑤)

① $86.67 \div 32.1$ ② $86.67 \div 321$
③ $8.667 \div 3210$ ④ $866.7 \div 3.21$
⑤ $8.667 \div 0.321$

$$\xrightarrow{1000배}$$
⑤ $8667 \div 321 = 8.667 \div 0.321$
$$\xleftarrow{1000배}$$

10 계산이 잘못된 곳을 찾아 바르게 계산하고, 이유를 써 보시오.

$$\begin{array}{r} 0.5 \\ 4.8\,\overline{)\,2\,4.0} \\ 24\,0 \\ \hline 0 \end{array} \Rightarrow \begin{array}{r} 5 \\ 4.8\,\overline{)\,2\,4.0} \\ 240 \\ \hline 0 \end{array}$$

예 **이유** 소수점을 옮겨서 계산한 경우 몫의 소수점은 옮겨진 소수점의 위치에 찍어야 합니다.

11 몫을 반올림하여 소수 둘째 자리까지 나타내시오.

$$6.87 \div 1.4$$

(4.91)

$6.87 \div 1.4 = 4.907\cdots$
➡ 4.91

12 몫을 반올림하여 소수 첫째 자리까지 나타낸 값이 더 큰 것에 ○표 하시오.

$4 \div 1.7$ $11.26 \div 4.2$

(   )   (○)

$4 \div 1.7 = 2.35\cdots$ ➡ 2.4
$11.26 \div 4.2 = 2.68\cdots$ ➡ 2.7

13 몫을 반올림하여 소수 첫째 자리까지 나타낸 몫과 소수 둘째 자리까지 나타낸 몫의 차를 구하시오.

$$18.3 \div 3.9$$

(0.01)

$18.3 \div 3.9 = 4.692\cdots$
➡ (소수 첫째 자리까지) 4.7
➡ (소수 둘째 자리까지) 4.69

14 계산 결과가 12보다 큰 것을 모두 찾아 기호를 쓰시오.

㉠ $19 \div 0.76$	㉡ $27 \div 2.25$
㉢ $60 \div 7.5$	㉣ $63 \div 4.5$

(㉠, ㉣)

㉠ 25   ㉡ 12
㉢ 8   ㉣ 14

15 안에 알맞은 수를 써넣으시오.

(1)
$$2.4 \xrightarrow{\times 35} 84$$
$84 \div 2.4 = 35$

(2)
$$1.5 \xrightarrow{\times 48} 72$$
$72 \div 1.5 = 48$

16 몫이 큰 순서대로 기호를 쓰시오.

㉠ $8.4 \div 0.7$
㉡ $47.25 \div 3.15$
㉢ $137.28 \div 13.2$

(㉡, ㉠, ㉢)

㉠ 12
㉡ 15
㉢ 10.4

17 고리 한 개를 만드는 데 철사가 7cm 필요합니다. 길이가 85.7cm인 철사로는 고리를 몇 개까지 만들 수 있고, 이때 남는 철사는 몇 cm입니까?

(12)개, (1.7)cm

$85.7 \div 7 = 12\cdots1.7$

18 몫의 크기를 비교하여 안에 >, =, <를 알맞게 써넣으시오.

$85 \div 7$의 몫을 반올림하여 자연수로 나타내기	<	$85 \div 7$

$85 \div 7 = 12.1\cdots$
➡ $12 < 12.1\cdots$

19 가로가 9.6cm이고 넓이가 38.4cm²인 직사각형이 있습니다. 이 직사각형의 세로는 몇 cm입니까?

9.6 cm

(4)cm

(세로)$= 38.4 \div 9.6 = 4$(cm)

20 어떤 수를 1.5로 나누어야 할 것을 잘못하여 곱하였더니 36이 되었습니다. 어떤 수는 얼마인지 풀이 과정을 쓰고 답을 구하시오.

풀이 **예** 어떤 수를 □라고 하면 잘못 계산한 식은 $□ \times 1.5 = 36$입니다. $□ = 36 \div 1.5 = 24$이므로 어떤 수는 24입니다.

답 24

01 위, 앞, 옆에서 본 모양

● 각 방향에서 본 모양 그리기

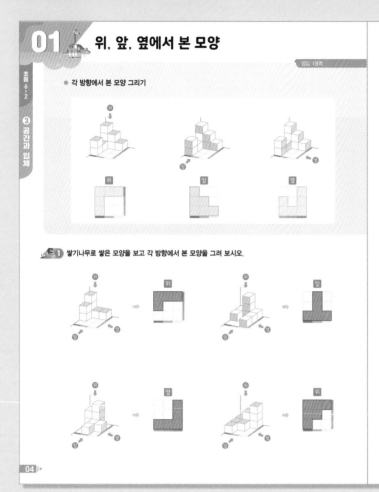

🐢1 쌓기나무로 쌓은 모양을 보고 각 방향에서 본 모양을 그려 보시오.

🐢2 쌓기나무로 쌓은 모양을 보고 위, 앞, 옆에서 본 모양을 각각 그려 보시오.

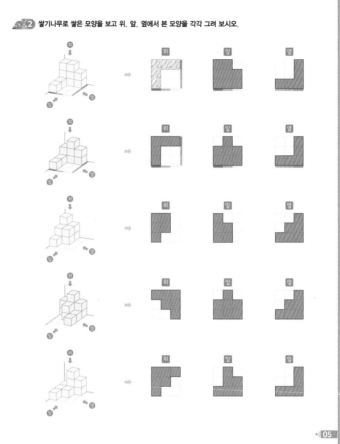

🐢3 위, 앞, 옆에서 본 모양을 보고 알맞게 쌓은 모양을 찾아 ☐ 안에 기호를 써넣으시오.

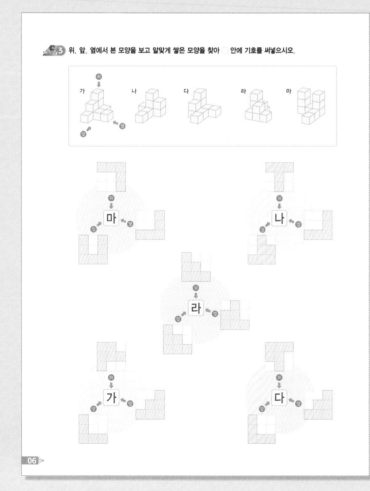

🐢4 위, 앞, 옆에서 본 모양을 보고 알맞게 쌓은 모양을 찾아 ☐ 안에 기호를 써넣으시오.

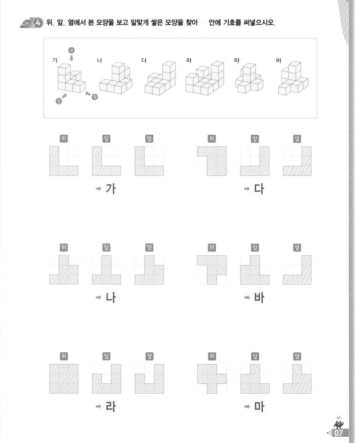

→ 가   → 다

→ 나   → 바

→ 라   → 마

02 위, 앞, 옆에서 본 모양으로 쌓기나무 개수 구하기

정답 19쪽

● 각 자리에 쌓은 쌓기나무 개수 구하기

1 각 자리에 쌓은 쌓기나무의 개수를 ⬜ 안에 써넣고, 전체 쌓기나무의 개수를 구하시오.

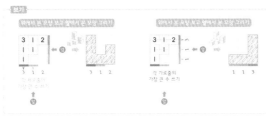

⇒ 8개   ⇒ 8개   ⇒ 8개

⇒ 9개   ⇒ 9개   ⇒ 9개

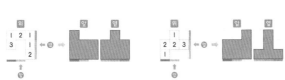

⇒ 10개   ⇒ 10개   ⇒ 10개

2 위에서 본 모양을 그리고, 각 자리에 쌓은 쌓기나무의 개수를 써넣으시오. 또 전체 쌓기나무의 개수를 구하시오.

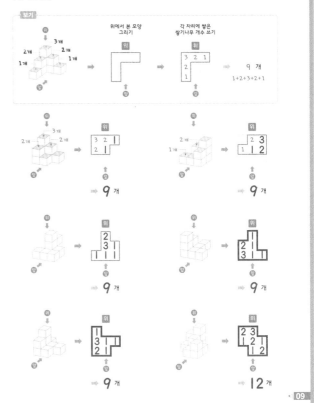

⇒ 9개   ⇒ 9개

⇒ 9개   ⇒ 9개

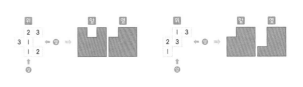

⇒ 9개   ⇒ 12개

3 쌓기나무로 쌓은 모양을 보고 위에서 본 모양에 수를 쓴 것입니다. 앞과 옆에서 본 모양을 각각 그려 보시오.

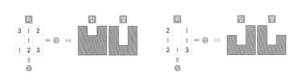

4 위에서 본 모양에 쓰인 수를 보고 앞과 옆에서 본 모양을 각각 그려 보시오.

03 층별로 나타낸 모양

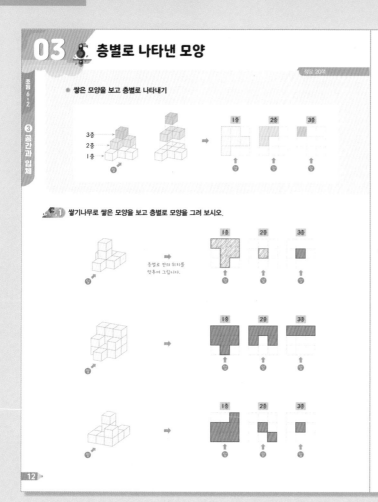

● 쌓은 모양을 보고 층별로 나타내기

1 쌓기나무로 쌓은 모양을 보고 층별로 모양을 그려 보시오.

층별로 칸의 위치를
맞추어 그립니다.

2 층별로 나타낸 모양을 보고 쌓은 모양을 찾아 ⬚ 안에 기호를 써넣으시오.

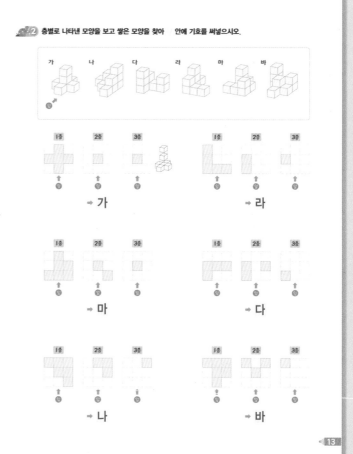

가   나   다   라   마   바

➜ 가   ➜ 라

➜ 마   ➜ 다

➜ 나   ➜ 바

3 쌓기나무로 쌓은 모양을 층별로 나타낸 모양입니다. 위에서 본 모양을 그려 수를 쓰고, 전체 쌓기나무의 개수를 구하시오.

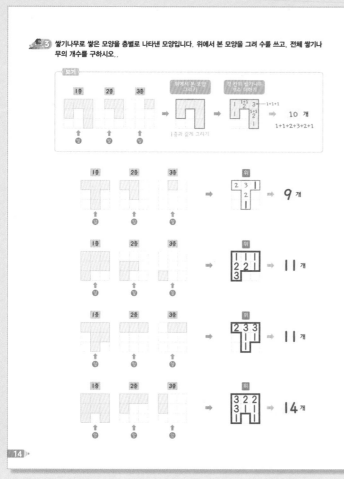

➜ 9 개

➜ 11 개

➜ 11 개

➜ 14 개

4 쌓기나무로 쌓은 모양을 층별로 나타낸 모양입니다. 위에서 본 모양을 그려 수를 쓰고, 앞, 옆에서 본 모양을 그려 보시오.

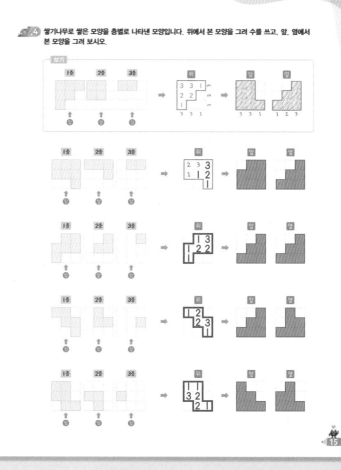

20

04 여러 가지 모양 만들기

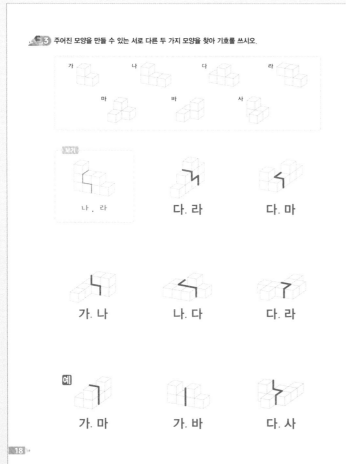

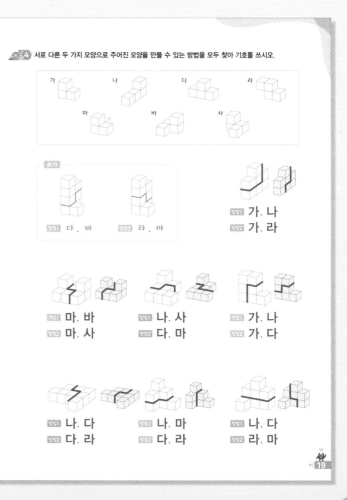

도전! 응용문제

정답 22쪽

응용 ① 위, 앞, 옆에서 본 모양과 똑같이 쌓을 때 필요한 쌓기나무의 개수를 구하시오.

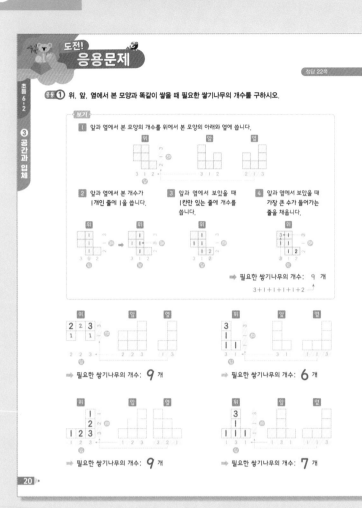

➡ 필요한 쌓기나무의 개수: 9 개
➡ 필요한 쌓기나무의 개수: 6 개
➡ 필요한 쌓기나무의 개수: 9 개
➡ 필요한 쌓기나무의 개수: 7 개

응용 ② 위, 앞, 옆에서 본 모양과 똑같이 쌓을 때 필요한 쌓기나무의 개수를 구하시오.

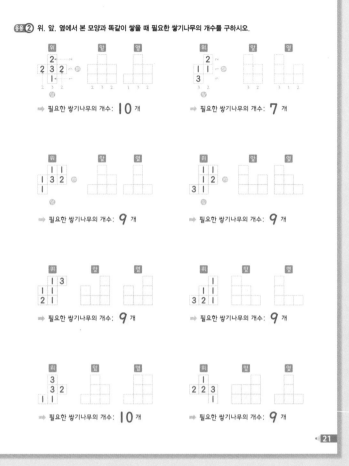

➡ 필요한 쌓기나무의 개수: 10 개
➡ 필요한 쌓기나무의 개수: 7 개
➡ 필요한 쌓기나무의 개수: 9 개
➡ 필요한 쌓기나무의 개수: 9 개
➡ 필요한 쌓기나무의 개수: 9 개
➡ 필요한 쌓기나무의 개수: 9 개
➡ 필요한 쌓기나무의 개수: 10 개
➡ 필요한 쌓기나무의 개수: 9 개

응용 ③ 위, 앞, 옆에서 본 모양과 똑같이 쌓을 때 필요한 쌓기나무의 최대, 최소 개수를 각각 구하시오.

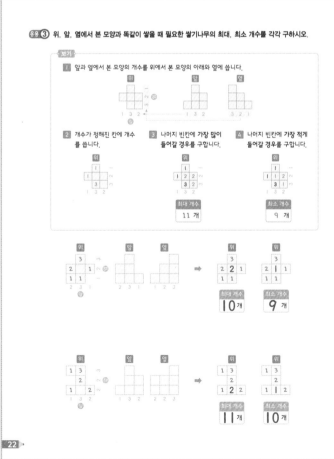

최대 개수 11 개 최소 개수 9 개

최대 개수 10 개 최소 개수 9 개

최대 개수 11 개 최소 개수 10 개

응용 ④ 위, 앞, 옆에서 본 모양과 똑같이 쌓을 때 필요한 쌓기나무의 최대, 최소 개수를 각각 구하시오.

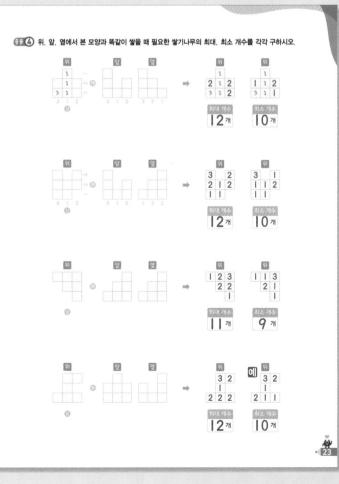

최대 개수 12 개 최소 개수 10 개

최대 개수 12 개 최소 개수 10 개

최대 개수 11 개 최소 개수 9 개

최대 개수 12 개 최소 개수 10 개

형성평가

초등 6-2
③ 공간과 입체

[01~02] 쌓기나무로 쌓은 모양을 보고, 각 방향에서 본 모양을 그려 보시오.

01

02

03 쌓기나무로 쌓은 모양을 보고 위, 앞, 옆에서 본 모양을 각각 그려 보시오.
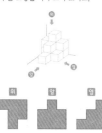

[04~05] 위, 앞, 옆에서 본 모양을 보고 알맞게 쌓은 모양을 찾아 안에 기호를 써넣으시오.

04 ➡ 나

05 ➡ 라

06 각 자리에 쌓은 쌓기나무의 개수를 안에 써넣고, 전체 쌓기나무의 개수를 구하시오.

➡ 7 개

[07~08] 위에서 본 모양을 그리고, 각 자리에 쌓은 쌓기나무의 개수를 써넣으시오. 또 전체 쌓기나무의 개수를 구하시오.

07
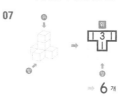
➡ 6 개

08

➡ 8 개

09 쌓기나무로 쌓은 모양을 보고 위에서 본 모양에 수를 쓴 것입니다. 앞과 옆에서 본 모양을 각각 그려 보시오.

10 위에서 본 모양에 쓰인 수를 보고 앞과 옆에서 본 모양을 각각 그려 보시오.
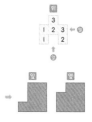

11 쌓기나무로 쌓은 모양을 보고 층별로 모양을 그려 보시오.
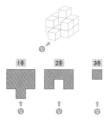

[12~13] 층별로 나타낸 모양을 보고 쌓은 모양을 찾아 안에 기호를 써넣으시오.
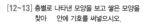

12  ➡ 가

13  ➡ 다

14 쌓기나무로 쌓은 모양을 층별로 나타낸 모양입니다. 위에서 본 모양을 그려 수를 쓰고, 전체 쌓기나무의 개수를 구하시오.
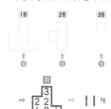
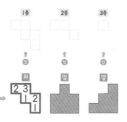 ➡ 11 개

15 쌓기나무로 쌓은 모양을 층별로 나타낸 모양입니다. 위에서 본 모양을 그려 수를 쓰고, 앞, 옆에서 본 모양을 그려 보시오.

16 주어진 두 모양을 사용하여 만든 새로운 모양에서 색 모양을 찾아 색칠하시오.

17 주어진 두 모양을 사용하여 만들 수 있는 새로운 모양 두 가지를 찾아 ○표 하시오.

[18~19] 주어진 모양을 만들 수 있는 서로 다른 두 가지 모양을 찾아 기호를 쓰시오.

18 가. 라

19 나. 다

20 서로 다른 두 가지 모양으로 주어진 모양을 만들 수 있는 방법을 모두 찾아 기호를 쓰시오.

가. 나
가. 다

단원 평가   3. 공간과 입체

정답 24쪽

1 다음 도형의 앞과 옆에서 본 모양을 각각 그려 보시오.

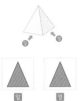

[2~3] 그림을 보고 물음에 답하시오.

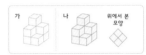

2 그림 가와 나 중에서 쌓기나무의 수를 정확히 셀 수 있는 것은 어느 것입니까?
(나)

3 그림 나에서 사용된 쌓기나무는 몇 개입니까?
(8)개

4 쌓기나무로 쌓은 모양과 위에서 본 모양입니다. ㉠에 쌓은 쌓기나무는 몇 개입니까?

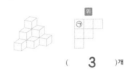
(3)개

[5~6] 똑같은 모양으로 쌓는 데 필요한 쌓기나무의 개수를 구하시오.

5 위에서 본 모양

(9)개

6 위에서 본 모양
(8)개

7 쌓기나무 8개로 만든 모양입니다. 위, 앞, 옆에서 본 모양을 찾아 기호를 쓰시오.

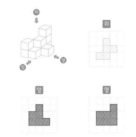

위에서 본 모양 (㉠)
앞에서 본 모양 (㉢)
옆에서 본 모양 (㉡)

8 쌓기나무로 쌓은 모양을 위에서 본 모양입니다. 앞과 옆에서 본 모양을 그려 보시오.

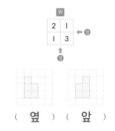

9 ☐ 안의 수는 각 자리에 쌓아 올린 쌓기나무의 수입니다. 서로 관계있는 것끼리 선으로 이으시오.

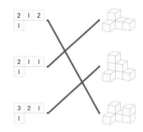

10 쌓기나무로 쌓은 모양을 위에서 본 모양에 수를 쓴 것입니다. 앞에서 본 모양은 '앞', 옆에서 본 모양은 '옆'이라고 쓰시오.

(옆) (앞)

[11~13] 그림과 같은 모양을 만들기 위해서 쌓기나무가 모두 몇 개 필요한지 알아보려고 합니다. 물음에 답하시오.

11 각 층별로 모양을 각각 그려 보시오.

12 각 층별로 쌓인 쌓기나무의 수를 세어 빈칸에 알맞은 수를 써넣으시오.

층수	1층	2층	3층
수(개)	5	3	1

13 필요한 쌓기나무는 모두 몇 개입니까?
(9)개

[14~15] 쌓기나무로 쌓은 모양을 보고 물음에 답하시오.

14 가 모양에 쌓기나무 1개를 붙여서 만들 수 있는 모양을 찾아 기호를 쓰시오.
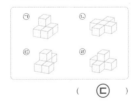
(㉢)

15 가와 나 모양을 연결하여 만들 수 없는 모양을 찾아 기호를 쓰시오.

(㉡)

16 ☐ 안의 수는 각 자리에 쌓아 올린 쌓기나무의 수입니다. 완성된 모양의 2층에 놓인 쌓기나무는 몇 개입니까?

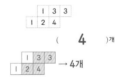
(4)개

17 쌓기나무를 위, 앞, 옆에서 본 모양입니다. 똑같은 모양을 만들기 위해 필요한 쌓기나무는 몇 개입니까?

(6)개

18 그림과 같은 쌓기나무 모양에 쌓기나무 1개를 붙여서 만들 수 있는 서로 다른 모양은 모두 몇 가지입니까? (단, 뒤집거나 돌려서 나오는 모양은 같은 모양입니다.)

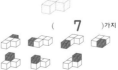
(7)가지

19 그림과 같은 쌓기나무 모양에 쌓기나무를 더 쌓아서 가장 작은 정육면체를 만들려고 합니다. 더 필요한 쌓기나무는 몇 개입니까?

(19)개

가장 작은 정육면체: 3×3×3=27(개)
쌓은 쌓기나무 수: 8개
더 필요한 쌓기나무 수: 27-8=19(개)

20 민주는 가지고 있는 쌓기나무 12개로 모양을 쌓고 위에서 본 모양을 그린 것입니다. 모양을 쌓고 남은 쌓기나무는 몇 개인지 풀이 과정을 쓰고 답을 구하시오.

예 풀이 쌓인 쌓기나무의 수를 쓰면 위와 같습니다. 쌓은 쌓기나무의 수가 8개이므로 남은 쌓기나무는 12-8=4(개)입니다.
답 4개

01 비의 성질

● 비율이 같은 비 만들기 ①: 비의 전항과 후항에 0이 아닌 같은 수를 곱하기

전항   후항
2 : 3 ➡ 비율 $\frac{2}{3}$ 2 : 3 ➡ 비율 $\frac{2}{3}$

×2↓ ×2↓   ×3↓ ×3↓

4 : 6 ➡ 비율 $\frac{4}{6}=\frac{2}{3}$ 6 : 9 ➡ 비율 $\frac{6}{9}=\frac{2}{3}$

1 비를 보고 비율을 구한 후, 알 수 있는 사실에 ◯표 하시오.

보기

3 : 4 ➡ 비율 $\frac{3}{4}$ 2 : 5 ➡ 비율 $\frac{2}{5}$

×2↓ ×2↓ (기약분수)   ×3↓ ×3↓ (기약분수)

6 : 8 ➡ 비율 $\frac{6}{8}=\frac{3}{4}$ 6 : 15 ➡ 비율 $\frac{\cancel{6}}{\cancel{15}_5}=\frac{2}{5}$

1 : 7 ➡ 비율 $\frac{1}{7}$ 3 : 8 ➡ 비율 $\frac{3}{8}$

×4↓ ×5↓ (기약분수)   ×3↓ ×3↓ (기약분수)

4 : 28 ➡ 비율 $\frac{\cancel{4}}{\cancel{28}_7}=\frac{1}{7}$ 9 : 24 ➡ 비율 $\frac{\cancel{9}}{\cancel{24}_8}=\frac{3}{8}$

알 수 있는 사실

비의 전항과 후항에 0이 아닌 같은 수를 곱하여도 비율은 (같습니다 ⟵◯, 다릅니다).

2 비의 성질을 이용하여 비율이 같은 비를 만들어 보시오.

보기

×3
3 : 5 ➡ 9 : 15
×3

×2
4 : 1 ➡ 8 : 2
×2

×4
3 : 4 ➡ 12 : 16
×4

2 : 3 ➡ 10 : 15   7 : 3 ➡ 21 : 9

4 : 9 ➡ 8 : 18   5 : 6 ➡ 20 : 24   7 : 11 ➡ 14 : 22

3 : 10 ➡ 12 : 40   8 : 5 ➡ 40 : 25

7 : 3 ➡ 56 : 24   8 : 9 ➡ 72 : 81   11 : 6 ➡ 77 : 42

10 : 13 ➡ 50 : 65   19 : 8 ➡ 76 : 32

● 비율이 같은 비 만들기 ②: 비의 전항과 후항을 0이 아닌 같은 수로 나누기

전항   후항
12 : 18 ➡ 비율 $\frac{\cancel{12}}{\cancel{18}_3}=\frac{2}{3}$ 12 : 18 ➡ 비율 $\frac{\cancel{12}}{\cancel{18}_3}=\frac{2}{3}$

÷2↓ ÷2↓   ÷3↓ ÷3↓

6 : 9 ➡ 비율 $\frac{\cancel{6}}{\cancel{9}_3}=\frac{2}{3}$ 4 : 6 ➡ 비율 $\frac{\cancel{6}}{\cancel{6}_3}=\frac{2}{3}$

3 비를 보고 비율을 구한 후, 알 수 있는 사실에 ◯표 하시오.

보기

2 : 4 ➡ 비율 $\frac{2}{4}=\frac{1}{2}$ (기약분수)   9 : 15 ➡ 비율 $\frac{\cancel{9}}{15}=\frac{3}{5}$ (기약분수)

÷2↓ ÷2↓   ÷3↓ ÷3↓

1 : 2 ➡ 비율 $\frac{1}{2}$ 3 : 5 ➡ 비율 $\frac{3}{5}$

16 : 28 ➡ 비율 $\frac{\cancel{16}}{\cancel{28}_7}=\frac{4}{7}$ (기약분수)   15 : 36 ➡ 비율 $\frac{\cancel{15}}{\cancel{36}_{12}}=\frac{5}{12}$ (기약분수)

÷4↓ ÷4↓   ÷3↓ ÷3↓

4 : 7 ➡ 비율 $\frac{4}{7}$ 5 : 12 ➡ 비율 $\frac{5}{12}$

알 수 있는 사실

비의 전항과 후항을 0이 아닌 같은 수로 나누어도 비율은 (같습니다 ⟵◯, 다릅니다).

4 비의 성질을 이용하여 비율이 같은 비를 만들어 보시오.

보기

÷3
3 : 9 ➡ 1 : 3
÷3

÷2
10 : 2 ➡ 5 : 1
÷2

÷4
8 : 28 ➡ 2 : 7
÷4

20 : 25 ➡ 4 : 5   21 : 15 ➡ 7 : 5

4 : 18 ➡ 2 : 9   36 : 20 ➡ 9 : 5   18 : 42 ➡ 3 : 7

21 : 56 ➡ 3 : 8   45 : 15 ➡ 9 : 3

30 : 9 ➡ 10 : 3   64 : 40 ➡ 8 : 5   50 : 70 ➡ 5 : 7

30 : 45 ➡ 2 : 3   18 : 90 ➡ 2 : 10

02 간단한 자연수의 비로 나타내기

정답 26쪽

● (자연수) : (자연수)를 간단한 자연수의 비로 나타내기

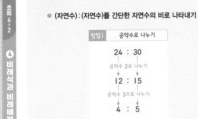

방법1 공약수로 나누기

24 : 30
공약수 2로 나누기
12 : 15
공약수 3으로 나누기
4 : 5

방법2 최대공약수로 나누기

24 : 30
최대공약수 6으로 나누기
4 : 5

1 간단한 자연수의 비로 나타내시오.

보기

	2로 약분	3으로 약분	간단한 자연수의 비
30 : 18 →	30 : 18	30 : 18 →	5 : 3

6 : 2 **예** 3 : 1
(2로 약분)

15 : 18 **예** 5 : 6

20 : 45 **예** 4 : 9

28 : 16 **예** 7 : 4

35 : 14 **예** 5 : 2

24 : 42 **예** 4 : 7

27 : 81 **예** 1 : 3

30 : 105 **예** 2 : 7

● (소수) : (소수)를 간단한 자연수의 비로 나타내기

방법1 소수의 자릿수가 같은 경우

0.6 : 0.8
×10   ×10
6 : 8
최대공약수 2로 나누기
3 : 4

방법2 소수의 자릿수가 다른 경우

0.3 : 0.15
×100   ×100
30 : 15
최대공약수 15로 나누기
2 : 1

2 간단한 자연수의 비로 나타내시오.

보기

	×100	4로 약분	간단한 자연수의 비
0.2 : 0.12 →	0.2 : 0.12	0.2 : 0.12 →	5 : 3

0.2 : 0.8 **예** 1 : 4
(×10)

0.1 : 0.14 **예** 5 : 7
(×10)

0.3 : 0.27 **예** 10 : 9

0.35 : 0.25 **예** 7 : 5

0.18 : 0.78 **예** 3 : 13

0.64 : 0.4 **예** 8 : 5

1.2 : 0.32 **예** 15 : 4

0.81 : 1.44 **예** 9 : 16

● (분수) : (분수)를 간단한 자연수의 비로 나타내기

방법1 분모의 최소공배수를 곱하기

$\frac{3}{4}$: $\frac{3}{10}$
분모 4와 10의 최소공배수인 20 곱하기
15 : 6
최대공약수 3으로 나누기
5 : 2

방법2 분모의 곱을 곱하기

$\frac{3}{4}$: $\frac{3}{10}$
분모 4와 10의 곱인 40 곱하기
30 : 12
최대공약수 6으로 나누기
5 : 2

3 간단한 자연수의 비로 나타내시오.

보기

	가분수로 고치기	분모의 곱인 12 곱하기	간단한 자연수의 비
$1\frac{3}{4}$: $\frac{1}{3}$ →	$\frac{7}{4}$: $\frac{1}{3}$ →	$\frac{7}{4}$: $\frac{1}{3}$ →	21 : 4

$\frac{4}{5}$: $\frac{2}{3}$ **예** 6 : 5

$\frac{4}{9}$: $\frac{5}{12}$ **예** 16 : 15

$\frac{1}{4}$: $\frac{3}{5}$ **예** 5 : 12

$\frac{3}{10}$: $\frac{2}{5}$ **예** 3 : 4

$1\frac{1}{2}$: $\frac{2}{5}$ **예** 15 : 4

$\frac{3}{5}$: $1\frac{2}{3}$ **예** 9 : 25

$2\frac{1}{10}$: $\frac{7}{8}$ **예** 12 : 5

$1\frac{1}{5}$: $1\frac{2}{7}$ **예** 14 : 15

4 간단한 자연수의 비로 나타내시오.

보기

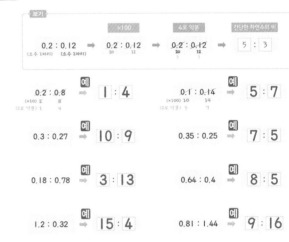

	소수 → 분수	분모의 곱인 40 곱하기	2로 약분
0.2 : $\frac{1}{4}$ →	$\frac{2}{10}$: $\frac{1}{4}$ →	$\frac{2}{10}$: $\frac{1}{4}$ →	$\frac{2}{10}$: $\frac{1}{4}$

간단한 자연수의 비
→ 4 : 5

0.3 : $\frac{1}{3}$ **예** 9 : 10

$\frac{1}{6}$: 0.4 **예** 5 : 12

$\frac{8}{15}$: 0.2 **예** 8 : 3

0.9 : $1\frac{2}{7}$ **예** 7 : 10

1.2 : $\frac{2}{3}$ **예** 9 : 5

$1\frac{1}{9}$: 0.4 **예** 25 : 9

0.25 : $\frac{4}{5}$ **예** 5 : 16

$\frac{1}{10}$: 0.35 **예** 2 : 7

03 🐧 비례식

● **비례식**: 비율이 같은 두 비를 기호 '='를 사용하여 2 : 3 = 6 : 9와 같이 나타내는 식

🐧1 비율을 기약분수로 나타낸 후 비례식을 세워 보시오.

예 **2 : 5 = 4 : 10**

예 **9 : 4 = 36 : 16**

예 **7 : 10 = 21 : 30**

🐧2 비율이 같은 비를 찾아 비례식을 세워 보시오.

보기
2 : 5   6 : 9   12 : 14 ➡ 비례식 2 : 3 = 6 : 9

9 : 21   16 : 28   14 : 8 ➡ 비례식 4 : 7 = **16 : 28**

30 : 24   10 : 6   20 : 24 ➡ 비례식 5 : 4 = **30 : 24**

9 : 4   3 : 8   2 : 9 ➡ 비례식 8 : 36 = **2** : **9**

3 : 4   4 : 3   3 : 5 ➡ 비례식 12 : 16 = **3** : **4**

9 : 4   5 : 9   5 : 12 ➡ 비례식 45 : 81 = **5** : **9**

44 : 24   35 : 55   18 : 33 ➡ 비례식 6 : 11 = **18 : 33**

🐧3 비의 성질을 이용하여 ☐ 안에 알맞은 수를 써넣으시오.

보기
방법1 2 : 5 = 8 : ☐ 20   방법2 2 : 3 = 6 : ☐ 9
➡ =5×4=20   ➡ =9÷3=3

2 : 7 = **4** : 14   9 : 4 = 36 : **16**   2 : **7** = 10 : 35

5 : 6 = 10 : 12   12 : 28 = **3** : 7

7 : 4 = 35 : **20**   5 : **3** = 20 : 12   **5** : 9 = 20 : 36

20 : **16** = 5 : 4   **18** : 81 = 2 : 9

10 : 7 = 40 : **28**   4 : **11** = 32 : 88   9 : 5 = 63 : **35**

🐧4 비율을 보고 비례식을 세워 보시오.

보기
$\frac{3}{15} = \frac{1}{5}$ ➡ 비례식 3 : 15 = 1 : 5
비 3 : 15 ← → 비 1 : 5

$\frac{1}{3} = \frac{6}{18}$ (비) 1 : 3 ➡ (비) 6 : 18
➡ **1** : **3** = **6** : **18**

$\frac{9}{12} = \frac{3}{4}$ (비) 9 : 12 ➡ (비) 3 : 4
예 ➡ **9** : **12** = **3** : **4**

$\frac{12}{42} = \frac{2}{7}$
예 ➡ **12** : **42** = **2** : **7**

$\frac{3}{8} = \frac{15}{40}$
예 ➡ **3** : **8** = **15** : **40**

$\frac{4}{5} = \frac{24}{30}$
예 ➡ **4** : **5** = **24** : **30**

$\frac{40}{72} = \frac{5}{9}$
예 ➡ **40** : **72** = **5** : **9**

$\frac{56}{64} = \frac{7}{8}$
예 ➡ **56** : **64** = **7** : **8**

$\frac{3}{10} = \frac{27}{90}$
예 ➡ **3** : **10** = **27** : **90**

$\frac{6}{11} = \frac{30}{55}$
예 ➡ **6** : **11** = **30** : **55**

$\frac{12}{13} = \frac{84}{91}$
예 ➡ **12** : **13** = **84** : **91**

04 비례식의 성질

정답 28쪽

● 외항과 내항

외항(바깥쪽에 있는 항)
3 : 5 = 9 : 15
내항(안쪽에 있는 항)

● 비례식의 성질: 외항의 곱과 내항의 곱이 같음

외항의 곱 3 × 15=45
3 : 5 = 9 : 15
내항의 곱 5 × 9=45

1 비례식에서 외항과 내항을 각각 찾아 쓰시오.

외항
2 : 9 = 8 : 36
내항

2 : 9 = 8 : 36	8 : 3 = 40 : 15	56 : 16 = 7 : 2
외항 2, 36	외항 8, 15	외항 56, 2
내항 9, 8	내항 3, 40	내항 16, 7

35 : 63 = 5 : 9	1.6 : 1.2 = 4 : 3	4.5 : 3.5 = 9 : 7
외항 35, 9	외항 1.6, 3	외항 4.5, 7
내항 63, 5	내항 1.2, 4	내항 3.5, 9

$\frac{2}{3} : \frac{6}{7} = 7 : 9$	$1\frac{1}{2} : 1\frac{2}{5} = 15 : 14$	$\frac{2}{3} : \frac{5}{6} = \frac{2}{9} : \frac{5}{18}$
외항 $\frac{2}{3}$, 9	외항 $1\frac{1}{2}$, 14	외항 $\frac{2}{3}$, $\frac{5}{18}$
내항 $\frac{6}{7}$, 7	내항 $1\frac{2}{5}$, 15	내항 $\frac{5}{6}$, $\frac{2}{9}$

2 비례식에서 외항과 곱과 내항의 곱을 각각 구한 후, 알 수 있는 사실에 ◯표 하시오.

보기

외항
3 : 4 = 6 : 8
내항
외항의 곱 3 × 8=24
내항의 곱 4 × 6=24

15 : 6 = 5 : 2
외항의 곱 15 × 2=30
내항의 곱 6 × 5=30

9 : 10 = 27 : 30
외항의 곱 9 × 30=270
내항의 곱 10 × 27=270

24 : 21 = 8 : 7
외항의 곱 24 × 7=168
내항의 곱 21 × 8=168

2.7 : 1.2 = 9 : 4
외항의 곱 2.7 × 4=10.8
내항의 곱 1.2 × 9=10.8

2.5 : 3.5 = 5 : 7
외항의 곱 2.5 × 7=17.5
내항의 곱 3.5 × 5=17.5

$\frac{2}{5} : \frac{3}{7} = 28 : 30$
외항의 곱 $\frac{2}{5} × 30 = 12$
내항의 곱 $\frac{3}{7} × 28 = 12$

$\frac{1}{3} : \frac{4}{5} = \frac{2}{21} : \frac{8}{35}$
외항의 곱 $\frac{1}{3} × \frac{8}{35} = \frac{8}{105}$
내항의 곱 $\frac{4}{5} × \frac{2}{21} = \frac{8}{105}$

알 수 있는 사실
비례식에서 외항의 곱과 내항의 곱은 (<u>같습니다</u>, 다릅니다).

3 비례식이면 ◯표, 비례식이 아니면 ✕표 하시오.

보기

곱 : 12
2 : 3 = 9 : 6
곱 : 27

곱 : 48
16 : 6 = 8 : 3
곱 : 48

➡ 외항의 곱과 내항의 곱이 다릅니다.
➡ 비례식이 아닙니다.

➡ 외항의 곱과 내항의 곱이 같습니다.
➡ 비례식입니다.

곱 : 72
9 : 2 = 36 : 8 ····· (◯)
곱 : 72

12 : 15 = 3 : 4 ····· (✕)

14 : 15 = 7 : 5 ····· (✕)

12 : 27 = 4 : 9 ····· (◯)

3 : 11 = 12 : 55 ····· (✕)

60 : 25 = 12 : 5 ····· (◯)

1.5 : 5 = 3 : 20 ····· (✕)

0.9 : 0.3 = 32 : 8 ····· (✕)

20 : 45 = 1.6 : 3.6 ····· (◯)

$\frac{1}{2} : \frac{1}{5} = 4 : 10$ ····· (✕)

24 : 21 = 1 : $\frac{2}{3}$ ····· (✕)

60 : 50 = $\frac{3}{10} : \frac{1}{4}$ ····· (◯)

4 비례식의 성질을 이용하여 ☐ 안에 알맞은 수를 써넣으시오.

보기

곱 : 5 ×
5 : 3 = 20 : ☐
곱 : 60

➡ 5 × ☐ =60 ➡ ☐ =60÷5 =12 ➡ 5 : 3 = 20 : 12

곱 : 2 ×
2 : 5 = 6 : 15
곱 : 30
→ 2 × ☐ =30

곱 : 63
9 : 21 = 3 : 7
곱 : 21 ×

5 : 6 = 20 : 24

15 : 40 = 3 : 8

11 : 4 = 55 : 20

36 : 28 = 9 : 7

5 : 30 = 0.5 : 3

0.9 : 27 = 0.4 : 12

8 : 1.6 = 7 : 1.4

9 : 2.7 = 4 : 1.2

10 : $\frac{1}{3}$ = 6 : $\frac{1}{5}$

2 : 10 = 1$\frac{2}{5}$: 7

15 : $\frac{2}{3}$ = 18 : $\frac{4}{5}$

05 비례식의 활용

정답 29쪽

● 그림을 보고 비례식으로 나타내기

방법1 3개 : 150원 = 20개 : 1000원
방법2 3개 : 20개 = 150원 : 1000원

3개 150원 20개 1000원

1 그림에 맞는 비례식을 2가지 방법으로 만들어 보시오.

1자루 200원 12자루 2400원

방법1 1자루 : 200원 = 12자루 : 2400 원
방법2 1자루 : 12 자루 = 200원 : 2400원

2개 240원 10개 1200원

방법1 2개 : 240 원 = 10개 : 1200원
방법2 2개 : 10 개 = 240원 : 1200원

8장 500원 40장 2500원

방법1 8장 : 500 원 = 40장 : 2500원
방법2 8장 : 40 장 = 500원 : 2500원

2 그림에 맞는 비례식을 2가지 방법으로 만들어 보시오.

?개 1800원 4개 3600원

방법1 2 개 : 1800 원 = 4 개 : 3600원
예 방법2 2 개 : 4 개 = 1800 : 3600원

3개 2100원 11개 7700원

예 방법1 3 개 : 2100원 = 11 개 : 7700원
방법2 3 개 : 11 개 = 2100원 : 7700원

3개 15분 8개 40분

예 방법1 3 개 : 15 분 = 8 개 : 40 분
방법2 3 개 : 8 개 = 15 분 : 40 분

200mL 800원 900mL 3600원

예 방법1 200 mL : 800 원 = 900 mL : 3600원
방법2 200 mL : 900 mL = 800 원 : 3600원

3 보기 와 같은 방법으로 비례식을 이용하여 문제를 해결하시오.

보기

10분에 2 km를 달리는 육상 선수가 있습니다. 이 선수가 같은 빠르기로 30분 동안 달릴 수 있는 거리는 몇 km입니까?
→ △km

간단히 나타내기 ⇒ 비례식 세운 후 풀기

○ 10 분 → 2 km   식 10 분 : 2 km = 30 분 : △km
○ 30 분 → △km

$10 \times \triangle = 2 \times 30$
$\triangle = 60 \div 10$
$\triangle = 6$

답 6 km

5분 동안 20 L의 물이 나오는 수도꼭지가 있습니다. 이 수도꼭지로 80 L 들이의 물통을 가득 채우려면 몇 분 동안 물을 받아야 합니까?
→ △분

간단히 나타내기 ⇒ 비례식 세운 후 풀기

○ 5 분 → 20 L   식 5 분 : 20 L = △분 : 80 L
○ △분 → 80 L

답 20 분

어느 과일 가게에서는 오렌지가 4개에 6000원입니다. 이 과일 가게에서 15000원으로 살 수 있는 오렌지는 모두 몇 개입니까?
→ △개

간단히 나타내기 ⇒ 비례식 세운 후 풀기

○ 4 개 → 6000원   15000
○ △개 → ↑ 원   식 4 개 : 6000원 = △개 : ↓ 원
            15000

답 10 개

4 비례식을 이용하여 문제를 해결하시오.

어느 박물관에서는 어린이 5명의 입장료가 9000원입니다. 36000원으로는 모두 몇 명의 어린이가 입장할 수 있습니까?
→ △명

간단히 나타내기 ⇒ 비례식 세운 후 풀기

· 5명 → 9000원
· △명 → 36000원

식 5 : 9000 = △ : 36000

답 20 명

어느 복사기는 9초에 8장을 복사할 수 있습니다. 이 복사기로 64장을 복사할 때 걸리는 시간은 몇 초입니까?
→ △초

예

· 9초 → 8장
· △초 → 64장

식 9 : 8 = △ : 64

답 72 초

어느 사람이 3일 동안 일을 하고 18만 원을 받았습니다. 이 사람이 같은 일을 7일 동안 하고 받을 수 있는 돈은 얼마입니까?

예

· 3일 → 18만 원
· 7일 → △만 원

식 3 : 18 = 7 : △

답 42만 원

06 비례배분

정답 30쪽

● **비례배분**: 전체를 주어진 비로 배분하는 것

구슬 9개를 하연이와 민호가 2 : 1 로 나누어 갖기
(2 : 1로 나눈다는 것은 하연이에게 2개 줄 때 민호에게 1개 준다는 것)

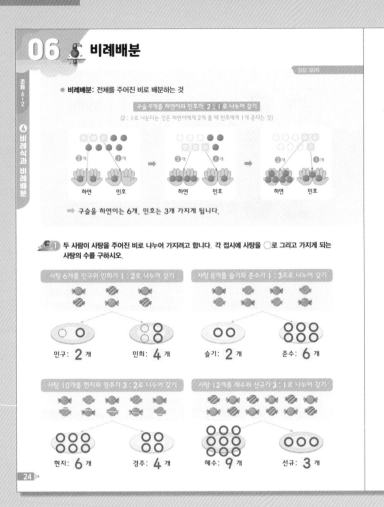

➡ 구슬을 하연이는 6개, 민호는 3개 가지게 됩니다.

1 두 사람이 사탕을 주어진 비로 나누어 가지려고 합니다. 각 접시에 사탕을 ◯로 그리고 가지게 되는 사탕의 수를 구하시오.

사탕 6개를 민구와 민희가 1 : 2로 나누어 갖기
민구: 2 개　민희: 4 개

사탕 8개를 슬기와 준수가 1 : 3으로 나누어 갖기
슬기: 2 개　준수: 6 개

사탕 10개를 현지와 경주가 3 : 2로 나누어 갖기
현지: 6 개　경주: 4 개

사탕 12개를 해수와 선규가 3 : 1로 나누어 갖기
해수: 9 개　선규: 3 개

2 보기 와 같은 방법으로 전체 구슬을 주어진 비로 나눈 후, 　 안에 알맞은 수를 써넣으시오.

보기

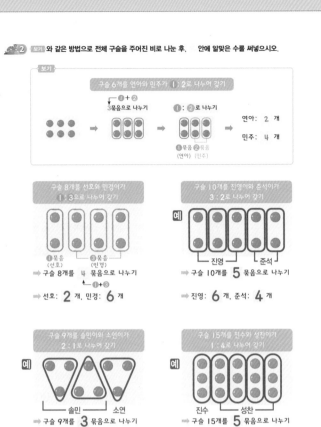

구슬 6개를 연아와 민주가 1 : 2로 나누어 갖기
3묶음으로 나누기
1 : 2로 나누기
①묶음 ②묶음
(연아) (민주)
연아: 2 개
민주: 4 개

구슬 8개를 선호와 민경이가 1 : 3으로 나누어 갖기
①묶음 (선호)　③묶음 (민경)
➡ 구슬 8개를 4 묶음으로 나누기
①+③
➡ 선호: 2 개, 민경: 6 개

구슬 10개를 진영이와 준석이가 3 : 2로 나누어 갖기
예
진영　준석
➡ 구슬 10개를 5 묶음으로 나누기
➡ 진영: 6 개, 준석: 4 개

구슬 9개를 솔민이와 소연이가 2 : 1로 나누어 갖기
예
솔민　소연
➡ 구슬 9개를 3 묶음으로 나누기
➡ 솔민: 6 개, 소연: 3 개

구슬 15개를 진수와 성찬이가 1 : 4로 나누어 갖기
예
진수　성찬
➡ 구슬 15개를 5 묶음으로 나누기
➡ 진수: 3 개, 성찬: 12 개

3 보기 와 같은 방법으로 전체 초콜릿을 주어진 비로 나눈 후, 　 안에 알맞은 수를 써넣으시오.

보기

③+①
4묶음(전체)
③묶음 (명우)　①묶음 (윤기)

초콜릿 8개를 명우와 윤기가 3 : 1로 나누어 갖기
명우 전체 초콜릿의 $\frac{3 (묶음)}{4 (묶음)}$ → $8 \times \frac{3}{4} = 6$ (개)
윤기 전체 초콜릿의 $\frac{1 (묶음)}{4 (묶음)}$ → $8 \times \frac{1}{4} = 2$ (개)

초콜릿 10개를 민혁이와 수지가 4 : 1로 나누어 갖기
5묶음(전체)
④묶음 (민혁)　①묶음 (수지)
민혁 전체 초콜릿의 $\frac{4}{5}$ → $10 \times \frac{4}{5} = 8$ (개)
수지 전체 초콜릿의 $\frac{1}{5}$ → $10 \times \frac{1}{5} = 2$ (개)
④+①

초콜릿 12개를 주찬이와 효수가 1 : 2로 나누어 갖기
예
주찬
효수
주찬 전체 초콜릿의 $\frac{1}{3}$ → $12 \times \frac{1}{3} = 4$ (개)
효수 전체 초콜릿의 $\frac{2}{3}$ → $12 \times \frac{2}{3} = 8$ (개)

초콜릿 18개를 은주와 명선이가 2 : 7로 나누어 갖기
예
은주
명선
은주 전체 초콜릿의 $\frac{2}{9}$ → $18 \times \frac{2}{9} = 4$ (개)
명선 전체 초콜릿의 $\frac{7}{9}$ → $18 \times \frac{7}{9} = 14$ (개)

4 보기 와 같은 방법으로 주어진 수를 주어진 비로 나누어 보시오.

보기

6을 2 : 1 로 나누기
$6 \times \frac{2}{2+1} = 6 \times \frac{2}{3} = 4$
$6 \times \frac{1}{2+1} = 6 \times \frac{1}{3} = 2$

8을 1 : 3 으로 나누기
$8 \times \frac{1}{1+3} = 8 \times \frac{1}{4} = 2$
$8 \times \frac{3}{1+3} = 8 \times \frac{3}{4} = 6$

14를 5 : 2로 나누기
예
$14 \times \frac{5}{5+2} = 14 \times \frac{5}{7} = 10$
$14 \times \frac{2}{5+2} = 14 \times \frac{2}{7} = 4$

16을 3 : 1로 나누기
예
$16 \times \frac{3}{3+1} = 16 \times \frac{3}{4} = 12$
$16 \times \frac{1}{3+1} = 16 \times \frac{1}{4} = 4$

20을 2 : 3으로 나누기
예
$20 \times \frac{2}{2+3} = 20 \times \frac{2}{5} = 8$
$20 \times \frac{3}{2+3} = 20 \times \frac{3}{5} = 12$

24를 5 : 3으로 나누기
예
$24 \times \frac{5}{5+3} = 24 \times \frac{5}{8} = 15$
$24 \times \frac{3}{5+3} = 24 \times \frac{3}{8} = 9$

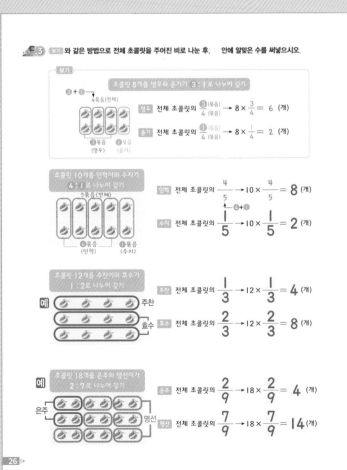
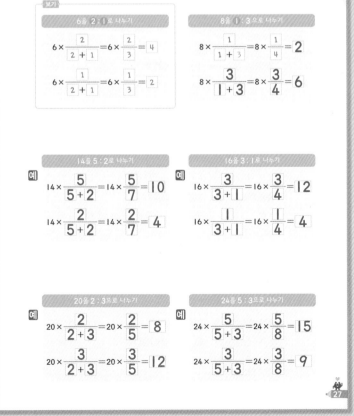

도전! 응용문제

정답 31쪽

유형 1

주형이와 동생의 나이의 비가 ④ : ③입니다. 주형이의 나이가 ⑫살이라면 동생의 나이는 몇 살입니까?

■■■ 주어진 수에 ○표 하고, 구하는 것에 밑줄 치기

주형이와 동생의 나이의 비 → 4 : 3 . 주형이의 나이: 12 살

■■■ 알맞은 비에 ○표 하고, 문제 해결하기

주형이의 나이가 12살일 때, 동생의 나이를 △살이라고 하면 주형이와 동생의 나이의 비는
(△:12 . 12:△)입니다.

■■■ 문제 풀기

$4 : 3 = 12 : △ ⇒ △ = 9$

■■■ 답 쓰기

동생의 나이는 9 살입니다.

유형+ 1

민석이는 소금과 물을 ② : ⑨로 섞어서 소금물을 만들려고 합니다. 물을 ⑤⑤⑤ 넣었다면 소금은 몇 g을 넣어야 합니까?

■■■ 주어진 수에 ○표 하고, 구하는 것에 밑줄 치기

소금의 양과 물의 양의 비 → 2 : 9 . 물의 양: 450g

■■■ 알맞은 비에 ○표 하고, 문제 해결하기

넣은 물의 양이 450g일 때, 소금의 양을 △g이라고 하면 넣은 소금의 양과 물의 양의 비는
(△:450 . 450:△)입니다.

■■■ 문제 풀기

$2 : 9 = △ : 450 ⇒ △ = 100$

■■■ 답 쓰기

넣어야 하는 소금의 양은 100g입니다.

유형 2

한 봉지에 구슬이 ㉘개 들어 있습니다. 이 구슬을 민주와 동생이 ③ : ④로 나누어 가진다면 민주가 가지는 구슬은 몇 개입니까?

■■■ 주어진 수에 ○표 하고, 구하는 것에 밑줄 치기

민주와 동생이 나누어 가진 구슬 수의 비 → 3 : 4 . 전체 구슬 수: 28 개

■■■ 문제 해결하기

민주가 가지는 구슬 수는 전체 구슬 28 개의 $\frac{3}{7}$입니다.

■■■ 문제 풀기

(민주가 가지는 구슬 수) $= 28 × \frac{3}{7} = 12$ (개)

■■■ 답 쓰기

민주가 가지는 구슬은 12 개입니다.

유형+ 2

젤리 ㊱개를 진영이와 민정이가 ④ : ⑤로 나누어 먹으려고 합니다. 민정이는 젤리를 몇 개 먹을 수 있습니까?

■■■ 주어진 수에 ○표 하고, 구하는 것에 밑줄 치기

진영이와 민정이가 나누어 먹을 젤리 수의 비 → 4 : 5 . 전체 젤리 수: 36 개

■■■ 문제 해결하기

민정이가 먹게 되는 젤리 수는 전체 젤리 36 개의 $\frac{5}{9}$입니다.

■■■ 문제 풀기

(민정이가 먹게 되는 젤리 수) $= 36 × \frac{5}{9} = 20$ (개)

■■■ 답 쓰기

민정이가 먹게 되는 젤리는 20 개입니다.

● 안에 알맞은 수를 써넣고, 답을 구하시오.

1 Drill

다영이와 민수가 가지고 있는 구슬 수의 비는 3 : 4입니다. 다영이가 구슬을 6개 가지고 있다면 민수가 가지고 있는 구슬은 몇 개입니까?

풀이 다영이가 구슬을 6개 가지고 있을 때,
민수가 가지고 있는 구슬을 △개라고 하면
$3 : 4 = 6 : △ ⇒ △ = 8$

답 8 개

2 Drill

부침가루와 튀김가루를 2 : 1로 섞어서 부침개의 반죽을 만들려고 합니다. 부침가루를 280g 넣었다면 튀김가루는 몇 g을 넣어야 합니까?

풀이 부침가루를 280g 넣을 때, 넣을 튀김가루의 양을 △g이라고 하면
$2 : 1 = 280 : △ ⇒ △ = 140$

답 140 g

3 Drill

은행나무 80그루를 호수와 공원에 3 : 5의 비로 나누어 심었습니다. 공원에 심은 은행나무는 몇 그루입니까?

풀이 (공원에 심은 은행나무 수) $= 80 × \frac{5}{8} = 50$ (그루)

답 50 그루

4 Drill

현지네 학교 6학년 남학생 수와 여학생 수의 비는 7 : 6입니다. 6학년 전체 학생 수가 208명이라면 여학생은 몇 명입니까?

풀이 (6학년 여학생 수) $= 208 × \frac{6}{13} = 96$ (명)

답 96 명

● 서술형 문제를 읽고 풀이 과정과 답을 쓰시오.

도전 1

주형이와 영진이의 키의 비는 9 : 10입니다. 주형이의 키가 153cm라면, 영진이의 키는 몇 cm입니까?

예 풀이 주형이의 키가 153cm일 때, 영진이의 키를 △cm라고 하면
$9 : 10 = 153 : △ → △ = 170$

답 170 cm

도전 2

어른과 초등학생의 미술관 입장료의 비는 7 : 4입니다. 초등학생의 입장료가 2400원일 때, 어른의 입장료는 얼마입니까?

예 풀이 초등학생의 입장료가 2400원일 때, 어른의 입장료를 △원이라고 하면
$7 : 4 = △ : 2400 → △ = 4200$

답 4200원

도전 3

길이가 135 cm인 철사가 있습니다. 길이의 비가 8 : 7이 되도록 두 조각으로 자르면 잘린 두 조각의 철사 중 더 긴 조각의 길이는 몇 cm입니까?

예 풀이 (더 긴 조각의 길이) $= 135 × \frac{8}{15} = 72$ (cm)

답 72 cm

도전 4

연필 한 타는 12자루입니다. 연필 3타를 선미와 태일이가 5 : 4로 나누어 가진다면 태일이가 가지는 연필은 몇 자루입니까?

예 풀이 (전체 연필 수) $= 12 × 3 = 36$ (자루)

(태일이가 가지는 연필 수) $= 36 × \frac{4}{9}$
$= 16$ (자루)

답 16자루

31

 **형성평가**

걸린 시간
정답 32쪽 | 분 초

초등 6-2

④ 비례식과 비례배분

01 비를 보고 비율을 구하려고 합니다. 안에 알맞은 수를 써넣으시오.

3 : 4 ➡ 비율 $\frac{3}{4}$

×4 ×4

12 : 16 ➡ 비율 $\frac{\overset{3}{\cancel{12}}}{\underset{4}{\cancel{16}}} = \frac{3}{4}$ (기약분수)

02 비의 성질을 이용하여 비율이 같은 비를 만들어 보시오.

(1) 4 : 7 ➡ 12 : **21**

(2) 11 : 15 ➡ **22** : 30

03 비를 보고 비율을 구하려고 합니다. 안에 알맞은 수를 써넣으시오.

15 : 20 ➡ 비율 $\frac{\overset{3}{\cancel{15}}}{\underset{4}{\cancel{20}}} = \frac{3}{4}$ (기약분수)

÷5 ÷5

3 : 4 ➡ 비율 $\frac{3}{4}$

04 비의 성질을 이용하여 비율이 같은 비를 만들어 보시오.

(1) 30 : 42 ➡ **5** : 7

(2) 40 : 45 ➡ 8 : **9**

05 간단한 자연수의 비로 나타내시오.

(1) 35 : 21 ➡ 예 **5** : 3

(2) 72 : 56 ➡ 예 **9** : 7

06 간단한 자연수의 비로 나타내시오.

(1) 0.8 : 1.2 ➡ 예 **2** : 3

(2) 4.8 : 0.64 ➡ 예 **15** : 2

07 간단한 자연수의 비로 나타내시오.

(1) $\frac{7}{10} : \frac{5}{6}$ ➡ 예 **21** : 25

(2) $1\frac{3}{4} : 1\frac{2}{5}$ ➡ 예 **5** : 4

08 간단한 자연수의 비로 나타내시오.

(1) 0.8 : $\frac{11}{25}$ ➡ 예 **20** : 11

(2) $1\frac{2}{3}$: 2.4 ➡ 예 **25** : 36

09 비율을 기약분수로 나타낸 후 비례식을 세워 보시오.

5 : 7 ➡ 비율 $\frac{5}{7}$

×3 ×3

15 : 21 ➡ 비율 $\frac{\overset{5}{\cancel{15}}}{\underset{7}{\cancel{21}}} = \frac{5}{7}$ (기약분수)

예 비례식 ➡ 5 : 7 = 15 : 21

10 비율이 같은 비를 찾아 비례식을 세워 보시오.

6 : 8   8 : 9   9 : 7

➡ 48 : 54 = 8 : **9**

11 비의 성질을 이용하여 안에 알맞은 수를 써넣으시오.

(1) 3 : 4 = 18 : **24**

(2) 5 : 7 = **20** : 28

(3) 9 : 8 = 45 : **40**

(4) **36** : 66 = 6 : 11

(5) 72 : **27** = 8 : 3

32

33

12 비율을 보고 비례식을 세워 보시오.

(1) $\frac{2}{5} = \frac{8}{20}$

예 ➡ 2 : 5 = 8 : 20

(2) $\frac{21}{30} = \frac{7}{10}$

예 ➡ 21 : 30 = 7 : 10

13 비례식에서 외항과 내항을 각각 찾아 쓰시오.

3 : 4 = 24 : 32

외항	3	32
내항	4	24

14 비례식에서 외항의 곱과 내항의 곱을 각각 구하시오.

6 : 7 = 1.8 : 2.1

외항의 곱 6 × 2.1 = 12.6

내항의 곱 7 × 1.8 = 12.6

15 비례식이면 ○표, 비례식이 아니면 ×표 하시오.

3 : 5 = 18 : 24 ····· (**×**)

4 : 7 = 16 : 28 ····· (**○**)

1.2 : 3 = 2 : 5 ····· (**○**)

$\frac{4}{5}$: 7 = 4 : 28 ····· (**×**)

16 비례식의 성질을 이용하여 안에 알맞은 수를 써넣으시오.

(1) 5 : 9 = 15 : **27**

(2) 28 : 16 = **7** : 4

(3) 0.4 : 9 = **2** : 45

(4) 2.7 : **1.2** = 9 : 4

(5) **4** : 5 = $\frac{2}{3}$: $\frac{5}{6}$

17 그림에 맞는 비례식을 2가지 방법으로 만들어 보시오.

3개 450원   8개 1200원

방법1 예 3개 : 450원 = 8개 : 1200원

방법2 3개 : 8개 = 450원 : 1200원

18 과일 가게에서 키위 5개를 3000원에 팔고 있습니다. 1200원으로 키위를 몇 개 살 수 있는지 구하시오.

간단히 나타내기

예 · 5개 → 3000원

· △개 → 1200원

비례식 세운 후 풀기

식 5 : 3000 = △ : 1200

답 **2** 개

19 두 사람이 사탕을 주어진 비로 나누어 가지려고 합니다. 각 접시에 사탕을 ○로 그리고 가지게 되는 사탕의 수를 구하시오.

사탕 9개를 영수와 은희가 1 : 2로 나누어 갖기

영수: **3** 개   은희: **6** 개

20 27을 4 : 5로 나누어 보시오.

예 $27 \times \frac{4}{4+5} = 27 \times \frac{4}{9} = 12$

$27 \times \frac{5}{4+5} = 27 \times \frac{5}{9} = 15$

34

35

단원 평가　4. 비례식과 비례배분

정답 33쪽

1 비례식에서 외항과 내항을 찾아 쓰시오.

$$15 : 10 = 3 : 2$$

외항 (15, 2)
내항 (10, 3)

2 비의 성질을 이용하여 비율이 같은 비를 만들었습니다. 　안에 알맞은 수를 써넣으시오.

$$5 : 7 \;\xrightarrow{\times 7}\; 35 : 49$$

3 $2 : 5 = 16 : 40$에 대한 설명으로 잘못된 것을 모두 찾아 기호를 쓰시오.

㉠ 전항은 2와 16입니다.
㉡ 후항은 16과 40입니다.
㉢ 외항은 2와 40입니다.
㉣ 내항은 2와 5입니다.

(㉡, ㉣)

4 비율이 같은 비를 찾아 비례식을 세워 보시오.

4 : 10　　15 : 33　　27 : 45

$$3 : 5 = 27 : 45$$

5 간단한 자연수의 비로 나타내시오.

(1) $1.2 : 1.7 \;\Rightarrow\;$ 예 $12 : 17$

(2) $\frac{1}{8} : \frac{1}{3} \;\Rightarrow\;$ 예 $3 : 8$

(3) $12 : 15 \;\Rightarrow\;$ 예 $4 : 5$

(4) $\frac{3}{5} : 1.3 \;\Rightarrow\;$ 예 $6 : 13$

(5) $2.5 : 1\frac{1}{3} \;\Rightarrow\;$ 예 $15 : 8$

6 비례식을 모두 고르시오. (③, ④)

① $4 : 5 = 10 : 8$　② $1 : 7 = 7 : 1$
③ $2 : 3 = 6 : 9$　④ $12 : 30 = 2 : 5$
⑤ $36 : 45 = 6 : 5$

7 비례식에서 외항의 곱과 내항의 곱을 각각 구하시오.

$$7 : 6 = 28 : 24$$

외항의 곱 ($7 \times 24 = 168$)
내항의 곱 ($6 \times 28 = 168$)

8 직사각형의 가로 길이와 세로 길이의 비를 간단한 자연수의 비로 나타내시오.

예 $8 : 5$

$$24 : 15 \;\xrightarrow{\div 3}\; 8 : 5$$

9 비례식의 성질을 이용하여 　안에 알맞은 수를 써넣으시오.

(1) $5 : 6 = 15 : 18$

(2) $9 : 4 = 63 : 28$

(3) $36 : 45 = 4 : 5$

(4) $\frac{1}{9} : \frac{1}{7} = 63 : 81$

(5) $5 : 9 = \frac{8}{9} : 1.6$

10 90을 7 : 8로 나누었을 때의 값을 작은 수부터 차례로 쓰시오.

(42 , 48)

$$90 \times \frac{7}{15} = 42$$
$$90 \times \frac{8}{15} = 48$$

36
37

11 비율이 같은 것끼리 선으로 이으시오.

$1\frac{2}{5} : 1.8$ ── 3 : 5
$\frac{1}{2} : \frac{5}{6}$ ── 4 : 5
$1.8 : 2\frac{1}{4}$ ── 7 : 9

12 직선 가와 나가 서로 평행할 때 삼각형 ㉮와 ㉯의 넓이의 비를 간단한 자연수의 비로 나타내시오.

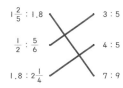

예 $3 : 7$

두 삼각형의 높이가 같으므로 넓이의 비는 밑변의 길이의 비와 같습니다.

13 어떤 사람이 6일 동안 일을 하고 48만 원을 받았습니다. 이 사람이 같은 일을 11일 동안 하면 얼마를 받을 수 있겠습니까?

(88만)원

11일 동안 일을 하고 받은 금액: □만 원
$6 : 48 = 11 : \square \rightarrow \square = 88$

14 사탕 48개를 주혜와 민서가 5 : 7의 비로 나누어 가지려고 합니다. 민서는 사탕을 몇 개 가지게 되는지 구하시오.

(28)개

$$48 \times \frac{7}{12} = 28(개)$$

15 　안에 알맞은 수를 써넣으시오.

$$(6 + 7) : 5 = 52 : 20$$

$(6 + \square) \times 20 = 260$
$6 + \square = 260 \div 20$
$\square = 13 - 6$
$\square = 7$

16 　안에 들어갈 수가 가장 큰 비례식을 찾아 기호를 쓰시오.

㉠ $2.5 : 4 = \quad : 8$
㉡ $3.6 : 4\frac{4}{5} = 3 : \quad$
㉢ $0.3 : \frac{3}{4} = \quad : 15$

(㉢)

㉠ 5, ㉡ 4, ㉢ 6

17 비례식에서 외항의 곱이 24일 때 ㉠과 ㉡의 값을 각각 구하시오.

$$\text{㉠} : 8 = \text{㉡} : 1.6$$

㉠ (15)
㉡ (3)

18 어느 날 낮과 밤의 길이의 비는 7 : 5였습니다. 이날 낮과 밤의 길이는 각각 몇 시간입니까?

낮 (14)시간
밤 (10)시간

낮: $24 \times \frac{7}{12} = 14$(시간)
밤: $24 \times \frac{5}{12} = 10$(시간)

19 민정이와 소희가 색종이를 6 : 5의 비로 나누어 가졌습니다. 소희가 가진 색종이가 45장이라면 민정이와 소희가 가지고 있는 색종이는 모두 몇 장입니까?

(99)장

민정이가 가진 색종이 수: □장
$6 : 5 = \square : 45 \rightarrow \square = 54$
(전체 색종이 수) = 54 + 45 = 99(장)

20 가로가 15 m, 세로가 12 m인 직사각형 모양의 밭을 넓이가 3 : 7이 되도록 나누려고 합니다. 나누어진 두 개의 밭 중 더 좁은 밭의 넓이는 몇 m²인지 풀이 과정을 쓰고 답을 구하시오.

예 풀이 (밭의 넓이)
$= 15 \times 12 = 180(\text{m}^2)$
(더 좁은 밭의 넓이)
$= 180 \times \frac{3}{10} = 54(\text{m}^2)$

답 54 m^2

38
39

33

01 원주율, 원주, 지름 구하기

초등 6·2
⑤ 원의 넓이

정답 34쪽

- 원주: 원의 둘레
- 원주율: 원의 지름에 대한 원주의 비율(3.1415926535897932……)
  필요에 따라 3, 3.1, 3.14 등으로 어림하여 사용

(원주)=(지름)×(원주율)
(넓이) = (가로) × (세로)

(지름)=(원주)÷(원주율)
(가로) = (넓이) ÷ (세로)

(원주율)=(원주) (넓이) / (지름) (가로)

1 원주율을 반올림하여 소수 둘째 자리까지 나타내고, 알 수 있는 사실에 ◯표 하시오.

원주: 12.564 cm
4 cm
→ (원주율) / 12.564 / (지름) → (원주율)= 12.564 / 4 = 3.141 → 3.14   [반올림하여 나타내기]

원주: 15.705 cm
5 cm
→ 15.705 / 5 → (원주율)= 15.705 / 5 = 3.141 → 3.14   [반올림하여 나타내기]

원주: 47.115 cm
15 cm
→ 47.115 / 15 → (원주율)= 47.115 / 15 = 3.141 → 3.14   [반올림하여 나타내기]

[알 수 있는 사실]
원의 크기와 상관없이 원주율의 값은 (⟨일정합니다⟩ 일정하지 않습니다).

2 원주를 구하시오. (원주율: 3.14)

2 cm → (원주율) 3.14 / (원주) / (지름) 2 → (원주)= 2 ×3.14 = 6.28 (cm)

4 cm → 3.14 / (원주) / (지름) 4 → (원주)= 4 ×3.14 = 12.56 (cm)

15 cm → 3.14 / (원주) / (지름) 15 → (원주)= 15 ×3.14 = 47.1 (cm)

3 cm → (원주율) 3.14 / (원주) / (지름) 6 (←3×2) → (원주)= 6 ×3.14 = 18.84 (cm)

4 cm → 3.14 / (원주) / (지름) 8 → (원주)= 8 ×3.14 = 25.12 (cm)

5 cm → 3.14 / (원주) / (지름) 10 → (원주)= 10 ×3.14 = 31.4 (cm)

3 지름 또는 반지름을 구하시오. (원주율: 3.1)

[보기]
원주: 6.2 cm
→ (원주율) 3.1 / (원주) 6.2 / (지름) → (지름)= 6.2 ÷ 3.1 = 2 (cm)
(반지름)= 2 ÷2= 1 (cm)

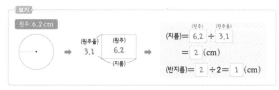
원주: 15.5 cm
→ (원주율) 3.1 / (원주) 15.5 / (지름) → (지름)= 15.5÷3.1 = 5 (cm)

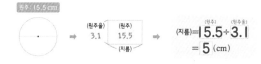
원주: 12.4 cm
→ (원주율) 3.1 / (원주) 12.4 / (지름) → (지름)= 12.4÷3.1 = 4 (cm)

원주: 24.8 cm
→ (원주율) 3.1 / (원주) 24.8 / (지름) → (지름)= 24.8÷3.1 = 8 (cm)
(반지름)= 8 ÷2= 4 (cm)

원주: 18.6 cm
→ (원주율) 3.1 / (원주) 18.6 / (지름) → (지름)= 18.6÷3.1 = 6 (cm)
(반지름)= 6 ÷2= 3 (cm)

4 ◯ 안에 알맞은 수를 써넣으시오. (원주율: 3)

원주: 24 cm
지름: 8 cm

지름: 5 cm
원주: 15 cm

원주: 42 cm
반지름: 7 cm

원주: 18 cm
반지름: 3 cm

지름: 7 cm
원주: 21 cm

원주: 39 cm
지름: 13 cm

원주: 48 cm
지름: 16 cm

원주: 36 cm
반지름: 6 cm

반지름: 5 cm
원주: 30 cm

02 여러 가지 원의 둘레 구하기

정답 35쪽

● 원주의 일부분인 빨간색 선의 길이 구하기 (원주율: 3)

원주	원주의 $\frac{1}{4}$	원주의 $\frac{1}{2}$	원주의 $\frac{3}{4}$
20 cm	20 cm	20 cm	20 cm
60 cm	15 cm	30 cm	45 cm
↳ 20 × 3	↳ 60 × $\frac{1}{4}$	↳ 60 × $\frac{1}{2}$	↳ 60 × $\frac{3}{4}$

🐾1 원주의 일부분인 빨간색 선의 길이를 구하시오. (원주율: 3)

4 cm　　　6 cm　　　8 cm

원주의 $\frac{1}{2}$ ➡ **6** cm　　　원주의 $\frac{1}{4}$ ➡ **9** cm　　　원주의 $\frac{3}{4}$ ➡ **36** cm
　　　↳ (원주) × $\frac{1}{2}$　　　　↳ (원주) × $\frac{1}{4}$

12 cm　　　16 cm　　　10 cm

원주의 $\frac{1}{4}$ ➡ **18** cm　　　원주의 $\frac{3}{4}$ ➡ **72** cm　　　원주의 $\frac{1}{2}$ ➡ **30** cm

🐾2 색칠한 부분의 둘레를 구하시오. (원주율: 3)

보기
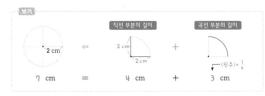

		직선 부분의 길이		곡선 부분의 길이
2 cm	⬅	2 cm / 2 cm	+	↳(원주)×$\frac{1}{4}$
7 cm	=	**4** cm	+	**3** cm

		직선 부분의 길이		곡선 부분의 길이

5 cm　⬅　10 cm　+　↳(원주)×$\frac{1}{2}$

25 cm = **10** cm + **15** cm

6 cm　⬅　6 cm　+

21 cm = **12** cm + **9** cm

12 cm　⬅

78 cm = **24** cm + **54** cm

🐾3 색칠한 부분의 둘레를 구하시오. (원주율: 3)

		직선 부분의 길이		곡선 부분의 길이

4 cm / 4 cm　⬅　4 cm 4 cm 4 cm 4 cm　+　4 cm

28 cm = 16 cm + 12 cm
　　　↳ 정사각형의 둘레　　↳ 원주

5 cm / 10 cm　⬅　　+　10 cm

35 cm = **20** cm + **15** cm
　　　　　　　　　　↳(원주)×$\frac{1}{2}$

6 cm / 6 cm　⬅　　+　6 cm

21 cm = **12** cm + **9** cm

8 cm / 8 cm　⬅　4 cm　+　4 cm

42 cm = **24** cm + **18** cm

🐾4 색칠한 부분의 둘레를 구하시오. (원주율: 3)

10 cm / 10 cm　　　**45** cm

☐ + ◯

10 cm / 10 cm　　　**70** cm

▦ + ◆ + ◯

10 cm / 10 cm / 15 cm　　　**80** cm

12 cm / 12 cm　　　**60** cm

10 cm / 20 cm　　　**50** cm

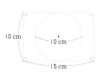

16 cm / 16 cm　　　**112** cm

03 원의 넓이 구하기

정답 36쪽

● 원의 넓이 구하는 방법

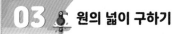
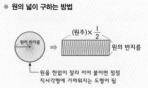

원을 한없이 잘라 이어 붙이면 점점 직사각형에 가까워지는 도형이 됨

(원의 넓이)
= (원주) × $\frac{1}{2}$ × (반지름)
= (원주율) × (지름) × $\frac{1}{2}$ × (반지름)
= (원주율) × (지름) × (반지름)

1 안에 알맞게 써넣고, 원의 넓이를 구하시오. (원주율: 3)

5 cm → 원의 반지름 → (원주) × $\frac{1}{2}$ → 15 cm / 5 cm
(원의 넓이) = **75** cm²　└15×5

8 cm → 원의 반지름 → (원주) × $\frac{1}{2}$ → 24 cm / 8 cm
(원의 넓이) = **192** cm²

7 cm → 원의 반지름 → (원주) × $\frac{1}{2}$ → 21 cm / 7 cm
(원의 넓이) = **147** cm²

10 cm → 원의 반지름 → (원주) × $\frac{1}{2}$ → 30 cm / 10 cm
(원의 넓이) = **300** cm²

2 안에 알맞게 써넣고, 원의 넓이를 구하시오. (원주율: 3.14)

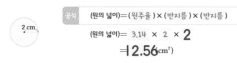

2 cm　공식 (원의 넓이) = (원주율) × (반지름) × (반지름)
(원의 넓이) = 3.14 × 2 × 2 = **12.56** cm²

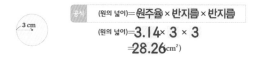

3 cm　공식 (원의 넓이) = 원주율 × 반지름 × 반지름
(원의 넓이) = 3.14 × 3 × 3 = **28.26** cm²

5 cm　공식 (원의 넓이) = 원주율 × 반지름 × 반지름
(원의 넓이) = 3.14 × 5 × 5 = **78.5** cm²

8 cm　공식 (원의 넓이) = 원주율 × 반지름 × 반지름
(원의 넓이) = 3.14 × 8 × 8 = **200.96** cm²

10 cm　공식 (원의 넓이) = 원주율 × 반지름 × 반지름
(원의 넓이) = 3.14 × 10 × 10 = **314** (cm²)

3 원의 넓이를 구하시오. (원주율: 3.1)

보기

공식 (원의 넓이) = (원주율) × (반지름) × (반지름)
(원의 넓이) = 3.1 × 3 × 3 = 27.9 (cm²)

10 cm / 5 cm
77.5 cm²　└3.1×5×5

24 cm
446.4 cm²

14 cm
151.9 cm²

8 cm
49.6 cm²

22 cm
375.1 cm²

30 cm
697.5 cm²

18 cm
251.1 cm²

34 cm
895.9 cm²

4 원의 넓이를 구하시오. (원주율: 3)

| | 지름 구하기 | 원의 넓이 구하기 |

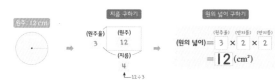

원주: 12 cm → (원주율) 3 / (원주) 12 / (지름) 4 ←12÷3 → (원주율)(반지름)(반지름) (원의 넓이) = 3 × 2 × 2 = **12** (cm²)

원주: 18 cm → (원주율) 3 / (원주) 18 / (지름) 6 → (원의 넓이) = 3 × 3 × 3 = **27** (cm²)

원주: 36 cm → (원주율) 3 / (원주) 36 / (지름) 12 → (원의 넓이) = 3 × 6 × 6 = **108** (cm²)

원주: 30 cm → (원주율) 3 / (원주) 30 / (지름) 10 → (원의 넓이) = 3 × 5 × 5 = **75** (cm²)

원주: 42 cm → (원주율) 3 / (원주) 42 / (지름) 14 → (원의 넓이) = 3 × 7 × 7 = **147** (cm²)

04 여러 가지 원의 넓이 구하기

정답 37쪽

● 원의 일부분인 넓이 구하기 (원주율: 3)

원의 넓이	원의 넓이의 $\frac{1}{4}$	원의 넓이의 $\frac{1}{2}$	원의 넓이의 $\frac{3}{4}$
4 cm	4 cm	4 cm	4 cm
48 cm²	12 cm²	24 cm²	36 cm²
↳3×4×4	↳48×$\frac{1}{4}$	↳48×$\frac{1}{2}$	↳48×$\frac{3}{4}$

① 원의 일부분의 넓이를 구하시오. (원주율: 3)

4 cm — 원의 넓이의 $\frac{1}{2}$ ⇒ 6 cm² ↳(원의 넓이)×$\frac{1}{2}$

8 cm — 원의 넓이의 $\frac{1}{4}$ ⇒ 48 cm² ↳(원의 넓이)×$\frac{1}{4}$

6 cm — 원의 넓이의 $\frac{3}{4}$ ⇒ 81 cm²

14 cm — 원의 넓이의 $\frac{1}{4}$ ⇒ 147 cm²

12 cm — 원의 넓이의 $\frac{3}{4}$ ⇒ 324 cm²

20 cm — 원의 넓이의 $\frac{1}{2}$ ⇒ 150 cm²

16

② 색칠한 부분의 넓이를 구하시오. (원주율: 3)

보기
126 cm² = 54 cm² + 72 cm²
↳3×6×6×$\frac{1}{2}$ ↳12×6

56 cm² = 24 cm² + 32 cm²
↳3×4×4×$\frac{1}{2}$ ↳8×8÷2

252 cm² = 108 cm² + 144 cm²

512 cm² = 192 cm² + 320 cm²

17

③ 색칠한 부분의 넓이를 구하시오. (원주율: 3)

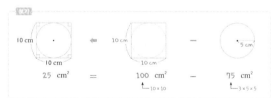

보기
25 cm² = 100 cm² − 75 cm²
↳10×10 ↳3×5×5

144 cm² = 192 cm² − 48 cm²
↳3×8×8 ↳3×4×4

32 cm² = 128 cm² − 96 cm²

36 cm² = 108 cm² − 72 cm²

18

④ 색칠한 부분의 넓이를 구하시오. (원주율: 3)

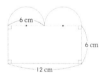
99 cm²

32 cm²

75 cm²

160 cm²

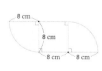
160 cm²

81 cm²

19

도전! 응용문제

정답 38쪽

초등 6·2
⑤ 원의 넓이

💡 빨간색 선의 길이 구하기 (원주율: 3)

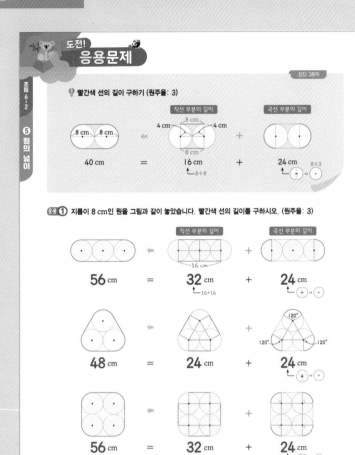

응용 ① 지름이 8 cm인 원을 그림과 같이 놓았습니다. 빨간색 선의 길이를 구하시오. (원주율: 3)

직선 부분의 길이   곡선 부분의 길이

56 cm = **32** cm + **24** cm
└16+16

48 cm = **24** cm + **24** cm

56 cm = **32** cm + **24** cm

응용 ② 지름이 10 cm인 원을 그림과 같이 놓았습니다. 빨간색 선의 길이를 구하시오. (원주율: 3)

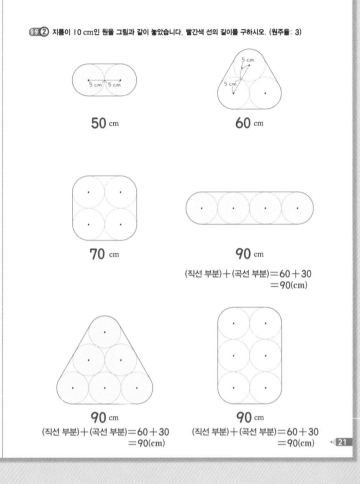

50 cm   **60** cm

70 cm   **90** cm
(직선 부분)＋(곡선 부분)＝60＋30
＝90(cm)

90 cm   **90** cm
(직선 부분)＋(곡선 부분)＝60＋30   (직선 부분)＋(곡선 부분)＝60＋30
＝90(cm)   ＝90(cm)

💡 원의 반지름과 원의 넓이의 관계 (원주율: 3)

원의 반지름(cm)	1 cm	2 cm	3 cm
원의 넓이(cm²)	3 cm²	12 cm²	27 cm²

2배 → 3배
4배 → 9배

응용 ③ 원의 반지름과 원의 넓이의 관계를 알아보시오. (원주율: 3)

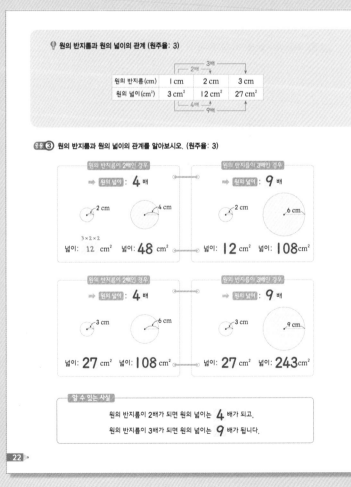

원의 반지름이 2배인 경우 ➡ 원의 넓이: **4** 배
넓이: **12** cm²   넓이: **48** cm²
3×2×2

원의 반지름이 3배인 경우 ➡ 원의 넓이: **9** 배
넓이: **12** cm²   넓이: **108** cm²

원의 반지름이 2배인 경우 ➡ 원의 넓이: **4** 배
넓이: **27** cm²   넓이: **108** cm²

원의 반지름이 3배인 경우 ➡ 원의 넓이: **9** 배
넓이: **27** cm²   넓이: **243** cm²

알 수 있는 사실

원의 반지름이 2배가 되면 원의 넓이는 **4** 배가 되고,
원의 반지름이 3배가 되면 원의 넓이는 **9** 배가 됩니다.

응용 ④ 안에 알맞은 넓이를 써넣으시오. (원주율: 3)

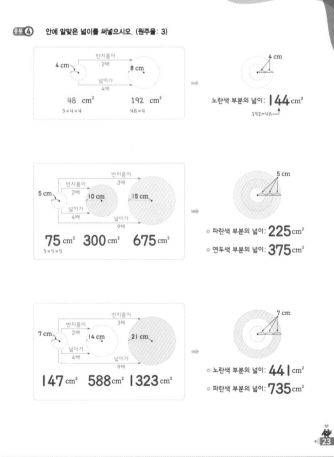

48 cm²   **192** cm²   노란색 부분의 넓이: **144** cm²
3×4×4   48×4   └192-48

75 cm²   **300** cm²   **675** cm²
3×5×5

◦ 파란색 부분의 넓이: **225** cm²
◦ 연두색 부분의 넓이: **375** cm²

147 cm²   **588** cm²   **1323** cm²

◦ 노란색 부분의 넓이: **441** cm²
◦ 파란색 부분의 넓이: **735** cm²

형성평가

정답 39쪽
걸린 시간: 분 초

초등 6·2
⑤ 원의 넓이

01 원주율을 반올림하여 소수 둘째 자리까지 나타내시오.

원주: 25.13 cm
8 cm
원주율: **3.14**

02 원주를 구하시오. (원주율: 3.1)

2 cm
(원주율) **3.1** (원주)
(지름) **4**

⇒ (원주)= **4** × 3.1 = **12.4** (cm)

03 지름을 구하시오. (원주율: 3.14)

원주: 31.4 cm

→ (원주율) **3.14** (원주) **31.4**
(지름)

⇒ (지름)= 31.4÷3.14 = **10** (cm)

04 원주를 구하시오. (원주율: 3)

(1) 지름: 9 cm

원주: **27** cm

(2) 반지름: 4 cm

원주: **24** cm

05 지름 또는 반지름을 구하시오.
(원주율: 3.1)

(1) 원주: 21.7 cm

지름: **7** cm

(2) 원주: 37.2 cm

반지름: **6** cm

06 원주의 일부분인 빨간색 선의 길이를 구하시오. (원주율: 3)

8 cm

원주의 $\frac{1}{2}$ → **12** cm

[07~08] 색칠한 부분의 둘레를 구하시오.
(원주율: 3.1)

07

4 cm
14.2 cm

직선 부분　＋　곡선 부분

8 cm　＋　6.2 cm

08

7 cm
35.7 cm

직선 부분　＋　곡선 부분

14 cm　＋　21.7 cm

09 색칠한 부분의 둘레를 구하시오.
(원주율: 3)

6 cm
6 cm
27 cm

직선 부분　＋　곡선 부분

18 cm　＋　9 cm

10 색칠한 부분의 둘레를 구하시오.
(원주율: 3)

(1)

9 cm
9 cm
63 cm

(2)
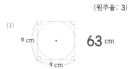
7 cm
14 cm
49 cm

24

25

11 안에 알맞게 써넣고, 원의 넓이를 구하시오. (원주율: 3)

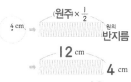
4 cm
(원주× $\frac{1}{2}$)
원의 반지름
12 cm
4 cm

(원의 넓이) **48** cm²

12 안에 알맞게 써넣고, 원의 넓이를 구하시오. (원주율: 3.14)

9 cm

공식
(원의 넓이)=원주율×반지름×반지름

(원의 넓이)=3.14× 9 × 9 = **254.34** (cm²)

13 원의 넓이를 구하시오. (원주율: 3.1)

20 cm
310 cm²

[14~15] 원의 넓이를 구하시오. (원주율: 3)

14
원주: 24 cm

⇒ (원주율) **3** (원주) **24**
(지름) **8**

⇒ (원의 넓이)= 3 × 4 × 4 = **48** (cm²)

15
원주: 54 cm

⇒ (원주율) **3** (원주) **54**
(지름) **18**

⇒ (원의 넓이)= 3 × 9 × 9 = **243** (cm²)

16 원의 일부분의 넓이를 구하시오.
(원주율: 3)

8 cm

원의 넓이의 $\frac{1}{4}$ → **48** cm²

[17~18] 색칠한 부분의 넓이를 구하시오.
(원주율: 3)

17

12 cm
6 cm
90 cm²

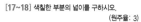

54 cm²　＋　36 cm²

18

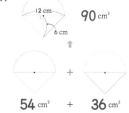
10 cm
10 cm 10 cm 10 cm
250 cm²

150 cm²　＋　100 cm²

19 색칠한 부분의 넓이를 구하시오. (원주율: 3)

16 cm
32 cm²

96 cm²　－　64 cm²

20 색칠한 부분의 넓이를 구하시오. (원주율: 3)

(1)

10 cm
24 cm
315 cm²

(2)

12 cm
12 cm
36 cm²

26

27

단원 평가 　5. 원의 넓이

정답 40쪽

1 다음 설명 중 옳지 <u>않은</u> 것은 어느 것입니까? (④)

① 원의 둘레를 원주라고 합니다.
② (원주율)=(원주)÷(지름)
③ (원주)=(지름)×(원주율)
④ 반지름이 길어지면 원주율도 커집니다.
⑤ 원주와 지름의 비율을 원주율이라고 합니다.

2 원주가 가장 긴 것을 찾아 기호를 쓰시오.

(㉡)

3 두 원의 원주율을 비교하여 ○ 안에 >, =, <를 알맞게 써넣으시오.

원주: 25.12 cm　원주: 37.68 cm

8 cm ＝ 12 cm

두 원의 원주율은 3.14로 같습니다.

4 지름이 100 cm인 원 모양의 식탁이 있습니다. 이 식탁의 둘레를 재어 보니 314 cm였습니다. 물음에 답하시오.

(1) 식탁의 둘레는 반지름의 몇 배입니까?
(**6.28**)배
$314 \div 50 = 6.28$(배)

(2) 식탁의 둘레는 지름의 몇 배입니까?
(**3.14**)배
$314 \div 100 = 3.14$(배)

5 원주를 구하시오. (원주율: 3.1)

(1)

11 cm
(**34.1**)cm

(2)

7 cm
(**43.4**)cm

6 두 원 ㉮, ㉯가 있습니다. 원 ㉮의 원주는 원 ㉯의 원주의 몇 배입니까? (원주율: 3.14)

㉮ 지름이 18 cm인 원
㉯ 반지름이 3 cm인 원

(**3**)배

7 ○ 안에 알맞은 수를 써넣으시오. (원주율: 3.1)

(1) 원주: 27.9 cm

지름: **9** cm

(2) 원주: 49.6 cm

반지름: **8** cm

8 길이가 4 m인 밧줄을 이용하여 운동장에 가장 큰 원을 그렸습니다. 그려진 원의 원주는 몇 m입니까? (원주율: 3)
(**24**)m
$4 \times 2 \times 3 = 24$(m)

9 원 안에 있는 마름모의 넓이와 원 밖에 있는 정사각형의 넓이를 구하여 원의 넓이를 어림하려고 합니다. ○ 안에 알맞은 수를 써넣으시오.

4 cm

원 안에 있는 마름모의 넓이: **32** cm²
원 밖에 있는 정사각형의 넓이: **64** cm²

➡ **32** cm² < (원의 넓이)
(원의 넓이) < **64** cm²

10 반지름이 5 cm인 원을 잘게 잘라서 다음과 같이 이어 붙였습니다. ○ 안에 알맞은 수를 써넣고 원의 넓이를 구하시오. (원주율: 3.14)

15.7 cm　5 cm

(**78.5**)cm²

---

11 원의 넓이를 구하시오. (원주율: 3.1)

(1)

7 cm
(**151.9**)cm²

(2)

26 cm
(**523.9**)cm²

12 원의 넓이를 구하시오. (원주율: 3)

(1) 원주: 6 cm

(**3**)cm²

(2) 원주: 24 cm

(**48**)cm²

13 반원의 넓이를 구하시오. (원주율: 3)

20 cm
(**150**)cm²
$(3 \times 10 \times 10) \times \frac{1}{2} = 150$(cm²)

14 길이가 다음과 같은 철사 ㉠, ㉡이 있습니다. 철사 ㉠, ㉡의 길이를 각각 반지름으로 하는 원을 만들었습니다. 두 원의 넓이의 차는 몇 cm²입니까? (원주율: 3)

㉠ ——————— 12 cm
㉡ ————————— 15 cm

(**243**)cm²
$3 \times 15 \times 15 - 3 \times 12 \times 12$
$= 243$(cm²)

15 지름이 20 cm인 원 ㉮와 한 변의 길이가 20 cm인 정사각형 ㉯가 있습니다. 어느 도형의 넓이가 몇 cm² 더 넓습니까? (원주율: 3.14)

㉮ 20 cm　㉯ 20 cm　20 cm

(㉯), (**86**)cm²

㉮의 넓이: 314 cm²
㉯의 넓이: 400 cm²
→ ㉯의 넓이가 86 cm² 더 넓습니다.

16 색칠한 부분의 둘레를 구하시오. (원주율: 3)

8 cm
8 cm
(**56**)cm

17 색칠한 부분의 넓이를 구하시오. (원주율: 3)

14 cm
6 cm
(**480**)cm²
$3 \times 14 \times 14 - 3 \times 6 \times 6$
$= 480$(cm²)

18 지름이 12 cm인 원 안에 두 대각선이 모두 12 cm인 마름모를 그렸습니다. 색칠한 부분의 넓이는 몇 cm²입니까? (원주율: 3)

12 cm
(**36**)cm²
$3 \times 6 \times 6 - 12 \times 12 \div 2$
$= 36$(cm²)

19 진서가 지름이 80 cm인 훌라후프를 4바퀴 굴렸습니다. 훌라후프가 굴러간 거리는 몇 cm인지 풀이 과정을 쓰고 답을 구하시오. (원주율: 3.1)

예 풀이 (훌라후프의 원주)
$= 80 \times 3.1 = 248$(cm)
(훌라후프가 굴러간 거리)
$= 248 \times 4 = 992$(cm)
답 **992 cm**

20 길이가 84 cm인 끈을 남김없이 사용하여 한 개의 원을 만들었습니다. 만든 원의 넓이는 몇 cm²인지 풀이 과정을 쓰고 답을 구하시오. (원주율: 3)

예 풀이 (원의 지름) $= 84 \div 3 = 28$(cm)
(원의 반지름) $= 28 \div 2 = 14$(cm)
(원의 넓이) $= 3 \times 14 \times 14$
$= 588$(cm²)
답 **588 cm²**

01 원기둥

정답 41쪽

● **원기둥**: 두 밑면은 원이고, 서로 평행하고 합동인 입체도형

1 그림에 대한 설명이 맞으면 ◯ 표, 틀리면 ✕ 표 하고, 알맞은 말에 ◯표 하시오.

- 두 밑면이 원입니다. (◯)
- 두 밑면이 서로 평행하고 합동입니다. (◯)
➡ 원기둥이 (맞습니다) 아닙니다).

- 두 밑면이 원입니다. (✕)
- 두 밑면이 서로 평행하고 합동입니다. (◯)
➡ 원기둥이 (맞습니다 (아닙니다)).

- 두 밑면이 원입니다. (◯)
- 두 밑면이 서로 평행하고 합동입니다. (✕)
➡ 원기둥이 (맞습니다 (아닙니다)).

- 두 밑면이 원입니다. (◯)
- 두 밑면이 서로 평행하고 합동입니다. (◯)
➡ 원기둥이 ((맞습니다) 아닙니다).

04

2 원기둥인 것에 ◯ 표, 원기둥이 아닌 것에 ✕ 표 하시오.

보기
원기둥	원기둥이 아닌 것
두 밑면이 원이고, 서로 평행하고 합동	두 밑면이 서로 평행하지 않고 합동이 아님 / 두 밑면이 합동이 아님

 ◯   ✕   ✕

 ✕   ✕   ◯

 ✕   ✕   ◯

✕   ◯   ✕

05

● **원기둥의 옆면과 높이**

옆면: 두 밑면과 만나는 면

높이: 두 밑면에 수직인 선분의 길이

3 원기둥에서 밑면의 지름과 높이를 구하시오.

5 cm, 12 cm
➡ 밑면의 지름: 10 cm
높이: 12 cm

20 cm, 16 cm
➡ 밑면의 지름: 16 cm
높이: 20 cm

4 cm, 9 cm, 8 cm
➡ 밑면의 지름: 8 cm
높이: 9 cm

24 cm, 9 cm, 30 cm
➡ 밑면의 지름: 18 cm
높이: 24 cm

15 cm, 8 cm, 17 cm
➡ 밑면의 지름: 8 cm
높이: 15 cm

8 cm, 10 cm, 16 cm
➡ 밑면의 지름: 16 cm
높이: 10 cm

06

4 직사각형의 한 변을 기준으로 돌려 만든 원기둥의 밑면의 지름과 높이를 구하시오.

보기
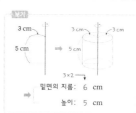
3 cm, 5 cm ➡ 5 cm, 3×2
➡ 밑면의 지름: 6 cm
높이: 5 cm

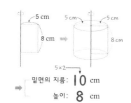
5 cm, 8 cm ➡ 8 cm, 5×2
➡ 밑면의 지름: 10 cm
높이: 8 cm

10 cm, 8 cm
➡ 밑면의 지름: 16 cm
높이: 10 cm

5 cm, 12 cm
➡ 밑면의 지름: 10 cm
높이: 12 cm

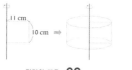
11 cm, 10 cm
➡ 밑면의 지름: 22 cm
높이: 10 cm

8 cm, 18 cm
➡ 밑면의 지름: 16 cm
높이: 18 cm

07

02 원기둥의 전개도

정답 42쪽

● 원기둥의 전개도: 원기둥을 잘라서 펼쳐 놓은 그림

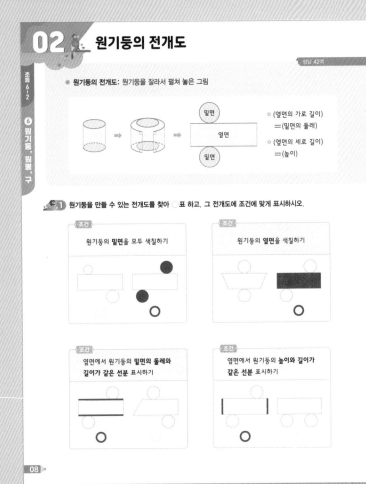

○ (옆면의 가로 길이)
= (밑면의 둘레)
○ (옆면의 세로 길이)
= (높이)

1 원기둥을 만들 수 있는 전개도를 찾아 ○표 하고, 그 전개도에 조건에 맞게 표시하시오.

2 원기둥과 원기둥의 전개도를 보고, 안에 알맞은 수를 써넣으시오. (원주율: 3.1)

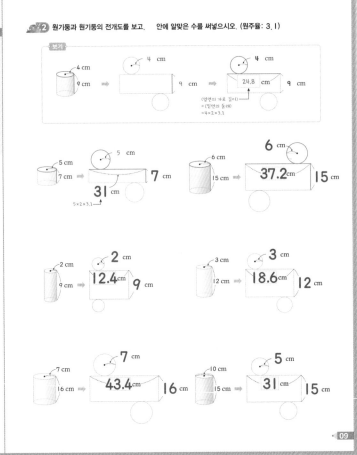

3 원기둥의 옆면의 넓이를 구하시오. (원주율: 3)

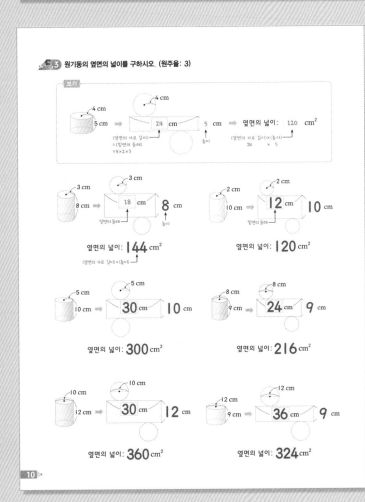

4 원기둥의 겉넓이를 구하시오. (원주율: 3)

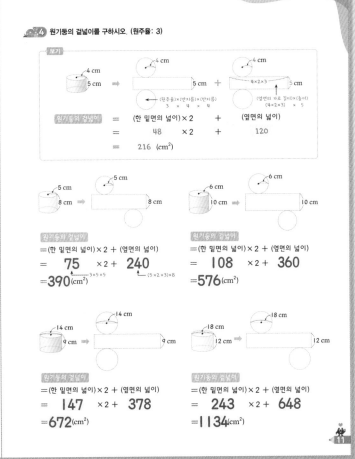

03 원뿔과 구

정답 43쪽

● **원뿔**: 밑면은 원이고, 뿔 모양의 입체도형

밑면

● **구**: 공 모양의 입체도형

1 그림에 대한 설명이 맞으면 ◯ 표, 틀리면 ✕ 표 하고, 알맞은 말에 ◯ 표 하시오.

- 밑면이 원입니다. (◯)
- 뿔 모양의 입체도형입니다. (◯) → 원뿔이 (**맞습니다**, 아닙니다).

- 밑면이 원입니다. (✕)
- 뿔 모양의 입체도형입니다. (◯) → 원뿔이 (맞습니다 , **아닙니다**).

- 공 모양의 입체도형입니다. (◯) → 구가 (**맞습니다**, 아닙니다).

- 공 모양의 입체도형입니다. (✕) → 구가 (맞습니다 , **아닙니다**).

2 원뿔인 것에 △ 표, 구인 것에 ◯ 표, 원뿔과 구가 아닌 것에 ✕ 표 하시오.

보기

원뿔	원뿔이 아닌 것	구	구가 아닌 것
밑면이 원이고, 뿔 모양	밑면이 원이 아님	공 모양	공 모양이 아님

 ✕　　 △　　 ✕

 ◯　　 ✕　　 ✕

 ✕　　 △　　 ✕

 △　　 ✕　　 ◯

12 · 　　　　· 13

● **원뿔의 구성 요소**

원뿔의 꼭짓점
옆면　높이　모선
밑면

● **구의 구성 요소**

구의 중심　구의 반지름

3 그림을 보고 ☐ 안에 알맞은 수를 써넣으시오.

 (4 cm, 5 cm, 3 cm)
→ 밑면의 반지름: **3** cm
　 높이: **4** cm

 (5 cm, 13 cm, 12 cm)
→ 밑면의 반지름: **5** cm
　 모선의 길이: **13** cm

 (18 cm, 15 cm, 12 cm)
→ 밑면의 반지름: **9** cm
　 모선의 길이: **15** cm

 (15 cm, 17 cm, 16 cm)
→ 높이: **15** cm
　 모선의 길이: **17** cm

 (4 cm, 7 cm, 3 cm)
→ 구의 반지름: **4** cm

 (6 cm, 9 cm, 5 cm)
→ 구의 반지름: **5** cm

4 그림과 같은 도형을 한 바퀴 돌려 입체도형을 만들었습니다. ☐ 안에 알맞은 수를 써넣으시오.

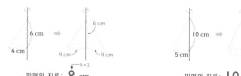 (6 cm, 4 cm → 4×2)
→ 밑면의 지름: **8** cm
　 높이: **6** cm

 (6 cm, 10 cm, 5 cm)
→ 밑면의 지름: **10** cm
　 높이: **10** cm

 (8 cm, 4 cm)
→ 구의 반지름: **4** cm

 (12 cm)
→ 구의 반지름: **6** cm

 (7 cm, 11 cm)
→ 밑면의 지름: **14** cm
　 높이: **11** cm

(16 cm)
→ 구의 반지름: **8** cm

14 · 　　　　· 15

04 입체도형의 특징 비교하기

정답 44쪽

● 입체도형을 위, 앞, 옆에서 본 모양

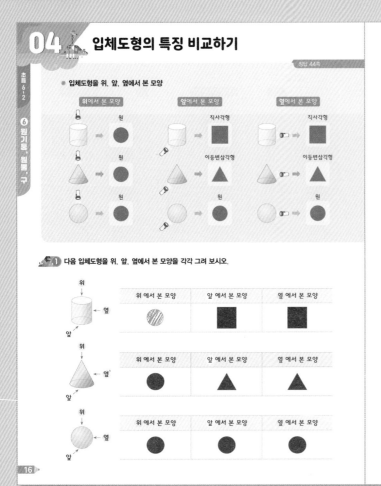

1 다음 입체도형을 위, 앞, 옆에서 본 모양을 각각 그려 보시오.

위 에서 본 모양	앞 에서 본 모양	옆 에서 본 모양
◐	■	■

위 에서 본 모양	앞 에서 본 모양	옆 에서 본 모양
●	▲	▲

위 에서 본 모양	앞 에서 본 모양	옆 에서 본 모양
●	●	●

2 입체도형을 보고 알맞게 써넣은 후 바르게 설명한 것에 ○표, 잘못 설명한 것에 ✕표 하시오.

입체도형		
밑면의 모양	삼각형	원
밑면의 수(개)	2	2
모서리의 수(개)	9	없습니다.
꼭짓점의 수(개)	6	없습니다.
위 에서 본 모양	삼각형	원
앞 에서 본 모양	직사각형	직사각형
옆 에서 본 모양	직사각형	직사각형

각기둥과 원기둥의 공통점

○ 각기둥과 원기둥은 모두 평면도형입니다. ······· (✕)

○ 각기둥과 원기둥은 모두 밑면이 2개입니다. ······· (○)

○ 각기둥과 원기둥은 모두 옆면이 굽은 면입니다. ······· (✕)

○ 각기둥과 원기둥은 모두 밑면이 서로 평행합니다. ······· (○)

○ 각기둥과 원기둥은 모두 밑면이 합동인 다각형입니다. ······· (✕)

○ 각기둥과 원기둥은 모두 옆에서 본 모양이 직사각형입니다. ······· (○)

3 입체도형을 보고 알맞게 써넣은 후 바르게 설명한 것에 ○표, 잘못 설명한 것에 ✕표 하시오.

입체도형		
밑면의 모양	사각형	원
밑면의 수(개)	1	1
모서리의 수(개)	8	없습니다.
꼭짓점의 수(개)	5	1
위 에서 본 모양	사각형	원
앞 에서 본 모양	삼각형	이등변삼각형
옆 에서 본 모양	삼각형	이등변삼각형

각뿔과 원뿔의 공통점

○ 각뿔과 원뿔은 모두 뿔 모양의 입체도형입니다. ······· (○)

○ 각뿔과 원뿔은 모두 밑면이 1개입니다. ······· (○)

○ 각뿔과 원뿔은 모두 옆면이 1개입니다. ······· (✕)

○ 각뿔과 원뿔은 모두 옆면이 밑면에 수직입니다. ······· (✕)

○ 각뿔과 원뿔은 모두 위에서 본 모양이 삼각형입니다. ······· (✕)

○ 각뿔의 밑면의 모양은 다각형이고, 원뿔의 밑면의 모양은 원입니다. ······· (○)

4 입체도형을 보고 알맞게 써넣은 후 바르게 설명한 것에 ○표, 잘못 설명한 것에 ✕표 하시오.

입체도형			
입체도형의 모양	기둥	뿔	공
밑면의 모양	원	원	없습니다.
밑면의 수(개)	2	1	없습니다.
꼭짓점의 수(개)	없습니다.	1	없습니다.
위 에서 본 모양	원	원	원
앞 에서 본 모양	직사각형	이등변삼각형	원
옆 에서 본 모양	직사각형	이등변삼각형	원

원기둥, 원뿔, 구의 공통점

○ 원기둥, 원뿔, 구는 모두 위에서 본 모양이 원입니다. ······· (○)

○ 원기둥과 원뿔은 밑면이 2개입니다. ······· (✕)

○ 원기둥, 원뿔, 구는 모두 굽은 면으로 둘러싸여 있습니다. ······· (○)

○ 원기둥과 원뿔은 높이를 잴 수 있는 선분이 1개입니다. ······· (✕)

○ 원기둥과 구는 꼭짓점이 없습니다. ······· (○)

○ 원기둥과 구는 뾰족한 부분이 있지만 원뿔은 뾰족한 부분이 없습니다. ······· (✕)

도전! 응용문제

정답 45쪽

💡 원기둥의 밑면의 반지름 구하기 (원주율: 3)

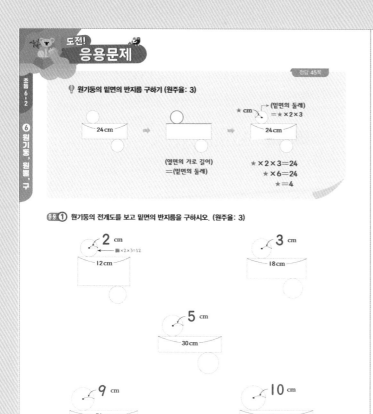

(옆면의 가로 길이)
=(밑면의 둘레)

★×2×3=24
★×6=24
★=4

응용 ① 원기둥의 전개도를 보고 밑면의 반지름을 구하시오. (원주율: 3)

응용 ② 원기둥의 옆면의 넓이가 다음과 같을 때, 밑면의 반지름을 구하시오. (원주율: 3)

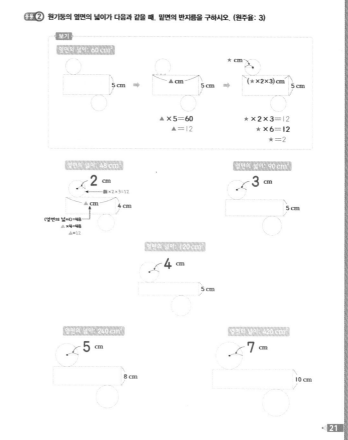

보기
옆면의 넓이: 60 cm²

▲×5=60
▲=12

★×2×3=12
★×6=12
★=2

직사각형의 한 변을 기준으로 돌려 만든 원기둥의 겉넓이 구하기 (원주율: 3)

원기둥의 겉넓이
=(한 밑면의 넓이)×2＋(옆면의 넓이)
＝ (3×2×2) ×2＋(2×2×3)×5
＝84(cm²)

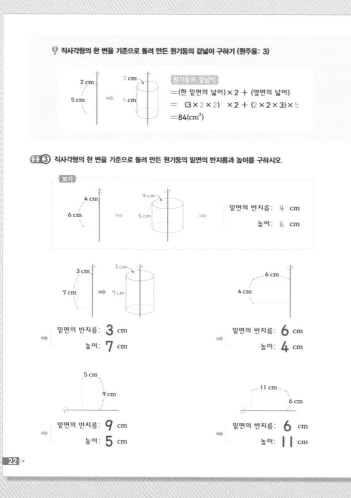

응용 ③ 직사각형의 한 변을 기준으로 돌려 만든 원기둥의 밑면의 반지름과 높이를 구하시오.

보기
밑면의 반지름: 4 cm
높이: 6 cm

밑면의 반지름: 3 cm
높이: 7 cm

밑면의 반지름: 6 cm
높이: 4 cm

밑면의 반지름: 9 cm
높이: 5 cm

밑면의 반지름: 6 cm
높이: 11 cm

응용 ④ 직사각형의 한 변을 기준으로 돌려 만든 원기둥의 겉넓이를 구하시오. (원주율: 3)

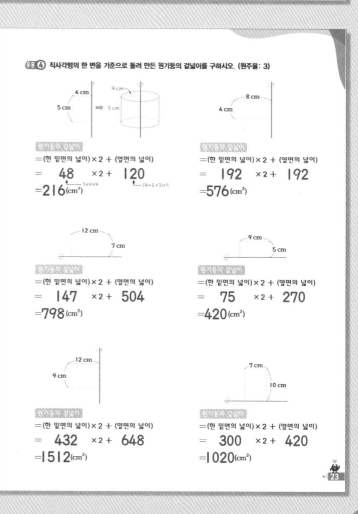

원기둥의 겉넓이
=(한 밑면의 넓이)×2＋(옆면의 넓이)
＝ 48 ×2＋ 120
＝216(cm²)

원기둥의 겉넓이
=(한 밑면의 넓이)×2＋(옆면의 넓이)
＝ 192 ×2＋ 192
＝576(cm²)

원기둥의 겉넓이
=(한 밑면의 넓이)×2＋(옆면의 넓이)
＝ 147 ×2＋ 504
＝798(cm²)

원기둥의 겉넓이
=(한 밑면의 넓이)×2＋(옆면의 넓이)
＝ 75 ×2＋ 270
＝420(cm²)

원기둥의 겉넓이
=(한 밑면의 넓이)×2＋(옆면의 넓이)
＝ 432 ×2＋ 648
＝1512(cm²)

원기둥의 겉넓이
=(한 밑면의 넓이)×2＋(옆면의 넓이)
＝ 300 ×2＋ 420
＝1020(cm²)

형성평가

걸린 시간
정답 46쪽

01 그림에 대한 설명이 맞으면 ◯표, 틀리면 ✕표 하고, 알맞은 말에 ◯표 하시오.

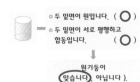

- 두 밑면이 원입니다. (◯)
- 두 밑면이 서로 평행하고 합동입니다. (◯)

↓

원기둥이 (**맞습니다**, 아닙니다).

02 원기둥인 것에 ◯표, 원기둥이 아닌 것에 ✕표 하시오.

 ✕   ◯   ✕

03 원기둥에서 밑면의 지름과 높이를 구하시오.

밑면의 지름: 12 cm
높이: 13 cm

[04~05] 직사각형의 한 변을 기준으로 돌려 만든 원기둥의 밑면의 지름과 높이를 구하시오.

04
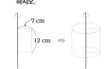
밑면의 지름: 14 cm
높이: 12 cm

05
밑면의 지름: 8 cm
높이: 10 cm

06 원기둥의 전개도를 찾아 ◯표 하고, 그 전개도에 조건에 맞게 표시하시오.

조건
원기둥의 **옆면**을 색칠하기

07 원기둥과 원기둥의 전개도를 보고, 안에 알맞은 수를 써넣으시오. (원주율: 3.1)

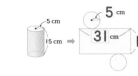
31

08 원기둥의 옆면의 넓이를 구하시오. (원주율: 3)

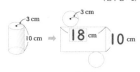
18
옆면의 넓이: 180 cm²

09 원기둥의 겉넓이를 구하시오. (원주율: 3)

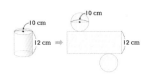

원기둥의 겉넓이
= (한 밑면의 넓이) × 2 + (옆면의 넓이)
= 75 × 2 + 360
= 510 (cm²)

10 그림에 대한 설명이 맞으면 ◯표, 틀리면 ✕표 하고, 알맞은 말에 ◯표 하시오.

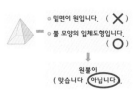

- 밑면이 원입니다. (✕)
- 뿔 모양의 입체도형입니다. (◯)

↓

원뿔이 (맞습니다 **아닙니다**).

11 그림에 대한 설명이 맞으면 ◯표, 틀리면 ✕표 하고, 알맞은 말에 ◯표 하시오.

공 모양의 입체도형입니다. (◯)

↓

구가 (**맞습니다**, 아닙니다).

12 원뿔인 것에 △표, 구인 것에 ◯표, 원뿔과 구가 아닌 것에 ✕표 하시오.

 △ ✕ ◯

13 그림을 보고 안에 알맞은 수를 써넣으시오.

밑면의 반지름: 10 cm
높이: 24 cm
모선의 길이: 26 cm

14 그림을 보고 안에 알맞은 수를 써넣으시오.

구의 반지름: 7 cm

[15~16] 그림과 같은 도형을 한 바퀴 돌려 입체도형을 만들었습니다. 안에 알맞은 수를 써넣으시오.

15

밑면의 지름: 6 cm
높이: 8 cm

16
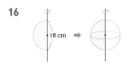
구의 반지름: 9 cm

17 다음 입체도형을 위, 앞, 옆에서 본 모양을 각각 그려 보시오.

위에서 본 모양	앞에서 본 모양	옆에서 본 모양
●	▲	▲

18 바르게 설명한 것에 ◯표, 잘못 설명한 것에 ✕표 하시오.

각기둥과 원기둥의 공통점

- 각기둥과 원기둥은 모두 밑면이 다각형입니다. (✕)
- 각기둥과 원기둥은 모두 밑면이 서로 합동입니다. (◯)
- 각기둥과 원기둥은 모두 옆면이 사각형입니다. (✕)
- 각기둥과 원기둥은 모두 밑면이 2개입니다. (◯)

19 바르게 설명한 것에 ◯표, 잘못 설명한 것에 ✕표 하시오.

각뿔과 원뿔의 공통점

- 각뿔과 원뿔은 모두 밑면이 1개입니다. (◯)
- 각뿔과 원뿔은 모두 옆면이 굽은 면입니다. (✕)
- 각뿔과 원뿔은 모두 옆면이 밑면과 평행합니다. (✕)
- 각뿔과 원뿔은 모두 앞에서 본 모양이 삼각형입니다. (◯)

20 바르게 설명한 것에 ◯표, 잘못 설명한 것에 ✕표 하시오.

원기둥, 원뿔, 구의 공통점

- 원기둥, 원뿔, 구는 모두 앞에서 본 모양이 원입니다. (✕)
- 원기둥과 원뿔은 밑면의 모양이 원입니다. (◯)
- 원기둥, 원뿔, 구는 모두 다각형으로 둘러싸여 있습니다. (✕)
- 원기둥, 원뿔, 구 중 꼭짓점이 있는 것은 원뿔입니다. (◯)

단원평가 6. 원기둥, 원뿔, 구

정답 47쪽

1 그림과 같은 입체도형을 무엇이라고 합니까?

(원기둥)

2 원기둥에서 각 부분의 이름을 □ 안에 써넣으시오.

밑면 높이 옆면 밑면

3 원기둥의 높이는 몇 cm입니까?

(12)cm

4 원기둥의 전개도는 어느 것입니까? (③)

5 원기둥의 전개도를 보고 물음에 답하시오.

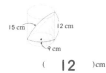

(1) 전개도를 접었을 때 만들어지는 원기둥의 높이는 몇 cm입니까?

(7)cm

(2) 전개도를 접었을 때 만들어지는 원기둥의 밑면의 둘레는 몇 cm입니까?

(12.56)cm

6 원뿔을 찾아 기호를 쓰시오.

(㉡)

7 원뿔을 옆에서 본 모양을 그려 보시오.

8 원뿔의 무엇을 재는 것인지 알맞게 선으로 이으시오.

높이 · 밑면의 지름 · 모선의 길이

9 원뿔에서 모선의 길이, 밑면의 지름, 높이는 각각 몇 cm인지 구하시오.

모선의 길이 (13)cm
밑면의 지름 (10)cm
높이 (12)cm

10 지름을 기준으로 반원 모양의 종이를 한 바퀴 돌려 만든 입체도형의 이름을 쓰시오.

(구)

11 구의 반지름은 몇 cm인지 구하시오.

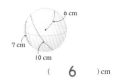

(6)cm

---

12 평면도형을 한 바퀴 돌려 만들어지는 입체도형을 찾아 선으로 이으시오.

13 원기둥과 원기둥의 전개도를 보고, □ 안에 알맞은 수를 써넣으시오. (원주율: 3.1)

(1)
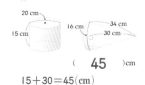
2 cm 12.4 cm 5 cm

(2)
3 cm 18.6 cm 9 cm

14 반원의 지름을 중심으로 하여 한 바퀴 돌려 만든 입체도형의 반지름의 길이는 몇 cm입니까?

28 cm

(14)cm

15 원기둥과 원뿔의 높이의 합은 몇 cm입니까?

20 cm 16 cm 34 cm
15 cm 30 cm

(45)cm

15+30=45(cm)

16 원기둥과 각기둥의 공통점을 찾아 기호를 쓰시오.

㉠ 옆면이 굽은 면입니다.
㉡ 밑면의 모양이 원입니다.
㉢ 두 밑면이 서로 평행합니다.

(㉢)

17 원기둥과 원뿔의 공통점을 모두 찾아 기호를 쓰시오.

㉠ 밑면이 1개입니다.
㉡ 옆면이 굽은 면입니다.
㉢ 밑면의 모양이 원입니다.
㉣ 높이를 잴 수 있는 선분이 1개입니다.

(㉡, ㉢)

18 한 변을 기준으로 직사각형 모양의 종이를 한 바퀴 돌려 만든 원기둥의 밑면의 지름과 높이는 각각 몇 cm인지 구하시오.

(1)

밑면의 지름: 12 cm
높이: 4 cm

(2)

밑면의 지름: 12 cm
높이: 11 cm

19 원기둥의 겉넓이를 구하시오. (원주율: 3)

원기둥의 겉넓이
=(한 밑면의 넓이)×2+(옆면의 넓이)
= 75 ×2+ 300
= 450 (cm²)

20 원기둥의 전개도에서 옆면의 둘레는 몇 cm인지 풀이 과정을 쓰고 답을 구하시오.
(원주율: 3)

예 풀이 (옆면의 가로 길이)
=6×3=18(cm)
(옆면의 둘레)=(18+12)×2
=60(cm)

답 60 cm

memo